KV-446-751

Philip Matyszak

Vergessene Völker

Philip Matyszak

Vergessene Völker

Von den Akkadern bis zu den Westgoten

40 Völker aus über 3000 Jahren

Aus dem Englischen
von Jörg Fündling

wbg Theiss

Inhalt

Vorausgehende Doppelseite:
Sarkophage in Menschengestalt aus der Nekropole von Deir el-Balah, spätkanaanitische Zeit (14.–13. Jh. v. Chr.)

Folgende Doppelseite:
Mada'in Saleh im heutigen Saudi-Arabien war nach Petra die zweitgrößte Siedlung der Nabatäer. Dort findet sich auch dieses monumentale, aus einem Felsvorsprung gemeißelte Grab.

Teil 3

Der Aufstieg Roms

Teil 4

Der Fall Roms im Westen

Einleitung
Die Wiederauferstehung einer vergessenen Welt

Man spricht nicht grundlos vom „Nebel der Zeit". Als Einzelpersonen wie als Kultur nehmen wir eigentlich immer nur Notiz von Menschen und Ereignissen, die nahe an unserer eigenen Zeit liegen. 2003 stellte die Zeitschrift *Time* eine Liste der „100 wichtigsten Personen der Geschichte" zusammen. Rund 40 % der Menschen auf der Liste hatten in den letzten 150 Jahren gelebt und die Mehrheit der übrigen in den letzten 500. Sargon der Große von Akkad, der erste Reichsgründer der Welt (er regierte ca. 2334–2279 v. Chr.), wurde als nicht wichtig genug betrachtet. Dagegen schaffte es der 22. (und 24.) Präsident der USA, Grover Cleveland, gestorben 1908, auf diese Liste. Je ferner uns andere Leute in Raum und Zeit stehen, so scheint es, desto weniger dringen sie in unser Bewusstsein.

Nicht nur Prominente, sondern ganze Völker sind unserem kollektiven Gedächtnis entfallen. Während es stimmt, dass sich einige noch im Nebel abzeichnen – Römer, Assyrer und Ägypter werden wohl nicht so bald aus dem Blick geraten –, erinnert man sich heute nur vage an andere Völker und Stämme, die Zivilisationen erschüttert und das ethnische Gefüge der Menschheit verändert haben. Manche vormals große Völker sind völlig verschwunden, und es bleiben bloße Namen, die Ethnografen und Archäologen Rätsel aufgeben: die Luwier, die Orniaker und Hunderte andere.

Faszinierender sind diejenigen Völker, auf die wir heute noch einen flüchtigen Blick werfen, da sie durch eine Laune der Sprache oder Kultur überlebt haben. Die ersten *aborigines*, so meinte man einmal, lebten in Mittelitalien, wie der Historiker Dionysios von Halikarnassos schreibt. Den Römern kam es so vor, als wäre dieser antike Stamm seit Ewigkeiten da gewesen; deswegen kann man im modernen Englisch die indigene Bevölkerung eines Ortes als „aboriginal" bezeichnen, selbst wenn dieser Ort weit weg von den uns bekannten Aborigines liegt.

Dieses Buch handelt von Völkern, die uns, auch wenn sie überwiegend vergessen sind, bis heute direkt oder indirekt prägen. Oder aber es geht um Völker, von denen wir uns nur noch an eine Einzelheit erinnern, während der Rest verschwunden ist. Was wissen wir schon von den Baktrern bis auf ihre zweihöckrigen Kamele? Oder von den Samaritanern, außer dass einer von ihnen barmherzig war? Einen spießigen Kleinbürger nennen wir manchmal noch „Philister", aber waren die Philister so große Philister – und wo wir schon dabei sind: Waren die Vandalen solche Vandalen?

Es gibt sehr viele Völker dieser Art. Dieses Buch kann unmöglich alle beschreiben; es befasst sich mit den vergessenen Völkern in einer bestimmten Region der antiken Welt. Es möchte ein Bild von der wimmelnden, streitsüchtigen, multikulturellen Menschenmasse vermitteln, die den antiken Nahen Osten, den Mittelmeerraum und Teile Europas bewohnte. Ein Ziel beim Sammeln dieser zu wenig bekannten Völker besteht darin, uns daran zu erinnern, dass Zivilisation ein gemeinsames Menschheitsprojekt darstellt. Nicht allein die „großen Kulturen“ haben unsere moderne Welt geschaffen.

Ägypten, Babylonien und Assyrien beherrschen das Bild der frühen antiken Jahrhunderte, genau wie Israeliten/Juden, Griechen und Römer die Jahrhunderte danach. Doch keine dieser großen Zivilisationen hätte ohne die – großen und kleinen – Beiträge der Völker an ihren Rändern Gestalt angenommen. Die Phryger trugen ihr Stück dazu bei, ebenso die Chaldäer und die Epiroten – und ohne diese Völker hätten wir nicht die Freiheitsmütze (die „phrygische Mütze“, wie man sie von antiken Darstellungen kennt) der Französischen Revolution, die Redewendung von „tönernen Füßen“ oder den Pyrrhussieg.

In gewisser Weise ist die Geschichte dieser so unterschiedlichen und oft eigenwilligen vergessenen Völker die Geschichte der westlichen Zivilisation aus anderer Perspektive. Statt die klassische Antike aus der Sicht der expandierenden Macht Rom zu erzählen, untersucht dieses Buch, was Roms Expansion für Völker wie die Keltiberer oder die Nabatäer bedeutete – bestenfalls einen kulturellen Umbruch und schlimmstenfalls die Auslöschung. Doch noch im Verschwinden beeinflussten sie ihre Eroberer.

Im Lauf der Jahrhunderte verlagert sich der Schwerpunkt dieses Bandes nach Westen: von der ersten Stadt der Welt, Uruk am Euphrat im antiken Sumer, ins Stammesgebiet der Icener im ostenglischen Fenland. Das liegt nicht daran, dass sich auch die Zivilisation westwärts verschoben hätte – Babylonien und Ägypten schafften es während der gesamten Antike, ein ganzes Stück zivilisierter zu bleiben als Britannien. Vielmehr dehnte sich die Zivilisation nach Westen aus, und damit mussten die Völker und Kulturen im Westen fertigwerden.

Anmerkung: Die Jahreszahlen für jedes Volk sind Annäherungswerte für die Hauptphase, in der diese Völker oder Zivilisationen auf der Bühne der Geschichte standen. Manche Zeitangaben sind sehr unsicher, die meisten aber beruhen entweder auf überlieferten wichtigen Ereignissen (etwa Entscheidungsschlachten) oder auf der ersten und letzten Erwähnung in antiken Quellen. Wo dies möglich war, wurde das von Simon Hornblower und Anthony Spawforth herausgegebene *Oxford Classical Dictionary* (4. Auflage 2012) herangezogen. Nützlich unter den deutschsprachigen Nachschlagewerken sind insbesondere das *Reallexikon der Assyriologie und Vorderasiatischen Archäologie*, *Der neue Pauly. Enzyklopädie der Antike* mit seinen verschiedenen Supplementbänden sowie das *Reallexikon der Germanischen Altertumskunde*.

Teil 1

Die ersten Zivilisationen 2700–1200 v. Chr.

Frühe Staaten in Mesopotamien und Ägypten

Was genau ist Zivilisation? Einfach gesagt, gibt es sie dort, wo wir komplexe Gesellschaftsformen vorfinden – vielfach hierarchisch organisierte Städte und Staaten, in denen Herrscher (normalerweise zusammen mit Priestern und einer Kriegerkaste) die Arbeiter und Handwerker kontrollieren und dadurch die Besitzströme lenken, womit Ungleichheit entsteht. Bei Zivilisation geht es bestimmt um anständige Straßen und Abwasserleitungen, so wie das Klischee es möchte, es geht aber auch um Steuern und um die Gesellschaftsordnung, um technische Fortschritte – insbesondere bei den Waffen – und nur zu oft darum, wie „minderwertige Völker" für den „Fortschritt" aus dem Weg geräumt werden können.

Unsere Geschichte beginnt zu der Zeit, als die Menschen in Mesopotamien erstmals lernten, in großer Zahl zusammenzuleben. Im Grunde sind es ihre Ideen, die sich nach Westen verbreiteten und die Völker, auf die sie unterwegs trafen, veränderten, wobei die Ideen ihrerseits verändert wurden. Unsere Geschichte endet mit dem Eindringen wandernder Völker nach Europa aus Norden und Osten. Doch diese Invasoren zerstörten nicht etwa die Zivilisation. Stattdessen gingen sie in ihr auf, so wie die ersten Reichsgründer vor vielen Jahrtausenden in Sumer aufgegangen waren.

Wenn wir die frühe Geschichte Mesopotamiens – im klassischen Griechisch heißt es wörtlich das Land „zwischen den Strömen" und meint den heutigen Irak mit Teilen Syriens – und der Levante betrachten, ist unser erster Eindruck Konfusion und Chaos. Mit einem Wimpernschlag scheinen Städte aufzusteigen und zu fallen, Völker mit merkwürdigen Namen kommen auf die Bühne der Geschichte und sind im Nu wieder verschwunden. Da fällt es schwer, auch nur die Entwicklung größerer Zivilisationen zu verfolgen, geschweige denn Stämme und Völker am Rand des Geschehens.

Dafür gibt es zwei Gründe. Erstens war Mesopotamien in dieser Frühzeit eine verwirrende Gegend und die Landstriche nördlich und westlich davon erst recht. Die Stadt war frisch erfunden und die Zivilisation war noch dabei, mit dem städtischen Leben klarzukommen. Grundlegendes wie Verwaltung, Gesetzbücher und Dokumentation wurde aus dem Nichts eingeführt. Darüber hinaus konnten die Neuerer in diesen frühen Städten ihrer Arbeit nicht ungestört nachgehen. Große Siedlungen zogen Wellen von Migranten an, die meist aus dem Norden kamen. Ob die Neuen nun in Frieden kamen oder als bewaffnete Eroberer auftraten, sie mussten in den ohnehin schon komplizierten Kulturenmix integriert werden, der in der Region bereits bestand.

Der zweite Grund, wieso uns diese Zeit so chaotisch vorkommt, liegt an der „Teleskop"-Perspektive auf die Historie. Die „Alte Geschichte" hat sich vor langer Zeit ereignet, deshalb stellen wir uns gern vor, dass alles, was dazugehört, mehr oder weniger gleichzeitig passiert ist. Sogar wer mit dem griechischen Historiker Herodot (ca. 484–425 v. Chr.) vertraut ist, staunt vielleicht, wenn er hört, dass die Pyramiden von Giza in Ägypten, als Herodot sie sah, schon halb so alt waren wie heute. Auch die Stadt Babylon beschreibt Herodot. Einer ihrer Könige begeisterte sich für Archäologie. Man muss erst einen Moment lang verdauen, dass der Herrscher eines Reiches, das so alt ist, dass die heutige Archäologie entzückt ist, Überreste seines Bestehens zu finden, selbst daran interessiert war, Zeugnisse früherer Zivilisationen auszugraben. Die Gegenstände, die er freilegte, waren, als er sie fand, noch älter, als es die Ruinen seiner eigenen Zivilisation heute sind.

Schließlich entwickelt sich unser Verständnis der ersten Zivilisationen ständig weiter, wenn Archäologie und Naturwissenschaften neue Entdeckungen gelingen. Standardwerke, die erst ein paar Jahrzehnte alt sind, müssen heute schon grundlegend überarbeitet werden. Da ist es kein Wunder, dass das antike Mesopotamien einem so konfus vorkommen kann. Und sogar im alten Ägypten, wo wir die Entwicklungslinie der Zivilisation scheinbar klarer sehen können, gibt es Zwischenspiele mit relativem Chaos, von den Historikern „Zwischenzeiten" genannt – das ist ein Fachwort für „Zeiten, in denen wir keine Ahnung haben, was passierte". Deshalb ist es in dieser frühesten Epoche noch wichtiger als ohnehin schon, unsere vergessenen Völker in Zeit und Raum einzuordnen.

Es ist kein Zufall, dass die Zivilisation zuerst an den Ufern von Euphrat und Tigris in Mesopotamien entstand und wenig später am Nil in Ägypten. In Mesopotamien waren gute Ernten nur durch Bewässerung möglich, eine Maßnahme, für die große Menschenmengen zusammenarbeiten mussten. Solche vereinten Anstrengungen ernährten nicht nur die Arbeiter, die die Bewässerungskanäle aushoben und instand hielten, sondern sie erzeugten auch einen Überschuss an Landwirtschaftsgütern, der die hungrigen Mäuler in den ersten Städten stopfen konnte. Auch in Ägypten wurde die Feldarbeit zentral organisiert, um die Böden zu nutzen, die das alljährliche Hochwasser des Nils düngte.

So sorgten in Ägypten wie in Mesopotamien die geografischen Gegebenheiten dafür, dass die herrschenden Eliten die Kraft kollektiver Tätigkeit bändigen und lenken konnten, was das Wachstum der ersten Städte, Staaten und Reiche vorantrieb. Auch ein Klimawandel scheint ein Auslöser dafür gewesen zu sein: Ein starkes Absinken des Meeresspiegels ab 3500 v. Chr. ließ die Wassermenge der großen Flüsse sinken und erzwang damit die Intensivierung des Kanalbaus. Diejenigen Städte, die knappe Ressourcen am besten nutzen konnten, gelangten dank einer Mischung aus Gewalt und Raffinesse an die Spitze. Etwa 3500 v. Chr. wurde Uruk, das eine gute Lage am Euphrat in Südmesopotamien hatte, zur ersten bekannten Stadt der Welt. Auf ihrem Höhepunkt bedeckte die Hauptstadt der sumerischen

Zivilisation die doppelte Fläche des antiken Athen; innerhalb ihrer Mauern lebten möglicherweise 50 000 Menschen.

Zur Verwaltung einer immer komplizierteren Wirtschaft erfanden die Sumerer das erste Schriftsystem der Welt: die Keilschrift – eine Abfolge keilförmiger Symbole, die entstanden, wenn man einen aus Schilf geschnittenen Schreibgriffel in Täfelchen aus weichem Ton drückt. Ewig dankbar ist die Archäologie dafür, dass solche Tontafeln praktisch unzerstörbar sind, besonders wenn einer der vielen Brände, die die frühen Städte heimsuchten, sie hart gebrannt hat. Deshalb haben Zehntausende Dokumente überlebt, die mehrere Tausend Jahre abdecken und Einzelheiten zu der Abfolge von Staaten und Reichen im Nahen Osten liefen.

Ein semitisches Volk, die **Akkader,** schuf das erste Reich der Welt, das sie von der verschollenen Stadt Akkad aus beherrschten. Nicht nur die sumerischen Stadtstaaten im Süden, sondern ganz Mesopotamien dominierten die Akkader 150 Jahre lang, ehe sie um 2190 v. Chr. aus dem Blick geraten. Danach besteht das prägende Muster der mesopotamischen Machtpolitik in der Rivalität zwischen zwei neuen Einflusszentren: Babylon (ursprünglich eine akkadische Festung) im Süden und Assyrien im Norden errichteten ab 1800 v. Chr. rivalisierende Reiche. Ein wenig bekanntes halbnomadisches Volk aus Syrien, die **Amoriter,** brachte Babylon auf den Weg zum Reichsstatus, besonders unter Hammurabi, dem berühmten Gesetzgeber der später so legendären Stadt.

Inzwischen waren am West- und Ostrand des Nahen Ostens neue Machtzentren entstanden. Die **Hethiter** in Anatolien waren stark genug, um 1959 v. Chr. Babylon zu plündern, während die **Elamiter** im westiranischen Hochland eine Dauerplage für die Mesopotamier der Tiefebene waren. (Auch sie kamen 694 mit einer – kurzzeitigen – Eroberung Babylons dort an die Macht.)

Im Vergleich mit dem oft verwirrenden Strom aus Staaten und Reichen in Mesopotamien wirken die Glanz- und Schwächephasen der ägyptischen Zivilisation im Süden täuschend geradlinig. Die Vereinigung von Ober- und Unterägypten in der Zeit nach 3100 v. Chr. führte rund 600 Jahre später während des Alten Reiches zum Bau der Pyramiden von Giza, einer spektakulären Verkörperung der Macht eines hoch zentralisierten Staates. Doch die Ägypter waren gegen Erschütterungen durch Eindringlinge nicht immun. Gegen 1650 v. Chr. wurden sie von Norden her durch die geheimnisvollen **Hyksos** beinahe überrannt und mussten ein Jahrhundert lang die Schande einer Fremdherrschaft ertragen. Am Ende konnten die Ägypter die Invasoren hinauswerfen, waren aber so klug, deren Neuerungen in Landwirtschaft und Waffentechnik beizubehalten.

Um 1550 v. Chr. entstand unter der neuen ägyptischen Königsdynastie das Neue Reich. Es entwickelte sich zu einem ausgewachsenen Großreich und unternahm regelmäßig Feldzüge nach Norden in die Levante und nach Süden bis Nubien, um die Grenzen Ägyptens zu erweitern. Diese Kriegszüge brachten die Ägypter unter Ramses dem Großen in einen Konflikt mit den Hethitern, besonders in Form der sogenannten ersten Schlacht der Weltgeschichte bei Kadesch in Syrien um 1274 v. Chr. Anscheinend zogen die Ägypter bei diesem Zusammenstoß den Kürzeren – allerdings war das nicht die Version von Ramses, der monumentale Bilder seiner glorreichen Siege auf Tempelmauern im ganzen Reich meißeln ließ.

In den Ländern, um die diese Mächte in der Levante kämpften, hatten seit Jahrtausenden die **Kanaaniter** gewohnt. Doch in einem Ereignis, das die Historiker als Zusammenbruch der bronzezeitlichen Hochkulturen bezeichnen, vernichteten die rätselhaften **Seevölker** die Hethiter und stürzten Ägypten ins Chaos. Die Schlachten zwischen den Seevölkern und jenen Gemeinschaften, die sie ins Visier nahmen, waren zwar grausamer, aber kein bisschen weniger erbittert als die Debatten in der heutigen Forschung, die herauszufinden versucht, woher die Seevölker kamen oder was sie antrieb.

Sicher ist, dass die Seevölker die Vorboten eines „Dunklen Zeitalters“ waren, das 300 Jahre lang anhielt, bis die Staaten und Reiche der neuen Eisenzeit entstanden, die die Menschheit ein weiteres Mal veränderten.

ca. 2334–2190 v. Chr.

Die Akkader

Die Architekten des ersten Reiches

Naram-Sin, der mächtige König, der König von Akkad, König der vier Weltgegenden,
der Ischtar und Amunitum verherrlicht [...].
Dessen Ahnherr Sargon Uruk besiegte und das Volk von Kisch befreite,
ihre [Sklaven-]*Haartracht abrasierte und ihre Ketten zerbrach.*

Naram-Sin-Stele

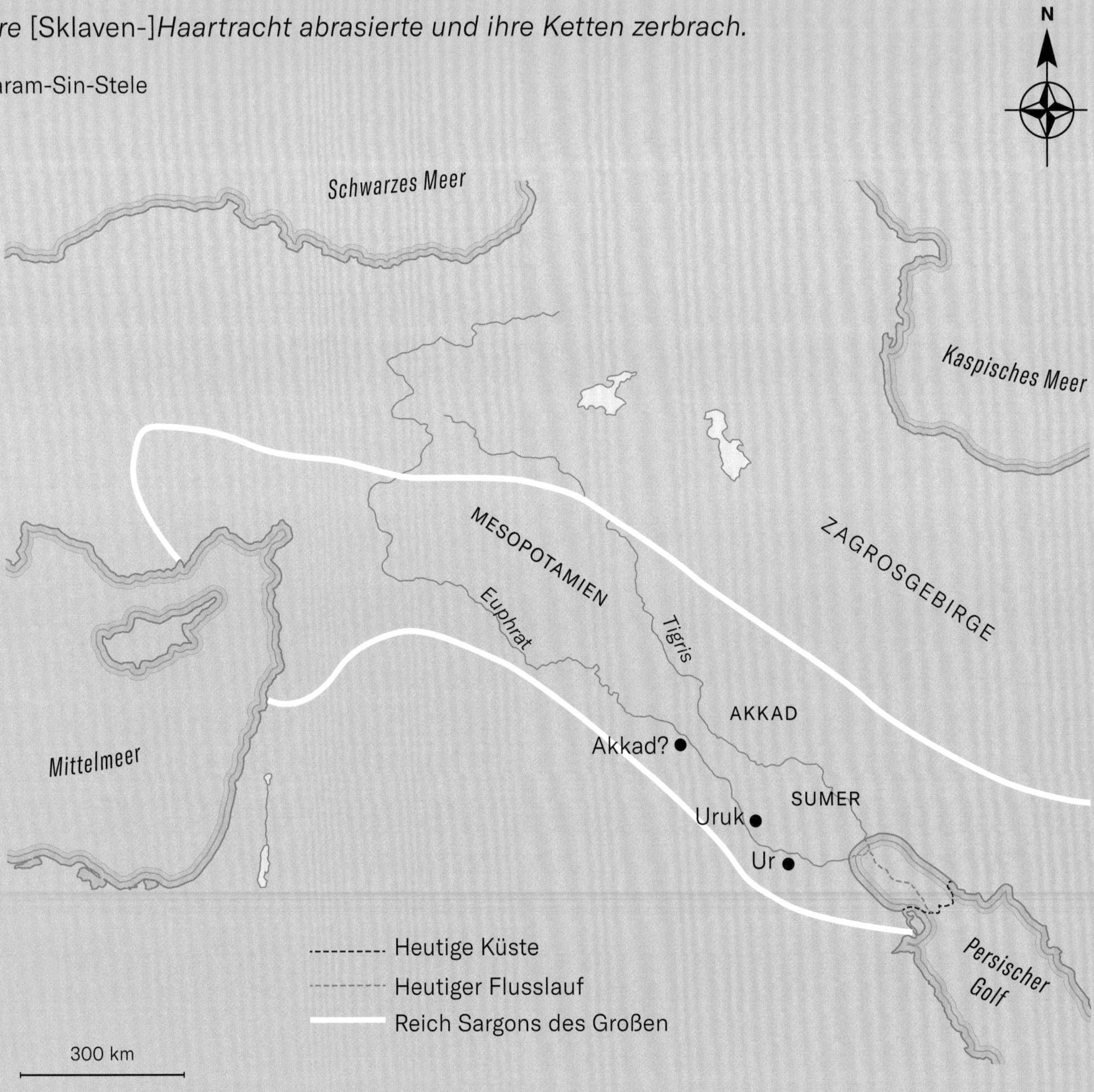

N
Schwarzes Meer
Kaspisches Meer
MESOPOTAMIEN
ZAGROSGEBIRGE
Euphrat
Tigris
AKKAD
Akkad?
SUMER
Uruk
Ur
Mittelmeer
Persischer Golf

Heutige Küste
Heutiger Flusslauf
Reich Sargons des Großen

300 km

Den Akkadern gelang eine ganze Reihe von Premieren, die den großen Staaten, die später auf sie folgten, den Rahmen vorgaben: Sie gründeten das erste Reich der Welt, wurden vom ersten Gottkönig regiert und stellten die erste Berufsarmee auf.

Sargon, der erste Reichsgründer

Das „Akkader“ genannte Volk war nur ein unwichtiger Stamm unter vielen in jenem riesigen, vielfältigen Schmelztiegel, den das obere Mesopotamien im 3. Jahrtausend v. Chr. darstellte. Die eigentliche akkadische Geschichte jedoch beginnt mit einem König namens Sargon dem Großen (der ca. 2334–2779 v. Chr. herrschte). Wie Sargon diese unbedeutenden Völker in die Herrscher eines Reiches verwandelte, das vom Oberlauf des Euphrat bis zum Persischen Golf reichte, ist unbekannt. Sargons Herkunft ist – buchstäblich – der Stoff, aus dem Mythen sind. Es heißt, seine Mutter sei eine Priesterin gewesen, und als Sargon geboren wurde, habe sie ihn in ein Körbchen gelegt und in einen Fluss gestoßen. Die Ähnlichkeit zur viel späteren Geschichte von Romulus und Remus (einer von Sargons Söhnen hieß Rīmuš) ist unverkennbar, obwohl Sargon anscheinend als Gärtner aufwuchs, während die Gründer Roms ihre berufliche Karriere als Schäfer begannen.

Zur Jugendzeit Sargons stand die Region unter der Kontrolle des Königs Lugalzagesi, der von Uruk aus herrschte. Mit einem neuartigen Experiment versuchte Lugalzagesi, die verschiedenen von ihm beherrschten Stämme, Städte und Königreiche zu einer Einheit zu verschmelzen. Später stürzte Sargon Lugalzagesi und eroberte Uruk, obwohl die Umstände auch hierbei ungewiss sind. Fest steht, dass er, sobald er an der Macht war, eine Laufbahn als Eroberer einschlug und in ihrem

Bronzekopf Sargons des Großen. Wahrscheinlich wurde der Kopf schon in der Antike verstümmelt, als er Feinden der Akkader in die Hände fiel.

Verlauf das erste geschlossene Reich der Welt schuf. Eigentlich kommt ein Großteil dieses Verdiensts Lugalzagesi zu, der die Stadtstaaten des antiken Landes Sumer bereits in eine einzige politische Einheit verwandelt hatte. Doch Sargon baute auf diesem Werk auf und gliederte nichtsumerische Völker in sein Reich ein, indem er seine Macht nach Süden an den Persischen Golf und westlich nach Syrien hinein ausdehnte. Dabei plünderte er die wichtige Stadt Ur, von wo, wie eine andere Quelle erzählt, einst ein Patriarch namens Abraham aufbrach, um im Land Kanaan zum Stammvater des jüdischen Glaubens zu werden.

Die Akkader kamen unmittelbar in den Genuss einiger Vorteile des Reiches. Mit dem Ende der Bruderkriege und der Entstehung einer einheitlichen Regierung blühten Handel und Landwirtschaft. Die akkadische Sprache wurde mit der allgegenwärtigen Keilschrift der Region geschrieben und man hat Tontafeln entdeckt, die uns von Akkads Handelsbeziehungen zu fernen Völkern auf Zypern, in Ägypten und im Industal berichten.

Die Herrschaft der Gottkönige

Nicht bekannt ist, ob erst Sargon die Stadt Akkad gründete oder ob sie schon vorher bestand. Ihre genaue Lage ist der Archäologie unbekannt, obwohl man sie heute irgendwo am Tigris vermutet. Sargon selbst behauptet, er sei aus der ansonsten unbekannten Stadt Azurpiranu gekommen. Jedenfalls wurde Akkad unter seiner Herrschaft entweder geschaffen oder neu geschaffen und bildete für das nächste Jahrhundert das politische Zentrum Mesopotamiens. Das akkadische Regierungssystem wurde zum Standard, dem man später in der ganzen Region folgte. Im Wesentlichen handelte es sich dabei um eine Palastkultur, in welcher der Herrscher – eine weitere soziale Innovation – zum Gottkönig wurde.

Sowohl Sargon als auch der bedeutendste seiner Nachfolger, Naram-Sin (2261–2224 v. Chr.), hatten das Glück, überaus fähige Töchter zu haben, denen sie priesterliche Aufgaben übertrugen. Das erleichterte den Übergang zur Auffassung, die Könige seien Götter, sehr, da Tempel damals nicht nur religiöse, sondern auch Verwaltungszentren waren. Andere Töchter wurden mit Statthaltern in fernen, aber wichtigen Provinzen verheiratet, um deren Loyalität zu sichern. Später wurden solche Maßnahmen Routine, doch da noch nie jemand ein Reich wie das der Akkaderkönige regiert hatte, erfanden sie dergleichen einfach von Fall zu Fall.

Seit etwa 2334 v. Chr. beherrschte Sargon 55 Jahre lang das, was er zweifellos als den Großteil der Welt betrachtete („die vier Weltgegenden", wie er sagte). Doch obwohl seine lange Herrschaft einige Vorteile brachte, versöhnte sie die Beherrschten nicht mit dem neuen Reichskonzept. Als Sargon starb, erhoben sich viele seiner Untertanen in dem Versuch, ihre Unabhängigkeit wiederzugewinnen.

Die archäologische Fundstätte Uruk im heutigen Irak, eine große akkadische Stadt. Die Lage Akkads, der Hauptstadt des Reiches, ist bis heute unbekannt.

Bis zum endgültigen Fall Akkads kam es nach dem Tod jedes der sieben Könige des Reiches zu solchen Rebellionen.

Wirtschaft und Kultur

Ein Faktor, der den Akkadern sehr beim Erhalt ihres Reiches half, war, dass dessen wichtigster Teil, Sumer, bei seiner Landwirtschaft fast vollständig von Bewässerung abhing. Wenn man richtig vorgeht, sorgt Bewässerung in Verbindung mit reichlich Sonnenlicht für riesige Ernten, aber das verlangt ein hohes Maß an sozialer Zusammenarbeit und Organisation. Das führte dazu, dass sich die Sumerer stärker auf eine ordentliche Verwaltung verließen als beispielsweise die nomadischen, rebellischen Amoriter, die als Hirten am Rand des Reiches lebten.

Außerdem bestellte der Löwenanteil der Bevölkerung Akkads zwar das Land, doch die Effizienz der Landwirtschaft sorgte für einen Überschuss, der für die Ernährung von Schreibern, Priestern, Händlern und Verwaltern zur Verfügung stand. Außerdem half das überschüssige Getreide beim Unterhalt eines Heeres. Man nimmt an, dass die Palastwache Sargons eine der ersten hauptberuflichen Streitkräfte der Welt war. Es handelte sich um eine ausgebildete Truppe, die wahrscheinlich nicht mehr als 1000 Mann zählte, auf dem Schlachtfeld aber schlecht trainierten Milizen weit überlegen war.

Die akkadische Kriegführung war noch ziemlich primitiv. So bestand die akkadische „Streitwagenkavallerie“ aus Eselskarren. (Die Zucht von Pferden, die groß genug waren, um Reiter zu tragen, lag noch tausend Jahre in der Zukunft.) Sargon modernisierte das akkadische Militär, indem er seine Schlachtreihe – die Speere mit Kupferspitzen und Holzschilde

Tontafel in akkadischer Keilschrift, heute im British Museum London. Es scheint sich um Schreibübungen zu handeln, die einen Teil der Geburtslegende Sargons des Großen wiedergeben.

trug – tiefer staffelte und dichte Formationen aus Bogenschützen verwendete, um einzelne Ziele zu vernichten, besonders Streitwagen. Das Ziel der meisten akkadischen Feldzüge bestand im Sichern der Handelsrouten des Reiches. Denn bei all ihrem Überfluss an Getreide mussten die Akkader Bauholz und Bodenschätze auf dem Handelsweg beschaffen.

Akkads Aufstieg bedeutete, dass Akkadisch zur Umgangssprache der Region wurde und damit die erste semitische Sprache, die mit dem einheimischen Sumerisch konkurrierte. Diesen Sprachwandel belegen die Inschriften auf Tontafeln. Die Mehrzahl der überlieferten akkadischen Texte ist auf solchen Täfelchen erhalten, die meist aus der Zeit nach dem Akkadischen Reich stammen, weil auch eine Reihe von Nachfolgestaaten wie etwa das Neuassyrische Reich das Akkadische verwendeten. Erhaltene zeitgenössische Texte belegen ein Interesse an Vorzeichen und die Angst vor Hexerei und Dämonen.

Die akkadische darstellende Kunst wurde zu Propagandazwecken genutzt und zeigte den akkadischen König, wie er seine Feinde besiegte oder sich in der Gesellschaft der Götter bewegte. Es überrascht nicht, dass Akkads Feinde und die von ihm unterworfenen Völker solche Darstellungen nicht besonders mochten, und nach Akkads Fall wurden viele dieser Skulpturen gezielt zerstört. Einer berühmten noch erhaltenen Büste Sargons wurden die Augen ausgehackt und die Ohren abgeschnitten – Strafen, wie sie manchmal an ungehorsamen Sklaven vollzogen wurden.

Der Fall der Akkader

Šar-kali-šarri, der letzte wichtige König von Akkad, kam in unruhigen Zeiten an die Macht. Es gibt Anzeichen, dass ein Klimawandel zu einer Dürreperiode führte, die das Bewässerungssystem aus dem Gleichgewicht brachte, von dem die Akkader abhingen. Diese Dürre war so katastrophal, dass den archäologischen Befunden zufolge einige Städte ganz aufgegeben wurden. Dann lockte die akkadische Schwäche Plünderer an, darunter die Gutäer, ein Volk im südwestlichen Iran, das sich an Akkads Grenzen sammelte, während die Kosten für die Abwehr solcher Gefahren die Steuern so sehr ansteigen ließen, dass manche Vasallenstaaten dagegen rebellierten.

Der Niedergang des Akkadischen Reiches um 2193 v. Chr. leitete eine Zeit der Anarchie und des Chaos in der Region ein. So vollständig war Akkads Sturz, dass die Hauptstadt Akkad verlassen wurde und in den Abgründen der Geschichte versank. Die Wiederentdeckung dieser verschollenen Stadt ist eine Art Suche nach dem Heiligen Gral für jene Archäologen, die Antworten auf die vielen Rätsel suchen, die Akkad umgeben, oder sich davon Hinweise auf die Ursprünge der späteren Zivilisationen in Ur und Assyrien erhoffen.

Nachhall in der Zukunft

Naram Sin, ein Enkel Sargons, regierte Akkad, als der Staat am größten war. Erhalten ist eine große Reliefstele, die Naram-Sins Sieg über die Lullubäer im zentralen Zagrosgebirge schildert. Häufig wird spekuliert, Naram-Sin könnte Nimrod sein, der „gewaltige Jäger" der Bibel. Die Wissenschaft hat angemerkt, dass Zeit und Umfang von Nimrods Herrschaftsgebiet grob passen und dass es eine linguistische und phonetische Ähnlichkeit der beiden Namen gibt.

Wenn das stimmt, ist der Name Naram-Sin inzwischen mit einem berühmten Musikstück Edward Elgars verknüpft, mit dem Schiff einer der Antarktisexpeditionen Ernest Shackletons sowie mit einem Flugzeugtyp. Auf nicht ganz so glanzvolle Weise (ein Verdienst Bugs Bunnys und seines inkompetenten Jägers) ist „Nimrod" heutzutage, hauptsächlich in den Vereinigten Staaten, ein Ausdruck für jemanden, der sogar die einfachsten Aufgaben verstolpert.

Naram-Sin triumphiert über seine Feinde. Dieses um 2250 v. Chr. entstandene Reliefbild des Königs auf einer fast 2 m hohen Kalksteinstele befindet sich heute im Pariser Louvre.

Ca. 2000 – 1595 v. Chr.

Die Amoriter

Babylons ‚Gründer'

Diese einst so fruchtbaren Riesen,
die Refaiter, wurden abgelöst durch die Amoriter.
Das ist ein böses Volk, schlimmer als alle anderen,
die es heute noch gibt, und es misst nicht länger
seine Lebensspanne auf dieser Erde aus.

Pseudo-Genesis 29,10–12

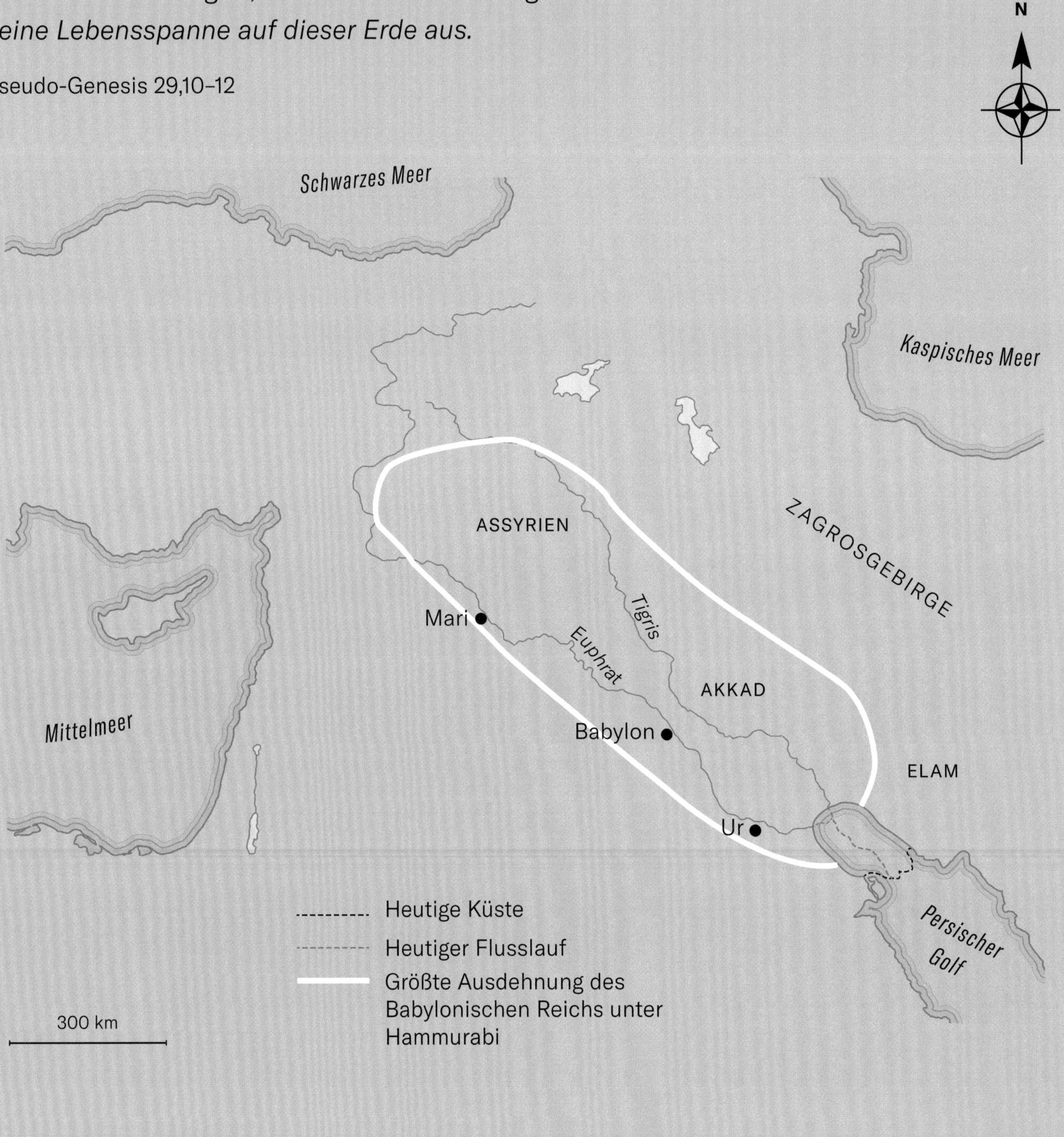

N

Schwarzes Meer

Kaspisches Meer

ASSYRIEN

ZAGROSGEBIRGE

Mari

Tigris

Euphrat

AKKAD

Mittelmeer

Babylon

ELAM

Ur

Persischer Golf

Heutige Küste

Heutiger Flusslauf

Größte Ausdehnung des Babylonischen Reichs unter Hammurabi

300 km

Babylon ist eine der bekanntesten Städte der Antike – zu verschiedenen Zeiten die Hauptstadt zweier Reiche, berühmt für ihre Hängenden Gärten und berüchtigt wegen der Babylonischen Gefangenschaft der Juden. Die akkadische Stadt Babylon, gegründet im späten 3. Jahrtausend v. Chr. in voramoritischer Zeit, war nichts Besonderes, ehe sie den Amoritern in die Hände fiel. Sie waren es, die den babylonischen Stadtstaat schufen und die Stadt selbst zur größten und bevölkerungsreichsten der damaligen Welt machten.

Die Akkader hätten die Amoriter nicht gerade als gute Kandidaten für die Gründung eines der großen Kulturzentren Mesopotamiens betrachtet, denn sie hielten sie für kaum zivilisiert. Der frühe Text einer Legende namens „Die Hochzeit des Martu" enthält eine wenig schmeichelhafte Beschreibung, wonach die Amoriter „Affenmenschen" seien, rohes Fleisch äßen, zu Lebzeiten kein Haus und im Tod kein richtiges Begräbnis hätten.

Wer waren die Amoriter?

Tatsächlich bezog sich damals der Begriff „Amoriter" (*Amurru*) vielleicht gar nicht auf ein bestimmtes Volk, sondern war ein generelles Schimpfwort, mit dem die ackerbauenden Mesopotamier im späten 3. Jahrtausend v. Chr. die Stammeskrieger an ihren Grenzen bezeichneten, die bei ihnen einfielen. Leider – zumindest aus akkadischer Sicht – kamen die nomadischen Amoriter mit der schweren Dürreperiode besser zurecht, die die Region anscheinend zu Beginn des 2. Jahrtausends v. Chr. heimsuchte. Den Akkadern ging es schlecht, und als ihre Bewässerungssysteme versagten, begannen die Amoriter schrittweise ihr Land zu besetzen, mal durch Eroberung, mal indem sie einfach verlassene Äcker in Gebrauch nahmen.

Die zeitliche Abfolge ist zwar alles andere als sicher, aber anscheinend wurden – lange nach der Wanderung der Amoriter von Nordwesten her nach Mesopotamien – ihre Verwandten durch ein expansionistisches Volk namens Israeliten aus dem Land Kanaan vertrieben, wie das Buch Deuteronomium es schildert (3,6–8):

„Wir vollzogen den Bann an der ganzen Bevölkerung, auch an den Frauen samt Kindern und Alten. Alles Vieh und das,

Der „Beter von Larsa". Ein unbekannter Bürger weihte diese Statuette dem Gott Amurru, damit er Hammurabis Leben beschütze.

was wir in den Städten geplündert hatten, behielten wir als Beute. Damals entrissen wir der Gewalt der beiden Amoriterkönige jenseits des Jordan das Land vom Arnontal bis zum Gebirge Hermon."

In Mesopotamien fanden die Amoriter schnell Geschmack am Stadtleben, und der Stamm verschmolz mit der einheimischen sumerischen Bevölkerung. Amoriterkönige übernahmen die wichtige Stadt Mari am Euphrat und hatten schon 1990 v. Chr. Babylon erobert, worauf sie diese unscheinbare Stadt rasch in einen großen Stadtstaat verwandelten.

Der Gesetzgeber

Ende des folgenden Jahrhunderts wurde ein Mann namens Ammurapi geboren und stieg später zum König in Babylon auf. Inzwischen beteten die Amoriter in Babylon sumerische Gottheiten an und scheinen ihre eigenen nomadischen Verwandten ebenso inbrünstig verachtet zu haben, wie es früher die Akkader getan hatten. Sosehr hatten sich die Amoriter in die alteingesessene Bevölkerung integriert dass Ammurapi besser unter seiner akkadischen Namensform Hammurabi bekannt war.

Die Stele mit dem Codex Hammurabi wurde in der Antike bewundert und blieb erhalten. Sie hat die Zeiten überdauert und kann heute im Pariser Louvre immer noch angesehen werden.

Seine Königskarriere begann Hammurabi als Eroberer, indem er das rivalisierende Mari verwüstete und die vormals mächtigen Assyrer in einen Vasallenstatus zwang. Auch über die Elamiter fiel er her, ein anderes Nomadenvolk, das zum Sturz Akkads einen wesentlichen Beitrag geleistet hatte. Elams Eroberung machte Hammurabi zum Herrn über den Großteil Mesopotamiens. Doch diese erste Phase der babylonischen Vormacht war nur kurzlebig und Hammurabis vielversprechendes Reich zerfiel während der Herrschaft seines Sohnes und Nachfolgers.

Dennoch hatte diese kurze Hegemonie tiefen, bleibenden Einfluss auf die Region – so tief, dass dieser Südteil Mesopotamiens während der restlichen Antike als Babylonien bekannt war. Zum einen brachen die Amoriter das Monopol der Tempel auf die Stadtverwaltung, die damit eine weltliche statt einer religiösen Angelegenheit wurde. Der wohl berühmteste Aspekt dieser Entwicklung ist das Rechtswesen. Bis zur Zeit der Amoriterkönige hatten Priester das „Recht" als Ausdruck göttlichen Willens ausgelegt. Hammurabi war zwar nicht der Erste, der einen Kodex aufstellte, in dem Straftaten definiert und Strafen für sie vorgeschrieben wurden, aber sein Werk war das Erste, das wesentlichen Einfluss hatte.

Dies liegt teilweise daran, dass Hammurabi dafür sorgte, dass seine Gesetze – und zwar alle 282 – nicht als entlegene Tempelakten aufbewahrt wurden, sondern in eine Stele eingemeißelt und öffentlich aufgestellt wurden. Die Gesetze waren auf Akkadisch geschrieben, das trotz der amoritischen Vorherrschaft weiter die Verkehrssprache der Region war. Fraglich ist, ob mehr als ein kleiner Teil der Bevölkerung schriftkundig genug war, sie auch zu lesen, aber die Gesetze standen

buchstäblich in Stein gemeißelt da und alle konnten sie sehen.

Es ist unglaublich, aber so ist es immer noch. Die schwarze Steinstele, auf die Hammurabi seine Gesetze schreiben ließ, ist ein vier Tonnen schwerer Monolith aus einem harten Gestein namens Diorit. Weil die Gesetze so einflussreich waren, wurde auch die Stele selbst in Ehren gehalten – und zwar so sehr, dass die Elamiter, als sie später eine Zeit lang die Vorherrschaft hatten, den Stein aus Babylon in ihre Hauptstadt Susa im heutigen Iran transportierten (zusammen mit der Stele des Naram-Sin). Dort blieb sie, während die antike Stadt langsam in Ruinen fiel. 1901 wurde sie von einer französischen Archäologieexpedition wiederentdeckt, und derselbe Stein, der den Babyloniern einst die Gesetze Hammurabis verkündete, ist erhalten geblieben, obwohl in den dazwischenliegenden Jahrhunderten Hunderte von Rechtskodizes gekommen und gegangen sind.

Überreste des Königspalasts von Zimri-Lim in Mari. Es handelt sich um einen der größten Paläste im damaligen Mesopotamien, doch die unruhigen Zeiten sorgten dafür, dass der König dort nur selten einen angenehmen Aufenthalt hatte.

Die Amoriterzeit

Die Jahre 2000–1600 v. Chr. werden manchmal als „Amoriterzeit“ der mesopotamischen Geschichte bezeichnet. Während die sozioökonomischen Veränderungen, die die Amoriter für die sumerische Kultur brachten, von Dauer waren, galt das für die Amoriter selbst nicht. In Kanaan standen sie bereits unter dem Druck der Israeliten, nun wurden sie durch ein wieder erstarkendes Assyrien auch aus Nordmesopotamien vertrieben. Gleichzeitig begannen unmittelbar nördlich des einstigen amoritischen Kernlands die Hethiter mit Raubzügen, die tief nach Mesopotamien hineinreichten.

So groß Babylon als Stadt war, seine Macht schrumpfte, bis es kaum mehr als sein unmittelbares Umland dominierte. Hier hielten sich die Amoriterkönige bis 1595 v. Chr., als die Hethiter die Stadt plünderten. Trotz dieser Katastrophe konnte sich Babylon weitere tausend Jahre lang behaupten. Ausgrabungen zeigen, dass dort immer noch Menschen mit amoritischen Namen lebten, aber als eigenständige Ethnie waren die Amoriter aus Mesopotamien verschwunden.

Unklar ist, ob die Amoriter als Untertanen der Hethiter sich noch ein, zwei Jahrhunderte lang in Südanatolien hielten oder ob „Amoriter" erneut zum abfälligen Begriff für „Nomade" geworden war. (So scheint es in den späteren Büchern der Bibel verwendet zu sein.) Wie auch immer, nach den riesigen Umbrüchen, die um 1200 v. Chr. die Bronzezeit beendeten, verschwanden die Amoriter aus der Geschichte und blieben ein vergessenes Volk, bis sich die moderne Archäologie wieder für sie zu interessieren begann.

Echos in der Zukunft

Hammurabis Absicht, die seinen Gesetzen zugrunde lag – „Die Pflicht der Regierung ist es, dass die Gerechtigkeit siegt, damit die Starken den Schwachen nicht schaden" –, bleibt bis heute eines der grundlegenden Rechtsprinzipien. Eine andere bemerkenswerte Forderung Hammurabis war eine Art „Mindestlohn" für einige Landarbeiter. Völlig progressiv waren die Amoriter trotzdem nicht. Wenn ein Mann eine Frau schlug und dies dazu führte, dass sie eine Fehlgeburt erlitt und starb, wurde er durch die Hinrichtung einer seiner Töchter bestraft (Gesetz 210).

Hammurabis Gesetze waren auf zwei Arten von bleibender Bedeutung. Erstens: Während ältere Rechtssysteme den Schwerpunkt auf die Entschädigung für erlittenes Unrecht gelegt hatten, konzentrierte sich Hammurabi stärker auf die Bestrafung des Täters. Er führte das später als Talion bezeichnete Konzept ein, das allgemein als „Auge um Auge, Zahn um Zahn" bekannt ist. Das sagt Hammurabi in seinem Rechtskodex wortwörtlich, berühmter ist der Ausdruck aber, weil er in der Bibel in die Bücher Exodus (21,23–25) und Leviticus (24,19–21) übernommen wurde.

Ein weiterer richtungweisender Schritt Hammurabis war, dass er als Erster die Unschuldsvermutung zur Grundlage des Rechtsverfahrens machte – ein Mensch sollte so lange als des Verbrechens unschuldig betrachtet werden, bis seine Schuld nachgewiesen war. War die Schuld jedoch festgestellt, dann trafen Hammurabis oft drakonische Strafen den Täter mit voller Wucht – das Konzept mildernder Umstände war noch nicht bekannt.

Weil die mesopotamische Gesellschaft die Grundlagen der Zivilisation schuf, stellen wir uns gern vor, ihre Entscheidungen seien alternativlos gewesen. Dass Priester für die Landnutzung, die Besteuerung und andere Gesellschaftsfunktionen zuständig sein sollten, erscheint Menschen merkwürdig, die aus heutigen Zivilisationen an eine gewisse Trennung von Kirche und Staat gewohnt sind. Bis es aber unter den Amoritern dazu kam, konnte sich weder eine aristokratische Grundbesitzerschicht noch eine Kaufmannsschicht entwickeln. Beide Gruppen sollten in der späteren Weltgeschichte eine wichtige Rolle spielen.

ca. 2000–700 v. Chr.

Die Kanaaniter

Israel vor den Israeliten

Kanaan [der Sohn Hams] *sah, dass das Land des Libanon bis zum Bach Ägyptens sehr gut war. Darum* [...] *wohnte er in jenem Land östlich und westlich vom Jordan bis zum Rand des Meeres* [...]. *Und er wohnte in jenem Land des Libanon von Hamath bis zu den Toren Ägyptens, er und seine Söhne bis auf den heutigen Tag, und aus diesem Grund heißt das Land Kanaan.*

Pseudo-Genesis 10,29–31

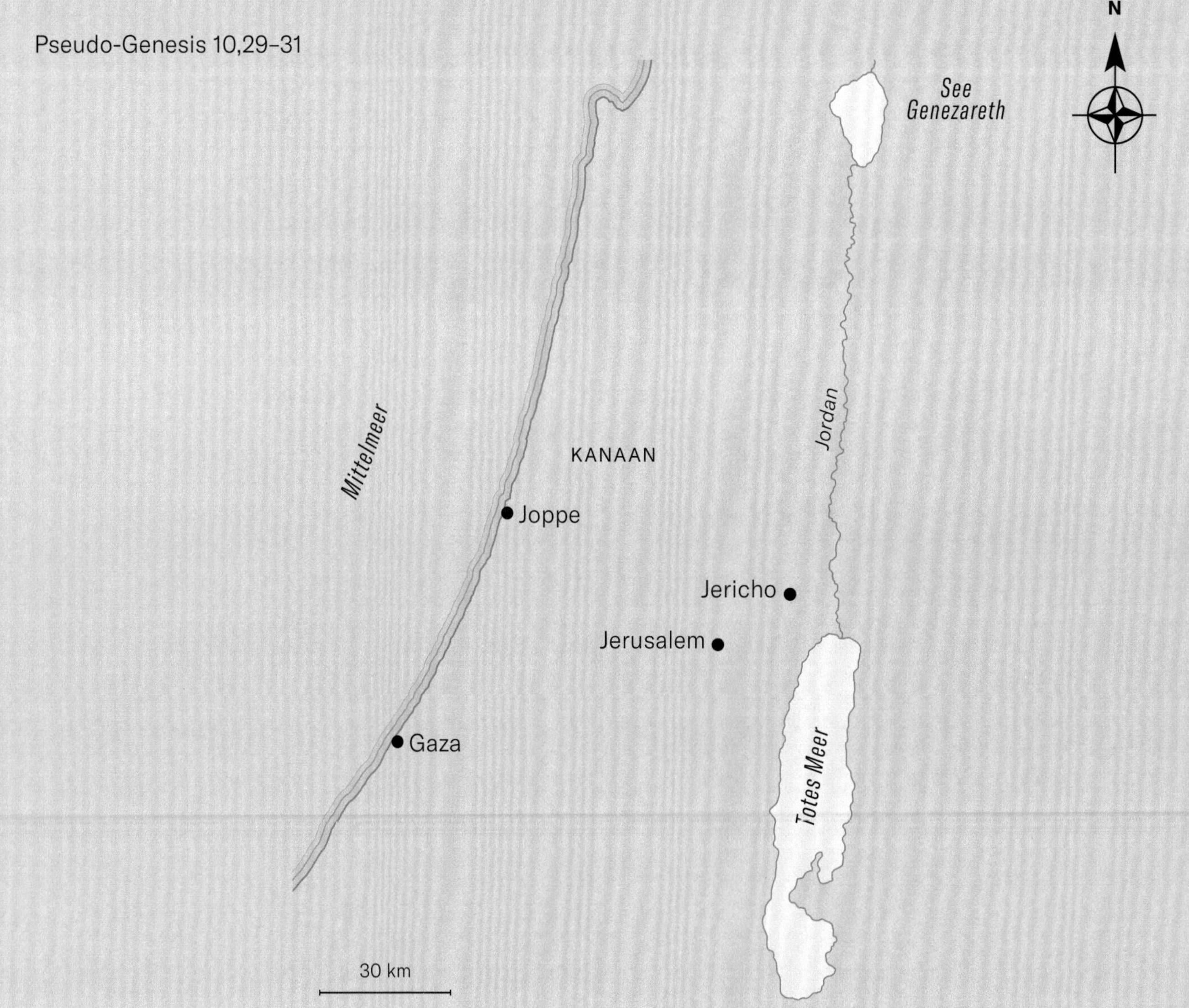

Das Land Kanaan umfasste jene Region, die heute eine der umstrittensten und politisch kompliziertesten Landschaften der Erde ist. Kanaan reichte, grob gesprochen, von der Gegend nördlich des Sees Genezareth bis zum Toten Meer im Süden, erstreckte sich vom Jordan nach Westen bis zum Meer und etwa ebenso weit nach Osten. Heute schließt es einen Großteil Syriens, den Libanon, die Golanhöhen und die Heimat der Israelis und Palästinenser ein.

Auch während der späten Bronzezeit (1550–1200 v. Chr.) lebten die Menschen in Kanaan in aufregenden Zeiten, da ihre Heimat innerhalb der sich überschneidenden Interessengebiete des ägyptischen, des hethitischen und des assyrischen Reiches lag. Damit war Kanaan ein internationales Lieblingsschlachtfeld und die Kanaaniter machten alles nur noch schlimmer, indem sie gleichzeitig gegeneinander eine Reihe brutaler Kriege führten.

Zum Teil lag dies daran, dass das Land Kanaan kulturell wie ethnisch sehr vielfältig war. Die Archäologie hat gezeigt, dass zu den Kanaanitern in späterer Zeit hebräische, philistäische und phönikische Bevölkerungsgruppen gehörten, jede mit ihren eigenen Bestattungsriten, Traditionen und religiösen Auffassungen. Dennoch zeigen Studien der letzten Jahrzehnte deutlich, dass die die Gruppen alle aus derselben ethnischen Grundlage semitischer Völker hervorgingen, wozu noch die Einwanderung anderer – wie der Amoriter – von anderen Orten kam, und dass die Unterschiede sich aus der Entwicklung der einzelnen Gesellschaften ergaben. Die Völker Kanaans hatten so viel gemeinsam, dass selbst antike Quellen die Bewohner dieses Gebiets einfach kollektiv als „Kanaaniter" bezeichnen.

Antike Ursprünge

Die Kanaaniter waren schon sehr lange im Land. Im Jahr 2018 n. Chr. hatte die Stadt Jericho eine Bevölkerung von rund 20 000 Menschen. Das kommt wahrscheinlich der Zahl nahe, die sie im Jahr 2018 v. Chr. erreicht hatte, als Jericho eine mittelgroße, aber wohlhabende kanaanäische Stadt und bereits rund 7000 Jahre alt war. (Zum Vergleich: Die „Ewige Stadt" Rom hat ihren 2800. Geburtstag noch vor sich.)

Unsere erste Quelle, in der die Kanaaniter unter diesem Namen gemeinsam erwähnt sind, ist ein berühmter Brief, der im frühen 2. Jahrtausend v. Chr. von einem Militärbeamten an Šamši-Adad I. geschrieben wurde, den König der Amoriterstadt Mari. Der Brief spricht von einer Reihe heftiger Konflikte in einer Stadt namens Rahisum und beschreibt

Kanaanäische Gottheit aus Bronze aus dem 14.–13. Jh. v. Chr. Die Figur ist zum Teil noch mit Blattgold bedeckt, der Thron, auf dem sie einst saß, ist allerdings verloren. Heute befindet sich das 12,7 cm hohe Figürchen im Metropolitan Museum of Art in New York.

die Beteiligten als „Räuber und Kanaaniter“. Dieser Ruf scheint sich gehalten zu haben – der Name eines späteren Volkes in Kanaan, der „Habiru“, entspricht dem akkadischen Wort für „Räuber“, obwohl nicht sicher ist, ob die Habiru Pate für den Begriff standen oder umgekehrt.

Schon damals teilten sich die frühen Kanaaniter auf in jene, die in kleinen Königreichen lebten, meist auf der Grundlage von Stadtstaaten, in nomadische Stämme sowie in Hirtenvölker, die ihre Herden regelmäßig zwischen Sommer- und Winterweiden wandern ließen. Sosehr diese drei Gruppen klare und sehr unterschiedliche Ansichten über Landbesitz und Landnutzung vertraten, arbeiteten sie manchmal doch zusammen, um die großen Handelschancen zu nutzen, die sich aus ihrer Position zwischen Reichen ergaben, die über unterschiedliche Ressourcen verfügten.

Außerdem profitierte das Land Kanaan von einem einmaligen eigenen Wirtschaftsgut: An der Küste fand man eine kleine Schneckenart, die, wenn man sie behutsam kochte, eine purpurfarbene Flüssigkeit lieferte, den einzigen der Antike bekannten waschfesten Farbstoff. Einen Großteil der Bronzezeit über scheint das Wort „Kanaan“ sowohl den Purpurfarbstoff als auch das Land, aus dem er kam, bezeichnet zu haben. Später legten römische Herrscher den „Kaiserpurpur“ an, was zeigt, wie symbolträchtig und prestigereich diese einzigartige Farbe über Jahrhunderte hinweg blieb.

Kanaaniter im Ausland

In den Jahren nach 1800 v. Chr. scheinen die Kanaaniter nah daran gewesen zu sein, ein eigenes Reich aufzubauen, als sie südwärts nach Ägypten hinein expandierten. Sie nutzten eine Zeit gewaltsamer Instabilität in diesem Land und ließen sich im Ostteil des Nildeltas als unabhängiges Volk nieder. Der Ägyptologie sind ihre Herrscher als die Pharaonen der 14. Dynastie bekannt.

Die 14. Dynastie ist schlecht belegt und wurde rasch von den einfallenden Hyksos verdrängt. Interessant ist jedoch, dass sich zur selben Zeit, als sich archäologischen Funden zufolge eine kanaanitische Gruppe in Ägypten niederließ, andere Kanaaniter gewaltsam von ihresgleichen ablösten. Diese Menschen waren die Hebräer. Der Bibel zufolge waren sie generationenlang in Ägypten unterdrückt gewesen, unternahmen aber Anfang des 2. Jahrhunderts v. Chr. eine entschlossene Flucht aus dem Land.

Die Israeliten

Laut der Bibel verkündete Jahwe Mose, er werde die Israeliten in ein Land führen, „in dem Milch und Honig fließen, das Land der Kanaaniter, Hethiter und Amoriter“ (Exodus 3,8). Daher hätten sich die Hebräer in einer Serie blutiger Eroberungen an den Erwerb des von Gott verheißenen Landes gemacht. Als erste kanaanitische Stadt sei Jericho gefallen – laut

Der Fall Jerichos auf einem Fresko des 17. Jh.s in einer russischen Kirche. Archäologischen Forschungen zufolge lag Jericho bereits in Trümmern, als Josuas Posaunen erschallten.

der berühmten Geschichte, nachdem die Hebräer unter Josuas Führung posaunenblasend um sie herumgezogen sind.

Nach dieser Version der Ereignisse wurde Jericho anschließend der Prozedur des *herem* unterzogen, ein Begriff, der sich auf das „Unschädlichmachen alles dessen, was die Religion der Hebräer bedroht", bezieht. Diesen unschuldig klingenden Ausdruck hätten die zeitgenössischen Israeliten so interpretiert, dass er die Ausrottung jedes Lebewesens innerhalb der Stadtmauern und die Verbrennung von Gütern erforderte, die man sonst als Beute genommen hätte. Man wiederholte den Vorgang in anderen kanaanitischen Städten, als die Hebräer sie eroberten.

Eine andere Deutung der hebräischen Landnahme in Kanaan bezweifelt, dass der Exodus so große Folgen für das Land hatte. Diese Forschungsrichtung vermutet vielmehr, dass unter den Kanaanitern bereits der Prozess der Differenzierung in (unter anderem) Hebräer und Phöniker eingesetzt hatte. Die turbulenten Verhältnisse in Ägypten könnten sehr gut dazu geführt haben, dass große Mengen an Hebräern nach Kanaan zurückkehrten, was dann in manchen Städten dazu führte, dass die Bevölkerungsverhältnisse kippten. Aber mehr, so die Revisionisten, passierte auch nicht.

Diese Forscher leugnen schlicht, dass es je zu einer gewaltsamen Eroberung gekommen ist. Sie verweisen darauf, dass die archäologischen Befunde und zeitgenössische Texte spärliche oder gar keine Belege für das mörderische Treiben liefern, wie das Buch Josua es beschreibt. Beispielsweise wurden die Mauern Jerichos tatsächlich geschleift und die Stadt blieb danach eine Zeit lang verlassen, aber die Täter scheinen die Ägypter gewesen zu sein. Radiocarbondaten aus der Zerstörungsschicht – die Altersbestimmung organischer Substanzen über ihren Gehalt des radioaktiven Kohlenstoffisotops ^{14}C, deshalb auch „C14-Analyse" genannt – legen nahe, dass Jericho zu jener Zeit, als der hebräische General Josua erschienen sein und die Stadt erobert haben soll, bereits in Trümmern lag.

Die Ägypter, die Assyrer und nach ihnen die Babylonier führten allesamt in Kanaan ausgiebig Krieg, was das allgemeine Chaos in der Region noch verschärfte. Die biblischen Berichte einer systematischen Entvölkerung der eroberten Gebiete von Nichtjuden lassen sich anhand der verfügbaren Quellen jedenfalls nicht bestätigen.

Auswärtige Angelegenheiten

Wie auch immer die Machtstruktur im spätbronzezeitlichen Kanaan ausgesehen haben mag, fest steht, dass die Mitanni in Nordsyrien und (sobald ihre Lage sich stabilisiert hatte) auch die Ägypter die Kanaaniter weiterhin als Untertanenvölker betrachteten. Tatsächlich schrieb um 1350 v. Chr. der babylonische König Burna-buriaš eine Klage an den ägyptischen Pharao Echnaton, dass „[kanaanitische] Männer meine Händler getötet und ihr Geld genommen haben [...]. Kanaan ist dein Land und seine Könige sind deine Diener. Zieh diese Männer zur Rechenschaft und komme für den Schaden auf" (Amarnabrief EA 8). Das ist ein klarer Hinweis darauf, dass die Kanaaniter nicht als vollständig unabhängiges Volk betrachtet wurden, so heftig die Hethiter dem widersprochen hätten, dass Kanaan das Land des Pharao sei.

Tatsächlich machten sich die Hethiter an den Nordgrenzen Kanaans immer aggressiver bemerkbar, und in der späten Bronzezeit gelang es ihnen, die ägyptische Hegemonie über einen Großteil des Landes zu brechen. Prompt wurde die hethitische Dominanz von den Assyrern angefochten, die fortan in der Region übermächtig blieben. Die berühmte Episode im 2. Buch der Könige (18–19), in der – wie der Dichter Byron es später sagte – „der Assyrer herabkam wie der Wolf auf die Herde und seine Scharen glänzten von Purpur und Gold", bezieht sich auf den späteren Angriff des Assyrerkönigs Sennacherib auf Jerusalem im Jahr 701 v. Chr.

Zu dieser Zeit hatte Kanaan als kulturelle Einheit schon aufgehört zu existieren. Jetzt umfasste es die Hebräerkönigreiche Juda und Israel und das Land Phönizien, während ein Großteil des Übrigen in den Reichen Ägypten und Assyrien aufgegangen war. Die Menschen bezeichneten sich nicht mehr als Kanaaniter, doch war ihre Vorgeschichte nicht vergessen. Beispielsweise merkte später der griechische Geograf Hekataios an: „In der Umgangssprache von Attika heißt [die Gegend] ‚Kanna', wie man Phönikien früher nannte."

Nachhall in der Zukunft

Die „Rückkehr nach Kanaan" ist im Lauf der Jahrhunderte ein Sujet für viele Maler gewesen, beispielsweise die *Rückkehr Jakobs mit seiner Familie* von Bassano (Jacopo da Ponte), ein Motiv, das er erstmals 1560 malte und zu dem er mehrfach zurückkehrte.

Die Vorstellung von Kanaan als dem „Gelobten Land", dem Land der Verheißung, ist auch in den Sprachgebrauch der Gegenwart eingegangen. Entsprechend finden wir beispielsweise in den USA den Ort Canaan, Connecticut, wo dankbare Siedler im Jahr 1739 ankamen.

Mose gegenüber wurde Kanaan als das „Land, wo Milch und Honig fließen" beschrieben, und dieser einprägsame Ausdruck ist seither in vielen Zusammenhängen gebraucht worden. Er wurde zum Titel von Büchern, Filmen und 1961 sogar von einem Broadwaymusical. Über ein halbes Dutzend moderner Musiker hat Stücke mit diesem Titel geschrieben. Seit 2016 brennt eine israelische Whiskydestillerie namens Milk & Honey einen Single Malt.

Rückkehr Jakobs und seiner Familie von Bassano (Jacopo da Ponte), ca. 1580. Die Heimkehr ins Gelobte Land war ein beliebtes Thema von Renaissance- und Barockmalern.

ca. 2700–646 v. Chr.

Die Elamiter

Das Reich vor den Persern

Der böse Elamiter, der sich nicht darum scherte, was würdig ist [...], im Krieg war sein Ansturm schnell. Er verheerte die Wohnorte und legte sie in Trümmer, er schleppte die Götter weg, er zerstörte die Tempel.

Babylonische Legende von Enmeduranki

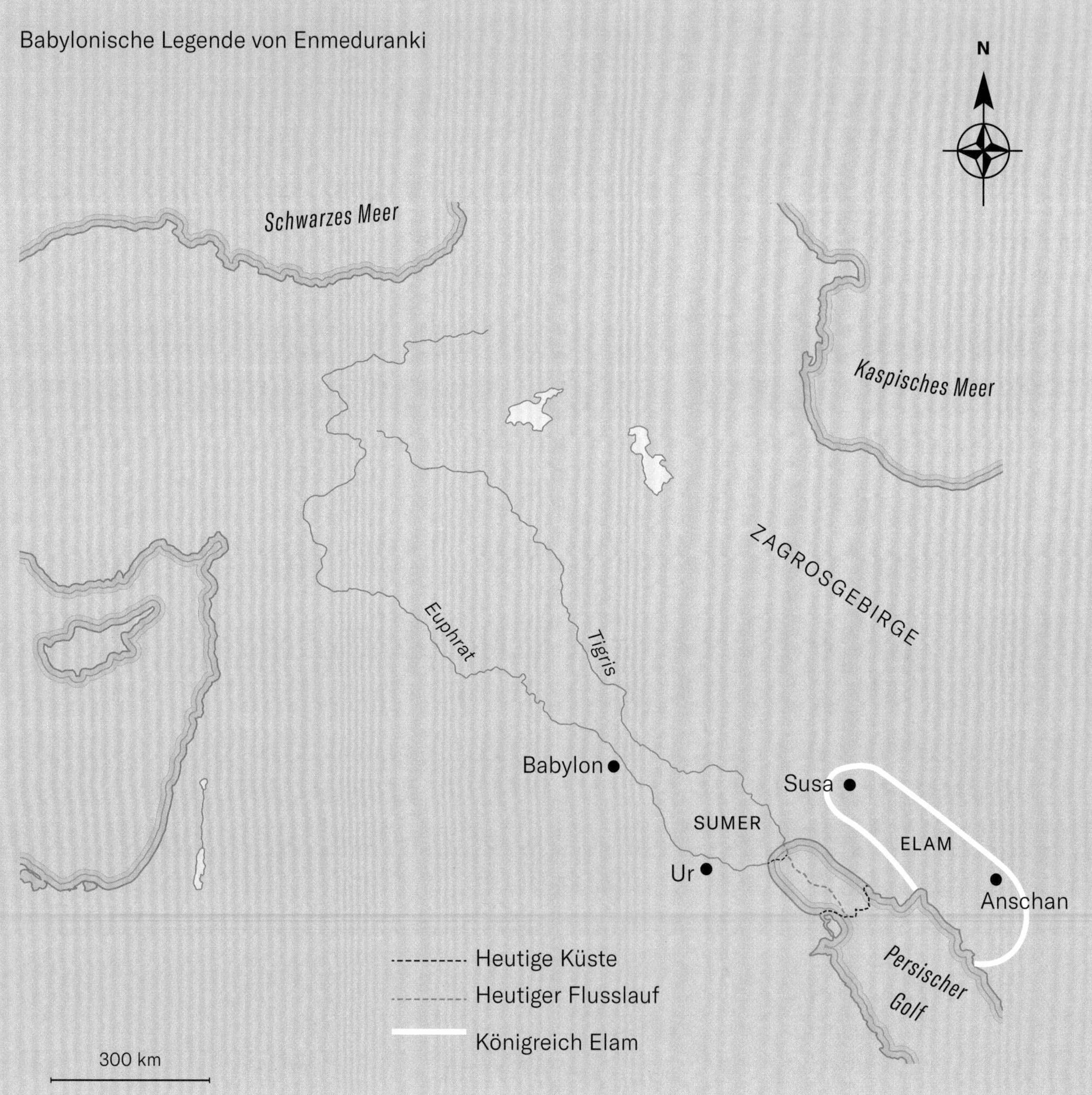

Um 3100 v. Chr. begannen protoiranische Stammesangehörige, die auf der Hochebene nordöstlich des Persischen Golfs lebten, zu einem Volk zu verschmelzen. Sie nannten sich „Hochländer" oder in ihrer eigenen Sprache *Heltam-ti*. Die Akkader machten aus diesem Namen *Elamtu*.

Die Autoren der Bibel nannten sie „Elamiter" und glaubten, dieses Volk stamme von Elam ab, einem Enkel Noahs. Da die elamitische Sprache kaum der semitischen Sprachfamilie ähnelt, gibt es das Gegenargument, wonach der biblische Elam eher seinen Namen von den Elamitern bekam als umgekehrt. Interessant ist, dass Elam eine Tochter namens Susan gehabt haben soll. In der griechisch-römischen Antike nannte man das Land Elam manchmal auch die Susiana, nach seiner späteren Hauptstadt Susa.

Der Aufstieg Elams

Die eigentliche elamitische Geschichte beginnt gegen 2700 v. Chr., als die Elamiter in gewaltsamen Kontakt mit den Sumerern kamen, die Ereignisse aufzeichneten. Zeitweilig sank Elam zum Vasallenstaat herab, aber dieses Bergvolk hatte etwas Unbezähmbares und ließ sich nie für lange unterwerfen. Als die sumerische Herrschaft zusammenbrach, gingen die Elamiter in die Offensive und eroberten Teile Mesopotamiens.

Das bereitete die Bühne für eine Zeit des Hin und Her in Kriegführung, Diplomatie und Handel; in ihr eroberte die elamitische Königsdynastie von Awan Sumer, wurde anschließend durch Sargon von Akkad vernichtend geschlagen, gewann die Kontrolle über Südmesopotamien zurück und wurde endgültig von den Königen der wieder erstarkenden Stadt Ur besiegt.

Tontafel in protoelamischer Schrift, bei der es sich um Buchführung zu handeln scheint. Das Protoelamische ist noch unentziffert, allerdings sind manche Zeichen aus späteren, lesbaren Keilschrifttexten bekannt.

Als sich gegen 1500 v. Chr. der Rauch zu verziehen begann, waren die Elamiter eine anerkannte Macht, die inzwischen statt des Akkadischen schon ihre eigene Schriftsprache benutzte. Außerdem waren sie in die Tiefebenen südlich des Zagrosgebirges expandiert und hatten dort die Stadt Susa übernommen. Diese alte Siedlung war eine Zeit lang unter akkadischer Kontrolle gewesen und anschließend von der expansionistischen Macht Ur besetzt worden. Nachdem die Elamiter mit dieser aggressiven Stadt abgerechnet hatten, wurde Susa elamitisch.

Die Elamiterkönige begannen sich nun „König von Anschan [im Hochland von Elam] und Susa" zu nennen, während die archäologischen Funde einen stetig wachsenden Gebrauch der elamitischen Sprache in der Umgebung zeigen. Ein weiteres Zeichen kultureller Dominanz ist, dass elamitische Berggottheiten um 1300 v. Chr. auch in der Ebene der Susiana verehrt wurden.

Reich und Kollaps

Die elamitische Zivilisation blühte gegen Ende der Bronzezeit. Ein elamitischer König namens Šutruk-Naḫḫunte (ca. 1185–1155 v. Chr.) nutzte assyrische Angriffe auf Babylon aus, die die Stadt geschwächt hatten. Nach dem Abzug der Assyrer eroberten die Elamiter ihrerseits Babylon und verschleppten die berühmte Stele mit den Gesetzen Hammurabis.

Seine Eroberungen verschafften Šutruk-Naḫḫunte genug Prestige, damit sein Sohn ihm nachfolgen konnte. Das ist unter elamitischen Herrschern ungewöhnlich, da sich – soweit wir das den spärlichen Quellen entnehmen können – vorher mehrere aristokratische Grundbesitzerfamilien, die das politisch-soziale Leben des Reiches bestimmten, den Thron geteilt hatten. Die Šutrukidendynastie hielt sich drei Generationen lang und kontrollierte schließlich den Großteil Mesopotamiens und der Grenzgebiete zwischen ihm und Elam. Damals stießen elamitische Armeen auf ihren Feldzügen nordwärts bis Arrapcha vor, nahe der heutigen Stadt Kirkuk.

Der äußerste Norden Mesopotamiens war das assyrische Kernland, und so wandten sich die Assyrerkönige nun im

Die aus Lehmziegeln errichtete, eindrucksvolle elamitische Zikkurat von Tschogha Zanbil war ursprünglich über 50 m hoch und ist heute eine UNESCO-Weltkulturerbestätte in der iranischen Provinz Chuzestan.

Ernst Elam zu. Dort herrschte inzwischen einiges Durcheinander und es gibt Hinweise auf einen Thronstreit. König Hutelutuš-Inšušinak scheint Sohn und Enkel seines Vorgängers in einer Person gewesen zu sein, die Frucht der Inzestbeziehung jenes Monarchen mit seiner Tochter.

Babylon stand mittlerweile unter der Herrschaft von König Nebukadnezar I. (Nabû-kudurrī-uṣur, ca. 1125–1104 v. Chr.), der den desorganisierten Stadtstaat mit harter Hand regierte und die babylonische Armee zur Invasion Elams führte. Die Elamiter wurden überrascht, sammelten aber ihr Heer zur Gegenwehr an den Ufern ihres heiligen Flusses Ulaya nahe Susa. Sie wurden vollständig geschlagen, Susa wurde geplündert und die Babylonier holten im Triumph die Statue ihres Gottes Marduk zurück, die die Elamiter bei einer früheren Eroberung geraubt hatten. Mit dem Fall Susas fiel das elamitische Reich in eine Phase der Anarchie. Tatsächlich erlebte damals ein Großteil der Region tiefgreifende Umwälzungen, deren Ergebnis als Zusammenbruch der bronzezeitlichen Hochkulturen bekannt ist. Noch immer streiten die Historiker über die Ursache

dieses katastrophalen Ereignisses. Doch so unbekannt seine Gründe sein mögen, seine Ergebnisse sind es nicht. Das mykenische Griechenland, das Hethiterreich und Dutzende kleinerer Zivilisationen stürzten in ein dunkles Zeitalter des Krieges und des tiefen Verfalls, das selbst das mächtige Ägypten beinahe zerstört hätte. Auch so verlor Ägypten seinen Landbesitz in Syrien und Kanaan. Über Elam wissen wir während der folgenden drei Jahrhunderte so gut wie nichts.

Das späte Elam

Ein Kennzeichen des Aufruhrs am Ende der Bronzezeit war die Migration vorher unbekannter Völker. So waren die „Neuen“ in Griechenland jene Gruppen, die später als Dorer bekannt wurden. Im Osten handelte es sich bei den Neuankömmlingen um einen kollektiv als „Meder“ bekannten Völkerverbund. Die Meder verdrängten die Elamiter aus ihrer Heimat im Hochland, sodass nun das Gebiet um Susa zum „Elam“ der Bibel und der griechisch-römischen Antike wurde. Dass so wenig über das früheisenzeitliche Elam bekannt ist, liegt daran, dass die Elamiter noch nicht wieder mit dem Schreiben begonnen hatten. Immerhin trug ein babylonischer König einen elamitischen Namen und die Babylonier selbst berichten, dass sie um 815 v. Chr. an der Seite der Elamiter gegen die Assyrer kämpften.

Da in den Jahrhunderten nach dem Zusammenbruch der bronzezeitlichen Hochkulturen die Zahl der babylonischen Texte wächst, können wir die Elamiter dank gelegentlicher Erwähnungen durch ihre Nachbarn im Auge behalten. Daher wissen wir, dass die Elamiter einen heiklen Balanceakt versuchten, indem sie die Babylonier gegen die Assyrer unterstützten, gleichzeitig aber auch mit den Assyrern auszukommen versuchten.

Als Babylon aber um 700 v. Chr. an die Assyrer gefallen war, verschlechterten sich deren Beziehungen zu Elam rasch. Mit Recht fürchteten die Elamiter, dass sie das nächste Ziel der assyrischen Angriffe werden würden. Auf echt elamitische Weise beschlossen sie, nicht so lange zu warten. Stattdessen gingen sie unter ihrem König Urtak in die Offensive. Der Angriff scheiterte und Urtak wurde getötet. Das löste eine lange Phase dynastischer Instabilität aus, die zum sofortigen Ende Elams hätte führen können, hätten nicht die Assyrer damals eigene Dynastieprobleme gehabt, zu denen die Ankunft weiterer kriegerischer Migranten an der assyrischen Nordgrenze kam.

Schließlich bekam der Assyrerkönig Assurbanipal (669 bis ca. 631 v. Chr.) die Lage in den Griff. Die Elamiter wehrten sich lang und erbittert, wurden aber gründlich geschlagen. Was 646 v. Chr. geschah, berichtet Assurbanipal mit eigenen Worten, die man später auf einer Schrifttafel in seiner Hauptstadt Ninive fand:

Ich eroberte ihre heilige Stadt, das große Susa, die Heimat ihrer Mysterien, die Wohnstätte ihrer Götter. Ich nahm ihre Paläste ein und brach die Lagerhäuser mit Gold, Silber und anderen Schätzen auf [...]. Die Tempel Elams waren nicht mehr, ihre Götter und Göttinnen bloße Stimmen im Wind. Ich goss Sonnenlicht in die Gräber ihrer Könige, der alten wie der neuen, und ihre Gebeine brachte ich nach Assyrien. Die Lande Elams verwüstete ich und auf ihre Felder säte ich Salz.

Nach damaligem Brauch verteilte Assurbanipal diejenigen Elamiter, die er nicht einfach massakrierte, als Verbannte über sein ganzes Reich. In ihrer Heimat blieb ein kleiner Rest des elamitischen Volkes, aber versprengt und wehrlos, wie sie waren, wurden die letzten Elamiter bald von den iranischen Völkern im Süden besiegt und gingen in ihnen auf.

Nachhall in der Zukunft

Viel von unserem Wissen über die Elamiter verdanken wir dem Studium der beachtlichen Zahl von Statuen und Statuetten, die sie hinterlassen haben. Die elamitische Kunst übte auch starken Einfluss auf die spätere Kunstentwicklung in der ganzen Region aus. Wer sich im Alten Testament auskennt, weiß ebenfalls von den Elamitern, die angeblich von Noahs Sohn Sem abstammen. Jesaja beschreibt Elam als Land mit Bogenschützen (Jes 22,6) und Jeremia, herzlich wie immer, kündigt an, wegen ihres gottlosen Lebenswandels würden sie gezwungen sein, den Becher des göttlichen Zorns zu trinken (Jer 23,25). Der Apostelgeschichte zufolge (2,9) zählten die Elamiter zu denen, die in Jerusalem während des Pfingstwunders anwesend waren.

Dieser 24 cm hohe Kopf eines Elamiters, der sich heute im Louvre befindet, wurde wahrscheinlich bei den Bestattungsriten für diesen Mann benutzt und vermittelt uns ein eindrucksvolles klares Bild davon, wie die alten Elamiter aussahen.

ca. 1700–1200 v. Chr.

Die Hethiter

Die Herren Anatoliens

Ich möchte, dass zwischen dir und mir gute Freundschaft herrscht. Deinem Vater gegenüber habe ich einen Wunsch ausgesprochen. Gewiss werden wir beide ihn untereinander wahr werden lassen.

Brief des Hethiterkönigs Šuppiluliuma an Echnaton, Amarna-Briefe, EA 41

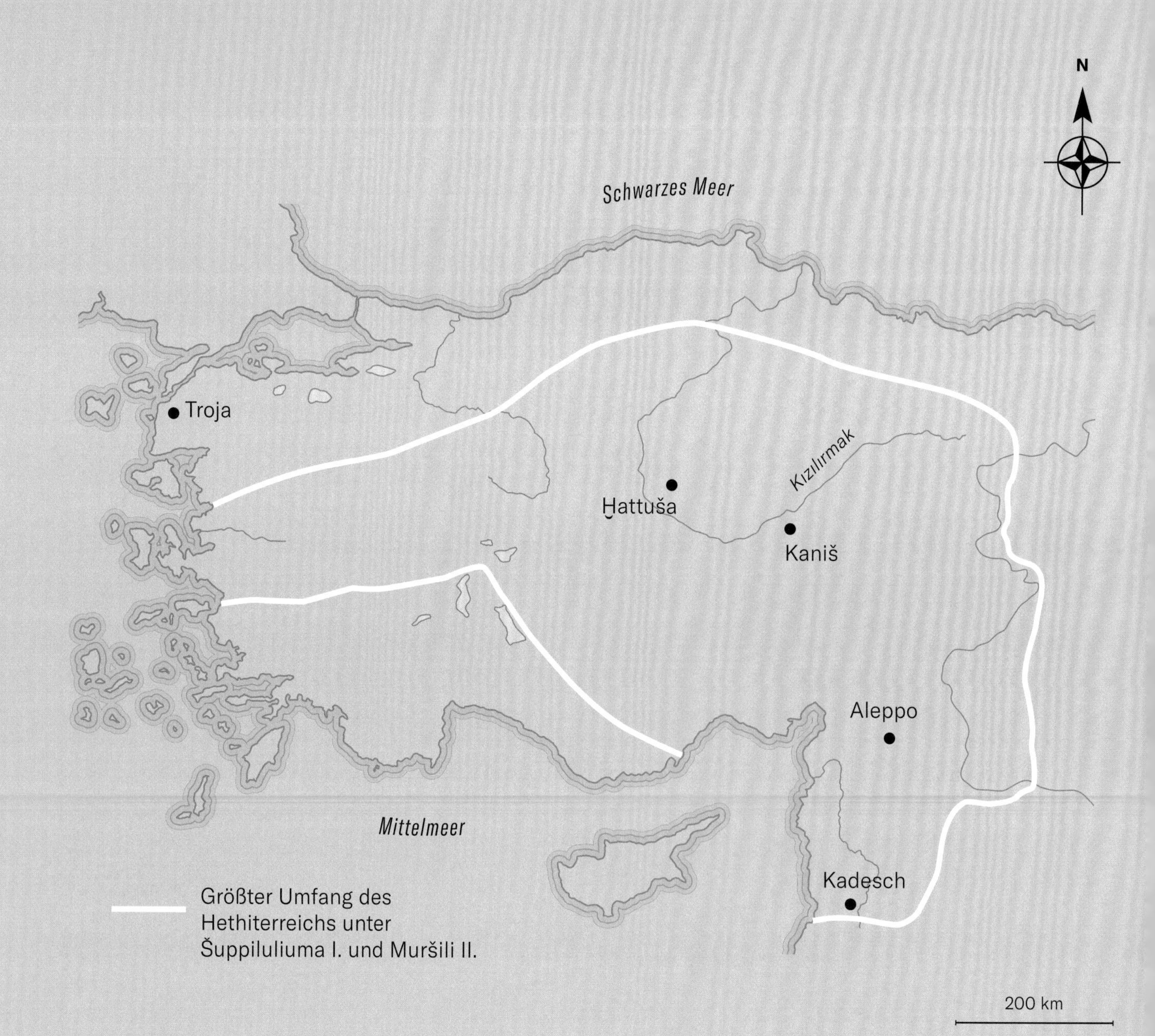

Hätte sich vor 150 Jahren jemand nach den Hethitern erkundigt, dann hätte man ihm oder ihr geantwortet, dass es sich um ein unbekanntes Volk handle, das irgendwo nördlich von Israel gelebt habe, wobei manche Mitglieder dieser ethnischen Gruppe im Land Kanaan gewohnt hätten. Die beiden berühmtesten Hethiter waren Urija – ein Mann, dem König David Hörner aufsetzte, ehe er ihn verriet und in den Tod schickte – und Heth, der Urenkel Noahs, der angeblich zum Stammvater der Hethiter wurde.

Diese Zusammenfassung hätte jenes Volk, das sich selbst Nesumna nannte, sehr überrascht. Sie waren die Herren des Großteils von Anatolien, die Rivalen Ägyptens und in Mesopotamien als Plünderer gefürchtet. Doch noch heute kennt man sie als Hethiter, denn so nannten die Hebräer sie. Die Geschichte hätte dieses mächtige, einflussreiche Volk vollständig vergessen, wäre da nicht seine beiläufige Erwähnung im Alten Testament gewesen – und selbst die vermittelt den völlig falschen Eindruck, bei den Hethitern hätte man es mit einer Handvoll Kleinkönigreiche statt mit einem Großreich zu tun.

Die Ägypter nannten sie „Chetti" und die Akkadisch schreibenden Völker Mesopotamiens „Ḫatti" – vielleicht ein Verweis auf das noch unbekanntere Volk der Hattier, das die Hethiter ablösten. Erst in der Moderne und nach der vollständigen Entzifferung hethitischer Inschriften in luwischer Sprache, die 1960 gelang, hat die Forschung begriffen, dass sich all diese verschiedenen Namen auf ein und dasselbe verschwundene Volk beziehen.

Unbekannte Ursprünge

Selbst heute bleibt noch vieles an den Hethitern geheimnisvoll. Zum Beispiel: Woher kamen sie? Das ist eine so wichtige wie strittige Frage, denn die Hethiter zählen zu den frühesten Sprechern einer indogermanischen (oder indoeuropäischen) Sprache. Seitdem haben sich die Völker, die Sprachen aus jener Sprachfamilie gebrauchen, über Europa und bis nach Indien ausgebreitet. Beispielsweise stammen *pad* (vedisches Sanskrit), *peda* (Hethitisch), *pous* (Griechisch) und *Pedal* (lateinisch-deutsch) alle vom selben prähistorischen Wort für „Fuß" ab. Außerdem kannten sich die Hethiter mit Pferden aus und hoben den Streitwagenkampf auf ein neues Niveau; ihr Wort für „Pferd", *ekku*, ist der Ursprung des lateinischen *equus* und aller davon abgeleiteten Fremdwörter.

Sobald klar war, dass die Hethiter ein frühes indogermanisches Volk darstellten, hoffte man, sie würden Hinweise auf die bislang unentdeckte „Urheimat der Indogermanen" liefern. Waren die

Eine hervorragend gearbeitete, winzige hethitische Göttin aus Gold wurde vermutlich als Amulett getragen. Falls der scheibenförmige Kopfschmuck für die Sonne steht, handelt es sich um die Sonnengöttin Arinna.

Hethiter aus dem Norden eingedrungen, vielleicht aus dem Kaukasusgebiet in Osteuropa? Oder waren sie, wie einige nicht so romantische Gelehrte der Moderne glauben möchten, ein in Anatolien heimisches Volk, das aus bisher unbekannten Gründen groß wurde und eine Vormachtstellung erreichte?

Auf jeden Fall steht heute fest, dass die Hethiter die älteren Hattier ablösten und deren Hauptstadt Ḫattuša übernahmen. Diese Stadt erstreckte sich über eine Reihe von Felsklippen in einer Flussschleife des heutigen Kızılırmak (des antiken Halys) in der nördlichen Zentraltürkei. Ausgrabungen haben Palast-, Tempel- und Kasernenkomplexe freigelegt, vor allem aber Täfelchen aus gebranntem Ton, die komplette Königsarchive umfassen, die uns fast alles verraten haben, was wir heute von den Hethitern wissen.

Aufstieg der Hethiter

Zu ihrer geheimnisumwitterten Aura passt, dass die Geschichte der Hethiter je nachdem, wen man fragt, entweder in zwei oder in drei Epochen eingeteilt wird. Konsens herrscht allgemein über das Alte Reich (ungefähr 1700–1500 v. Chr.) und das Neue Reich (1400–1200 v. Chr.), Uneinigkeit dagegen darüber, ob das Jahrhundert zwischen beiden als ein Mittleres Reich zu zählen ist oder nur als eine Phase wilder Anarchie, in der das Hethiterreich praktisch zu existieren aufgehört hatte.

Zur anatolischen Macht wurden die Hethiter des Alten Reiches unter einem Kriegerkönig namens Ḫattušili (ca. 1650–1625 v. Chr.), der Ḫattuša neu gründete, nachdem Menschen aus der Stadt Kaniš es dem Erdboden gleichgemacht (und die Ruinen feierlich verflucht) hatten. Wie so mancher Eroberer musste sich auch Ḫattušili mit gewaltsamen Aufständen unter den Völkern auseinandersetzen, die er dem Reich einverleibt hatte, und möglicherweise zählten zu diesen rebellischen „Dienern“ (wie antike Texte sie nennen) auch seine Söhne. Auf dem Sterbebett bestimmte Ḫattušili zu seinem Erben nicht einen von ihnen, sondern einen Enkel namens Muršili (ca. 1625–1595 v. Chr.).

Muršili war ein ebenso eifriger Eroberer wie Ḫattušili und brachte nach ausgedehnten Feldzügen in Syrien die Stadt Aleppo unter hethitische Kontrolle. Am bekanntesten ist Muršili jedoch, weil er sein Heer auf einen 2000 Kilometer langen Geländemarsch nach Mesopotamien führte, der 1595 v. Chr. mit der Plünderung Babylons endete, die den Machtverlust der Amoriterkönige in dieser Stadt nach sich zog. (Um die Sache komplizierter zu machen, fällt dieser Raubzug nach einer Alternativchronologie auf der Grundlage babylonischer Texte ins Jahr 1531 v. Chr., was zeigt, wie viel „Aufräumarbeit“ die Historiker für diese Zeit noch vor sich haben.)

Mag das Wann von Muršilis Überfall auch umstritten sein, noch unerklärlicher ist das Warum. Gewiss bestand

Sphingen bewachen ein Tor in den Ruinen der hethitischen Hauptstadt Ḫattuša an der Biegung des Kızılırmak in der heutigen Türkei.

keine Möglichkeit zu einer regelrechten Eroberung – in einer Zeit schlechter Kommunikationsmittel war Babylon einfach zu weit weg. Offensichtlich sah auch die hethitische Aristokratie den Feldzug skeptisch, denn bei seiner Rückkehr wurde Muršili von seinem Schwager ermordet. Nachdem der familiäre Präzedenzfall einmal geschaffen war, wurde der neue König schließlich durch seinen Schwiegersohn gemeuchelt. Jeder neue König war weniger kompetent als sein Vorgänger, und eine Mischung aus Unfähigkeit und Ineffizienz, die ein Klimawandel vielleicht noch verschärfte, führte um 1490 v. Chr. zum Zerfall des Alten Reiches.

Hethitische Renaissance

Rund ein Jahrhundert später stellte ein König namens Tudḫaliya die Ordnung wieder her, nur damit das Hethiterreich bei seinem Tod wieder im Chaos versank. Dennoch gelangen Tudḫaliya einige wichtige Neuerungen. Vor allem verwandelte er den König aus einem Ersten unter Gleichen, was die Herrscher des Alten Reiches gewesen waren, in einen Halbgott, der das Bindeglied zwischen den Hethitern und ihren Gottheiten bildete (von denen die meisten anscheinend pauschal aus der Religion der Hattier vor ihnen übernommen worden waren).

Daher übernahm Šuppiluliuma I. um etwa 1345 v. Chr. als Gottkönig die Herrschaft. Er hatte das Glück, dass ein aggressives Assyrien im Osten Chaos stiftete und dadurch viele Rivalen der Hethiter schwächte. Gemeinsam machten Assyrien und Šuppiluliuma mit den letzten Hurritern im nördlichen Mesopotamien kurzen Prozess, wodurch die hethitische Macht nach Syrien expandierte. Dadurch gerieten die Hethiter unmittelbar in Konflikt mit Ägypten, das seine eigenen Interessen in dieser Region verfolgte. Šuppiluliuma und der ägyptische Pharao schafften es, in ihrem diplomatischen Briefwechsel – von dem einiges auf Tontafeln wie durch ein Wunder überlebt hat – immer höflich zu bleiben. Doch zuletzt ging die Beziehung in die Brüche. Der neue ägyptische Herrscher war Ramses II. („der Große", Pharao 1279–1213 v. Chr.), einer der wichtigsten Pharaonen in der langen Geschichte jenes Landes. Die Hethiter hatten Glück, denn nun hatten sie selbst einen hochkompetenten Anführer, Muwatalli II. (ca. 1295–1272), einen Enkel Šuppiluliumas.

In einem epischen Zusammenstoß prallten Ägypter und Hethiter in Nordsyrien aufeinander. Die Schlacht von Kadesch (ca. 1274 v. Chr.) war eine unübersichtliche Angelegenheit und beide Seiten beanspruchten den Sieg für sich. Als der Staub sich gelegt hatte, arbeiteten Unterhändler einen Frieden aus. Friede war nötig, nicht zuletzt, weil die Hethiter immer größere Mühe hatten, die assyrische Aggression abzuwehren.

Gegen die Assyrer verloren die Hethiter an Boden, doch sie hielten sich, bis die gesamte Region im 12. Jahrhundert v. Chr. von einer rätselhaften Katastrophe erschüttert wurde. Unter den Zivilisationen, die damals untergingen, waren die Minoer auf Kreta, die Mykener in Griechenland –

Auf diesem Flachrelief aus Ḫattuša marschiert eine Reihe mysteriöser Figuren – vielleicht Götter – einem unbekannten Ziel entgegen.

Dieser silberne Hirsch, heute im New Yorker Metropolitan Museum of Art, ist eigentlich ein hethitisches Trinkhorn, das präzise aus Einzelteilen gehämmert und dann zusammengesetzt wurde.

und die Hethiter in Anatolien. 1190 v. Chr. wurde die hethitische Hauptstadt Ḫattuša die jüngste in einer ganzen Reihe von Städten, die plündernde Invasoren dem Erdboden gleichmachten. Auf die Überreste des Hethiterreichs stürzten sich die hochorganisierten Assyrer, und binnen weniger Generationen waren die Hethiter nicht einmal mehr eine Erinnerung.

Nachhall in der Zukunft

Nach dem Unentschieden in der Schlacht von Kadesch handelten hethitische und ägyptische Diplomaten einen Friedensvertrag aus. Dieses Abkommen gilt allgemein als der erste Friedensvertrag der Welt. Bemerkenswert ist, dass wir die Ausfertigungen beider Seiten besitzen – in Tempelmauern gemeißelt in Ägypten und in Tontafeln geritzt in Ḫattuša.

Zu einer weiteren Premiere kam es eine Generation später, als die hethitische Macht nach Westen hin sondierte und mit Troja ebenso wie mit dem mykenischen Griechenland Handel trieb und Scharmützel austrug. Zypern war damals eine Seemacht, und 1210 v. Chr. forderten die Hethiter diese Macht in der ersten Seeschlacht der Welt heraus (und siegten).

ca. 1670–1550 v. Chr.

Die Hyksos

Invasoren Ägyptens

Menschen aus einem unbedeutenden Stamm kamen völlig unerwartet aus dem Osten. Sie erdreisteten sich, in unser Land [Ägypten] einzufallen, und eroberten es leicht mit Gewalt, denn wir wagten keine Schlacht mit ihnen. Sie überwältigten unsere Könige, brannten unsere Städte brutal nieder und zerstörten die Tempel unserer Götter. Unser Volk wurde grausam misshandelt. Die einen wurden getötet und die Frauen und Kinder anderer versklavt.

Zitat aus Manethos *Aigyptiaka* bei Josephus, *Gegen Apion* 1,73

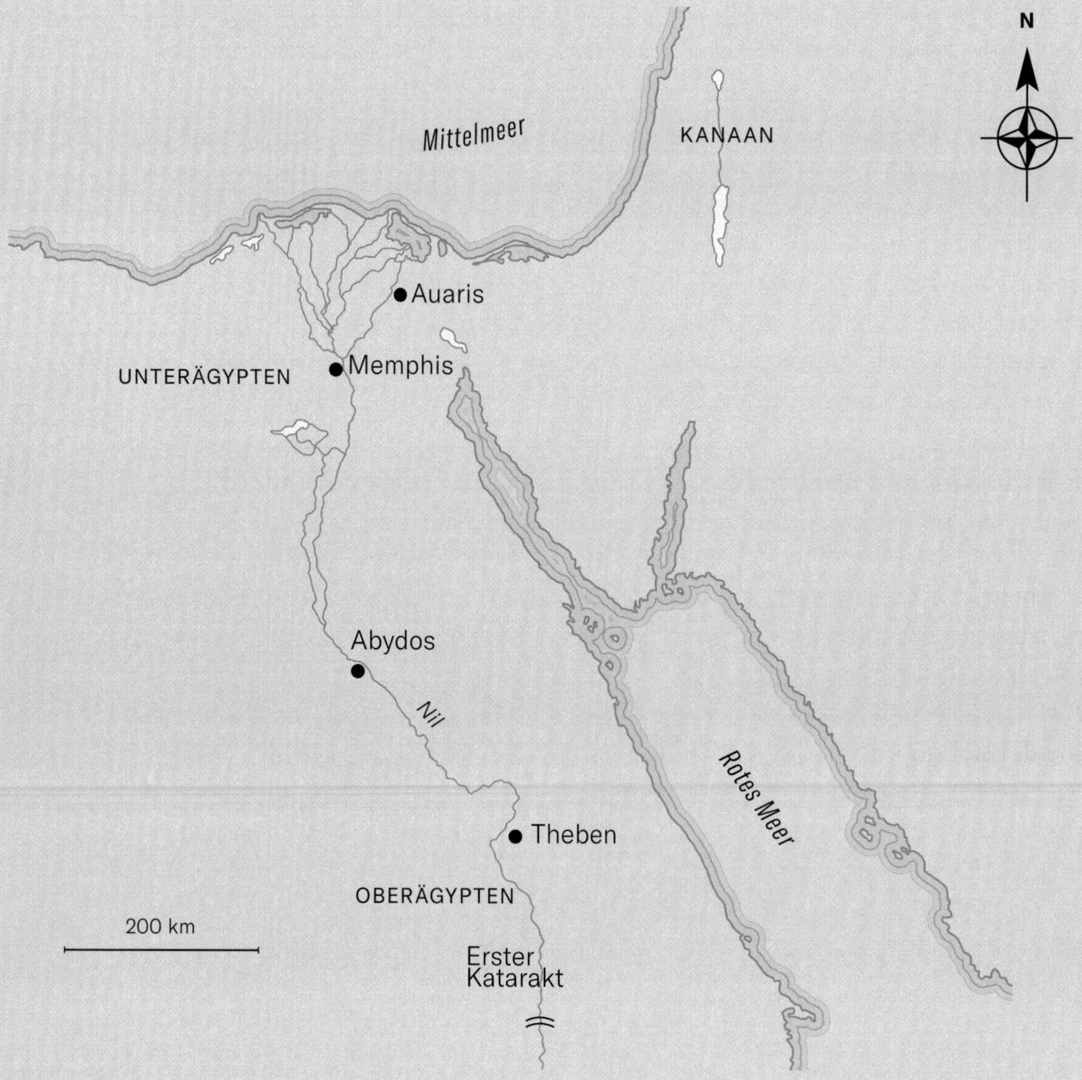

Der „unbedeutende Stamm", den der römisch-jüdische Historiker Josephus (zu Unrecht) die „Hirtenkönige" nennt, waren die Hyksos. Einst hat man geglaubt, dieses Volk sei wie ein menschlicher Tsunami über Ägypten hinweggefegt und habe Zerstörung und Tod hinterlassen, ehe es sich dann niederließ und das verwüstete Land tyrannisierte, das es erobert hatte. Laut dieser Geschichtsversion waren die Ägypter völlig außerstande, die Invasion zu verhindern, weil das Land von einer Epidemie heimgesucht worden war und von dynastischen Konflikten erschüttert wurde. Außerdem besaßen die Hyksos Streitwagen – von denen man in Ägypten bis dahin nie gehört hatte – und Kompositbögen, Schuppenpanzer und überlegene Waffen aus Bronze. Kein Wunder, dass Ägypten so schnell unterlag und die nächsten 200 Jahre lang unter einer Fremdherrschaft schmachtete.

Die Sieger schreiben – wie das Sprichwort sagt – die Geschichte. Unter Führung einer Reihe von Kriegerkönigen gelang es den Ägyptern am Ende, die Hyksos aus ihrem Land zu vertreiben. Sobald sie das geschafft hatten, machten sich die Pharaonen daran, die Geschichte der Hyksos-Invasion zur oben genannten Version umzuschreiben, um dadurch ihre eigene Leistung zu überhöhen – einer Version, die die Geschichtswissenschaft bis ins 21. Jahrhundert insgesamt akzeptiert hat.

Die Geschichte wird umgeschrieben

Der erste Hinweis, dass Josephus einen Fehler gemacht haben könnte, als er die heute verlorenen *Aigyptiaka* des Manetho als Quelle verwendete, war die Entdeckung, dass *Hyksos* gar nicht „Hirtenkönige" heißt. Vielmehr kommt das Wort vom ägyptischen *heka-chasut*, was „Herrscher aus Fremdländern" bedeutet – man beachte den Plural „Länder". Diese Herrscher scheinen eine gemischte Gruppe gewesen zu sein. Während die meisten Namen tragen, die auf eine kanaanitische oder zumindest semitische Herkunft verweisen, waren andere vielleicht Hurriter.

Wenn eine Stadt geschleift wird, bildet sich eine „Zerstörungsschicht", eine dünne Kruste aus Asche, zerbrochenen Lehmziegeln und sonstigem Schutt, die es den Archäologen durch den Einsatz moderner Techniken wie Thermolumineszenz- und Radiocarbondatierung erlaubt, fast genau zu bestimmen, wann es zur Zerstörung kam. Das Thermolumineszenzverfahren

Ein „Entenschnabel"-Axtblatt des Typs, den die Hyksos-Invasoren verwendeten. Den Ägyptern muss dieses Beispiel des überlegenen Hyksos-Waffenarsenals besonders furchteinflößend vorgekommen sein, weil ihre Soldaten keine schützenden Helme trugen.

Pharao Tutanchamun fährt auf diesem gut erhaltenen bemalten Kästchen, das man in seinem Grab fand, in seinem Streitwagen aus, um Ägyptens Feinde zu zerschmettern. Der Wagen war eine der Neuerungen, die die Ägypter von den Hyksos übernahmen.

erlaubt eine Zeitbestimmung, wie lange es her ist, dass ein mineralhaltiger Gegenstand zuletzt stark erhitzt wurde – etwa Keramik in einem Brennofen oder auch Wandverputz beim Brand eines Hauses. Da ist es sehr verwirrend, dass die Hyksos, während sie angeblich einmal durch ganz Ägypten tobten und Städte niederbrannten, es auf rätselhafte Weise nicht schafften, in den von ihnen eroberten Städten eine nachweisbare Zerstörungsschicht zu hinterlassen.

Daraufhin sahen sich skeptische Ägyptologen die zeitgenössischen Papyri näher an, die von der Hyksosherrschaft in Unterägypten sprechen – grob gesagt dem Nildelta. Was sie dort fanden, waren klare Hinweise, dass die Hyksoskönige ziemlich fähige Herrscher waren, deren ägyptische Untertanen anscheinend gar kein Problem mit ihnen hatten. Außerdem blieb Oberägypten mit dem Zentrum Theben (Luxor) unter ägyptischer Herrschaft, und mindestens ein Jahrhundert lang vertrugen sich der ägyptische und der Hyksos-Teil Ägyptens gut.

Aus diesen Gründen ist die „Hyksos-Invasion“ grundlegend neu überdacht worden. Die vorläufige Geschichte der Hyksos, auch wenn sie in Zukunft bestimmt noch überarbeitet wird und derzeit der Zankapfel erheblicher Debatten ist, lautet so: Im 17. Jahrhundert v. Chr. befand sich die 13. ägyptische Dynastie des Mittleren Reiches im Niedergang. Damals machte der gesamte Nahe Osten eine Un-

ruhephase durch, die durch die Migration großer indogermanischer Gruppen aus dem Norden und Osten ausgelöst worden war. Menschen aus den Gebieten nördlich von Kanaan wurden vertrieben und viele davon zogen nach Süden und ließen sich in der Stadt Auaris im Nildelta nieder. Zu dieser Zeit hatte der ägyptische Pharao genug zu tun, auch ohne dass er einen Krieg mit einem gut bewaffneten, zahlenmäßig starken Feind anfing, also vollzog sich die Migration überwiegend friedlich.

Auf jeden Fall war die frühe Hyksos-Expansion weniger eine Besetzung ägyptischen Territoriums als ein Beiseiteschubsen und eine Absorption dieser früheren kanaanitischen Siedler in Unterägypten. Hilfreich war außerdem, dass die Neuankömmlinge keinen Ärger wollten. Die Archäologie zeigt, dass einige Ägypter hochrangige Posten in der Hyksos-Verwaltung in Auaris besetzten und dass die Neuen hart daran arbeiteten, sich ins ägyptische Leben zu integrieren. Ihre Götter waren die üblichen semitischen Gottheiten Baal und Anat, aber nachdem die Hyksos im ägyptischen Pantheon nach einem passenden Kandidaten gesucht hatten, entschieden sie, Baal mit dem ägyptischen Gott Seth gleichzusetzen, und verehrten ihn in dieser Form. Außerdem kopierten und verwahrten sie sorgsam alte Dokumente auf Papyrus, und heute gibt es viele dieser kostbaren Aufzeichnungen nur noch als Hyksos-Abschriften.

Fortschritte der Hyksos

Außerdem brachten die Hyksos viele Neuerungen mit, darunter neue Kulturpflanzensorten und bessere Methoden zur Nutzung der schon vorhandenen. Ein verfeinertes Bewässerungssystem lieferte größere Ernten, und die Hyksos führten

Siegel mit dem Namen eines Apophis genannten Hyksoskönigs, ca. 1581–1541 v. Chr. Das Objekt aus dem östlichen Nildelta befindet sich heute im Metropolitan Museum in New York.

Auf diesem ägyptischen Wandgemälde eines Papyrusboots aus dem 14. Jh. v. Chr. reisen Nubier nilabwärts. Unklar ist, ob diese Männer Händler oder Gefangene sind.

den vertikalen Webstuhl ein, auf dem Leinenstoffe entstanden, die ihren ägyptischen Pendants ebenso überlegen waren wie die neue, mit verbesserten Brennverfahren hergestellte Keramik den dortigen Töpfen. Kurzum, die Hyksos kamen für eine schon über 2000 Jahre alte Kultur, die sich isoliert und mit sich selbst beschäftigt hatte, als eine Art Schock. Während die Ägypter nicht hingeschaut hatten, hatte sich die Welt um sie herum weiterentwickelt, und die Hyksos verordneten den Ägyptern nun eine Radikalkur der Neuerungen.

Heute glauben viele Forscher, dass die Hyksos ihre Herrschaft durch „schleichende Eroberung" ausweiteten. Vielleicht zogen sie in einigen Fällen als gar nicht unwillkommene Handwerker, Händler und Söldner in ägyptische Städte um. Weil ihre Zahl durch Zuzug aus anderen Regionen wuchs, wurden die Neuankömmlinge allmählich stärker als die Alteingesessenen, die entweder wegzogen oder einfach neben ihnen weiterlebten. Zwar gab es ab und zu bestimmt ein kleineres Gefecht, aber für den zerstörerischen Wirbelsturm, den spätere ägyptische Texte beschreiben, gibt es schlicht keine Belege.

Aufstieg und Fall

Mit der Dynamik der neuen Bewohner mochten die Pharaonen Oberägyptens ihre Schwierigkeiten haben, aber in jedem Fall waren sie anderweitig beschäftigt, weil sie dem Druck der Nubier im Süden standhalten mussten. Daher suchten sie Wege, wie sie sich mit den Hyksos im Norden arrangieren konnten. Vielleicht zahlten sie ihnen sogar Tribut – was den stolzen, nationalistischen Ägyptern überhaupt nicht gefallen haben kann.

Im engeren Sinn bezeichnet der Name „Hyksos" die Könige Unterägyptens in dieser Zeit. Wer genau diese Könige waren, ist unsicher. Josephus nennt uns aus seiner Quelle Manetho eine Reihe von sechs Königen, deren Namen keinerlei Bezug zu Inschriftenfunden aus Ägypten selbst haben. Die ethnische Herkunft dieser Könige und die Modalitäten der Thronfolge sind ebenso unbekannt wie die ethnische Zusammensetzung der Menschen, die sie regierten. Sehr wahrscheinlich handelte es sich bei Letzteren um ein Völkergemisch aus Westmesopotamien und Unteranatolien – Emigranten in ein neues Land der Möglichkeiten.

Eine Zeit lang existierten Neu und Alt in Ägypten nebeneinander. Die Regierung in Theben handelte Durchzugsrechte durch das Hyksosgebiet aus, damit ihre Kaufleute das Mittelmeer erreichen konnten. Auf ihren Reisen nach Norden kamen diese Händler an Hyksos-Schiffen vorbei, die stromauf fuhren und mit den Nubiern handelten.

Aber der Friede konnte nicht ewig dauern. Am Ende klangen sowohl die Seuche als auch die dynastischen Unruhen, die Ägypten erschüttert hatten, ab und die thebanischen Pharaonen machten sich daran, Unterägypten von den Eindringlingen zu befreien. Der erste Pharao, der das versuchte, kam dabei um, aber sein Sohn Kamose (ca. 1555–1550 v. Chr.) hatte schon größeren Erfolg, ehe auch er (wahrscheinlich) im Kampf fiel.

Die Ägypter hatten fleißig gelernt und die militärischen Fortschritte der Hyksos für ihre eigene Armee übernommen. Eine neue (die 18.) Dynastie machte aus der Vertreibung der Hyksos einen Kreuzzug, um „das Land von Asiaten zu reinigen“. Unter Ahmose I. (ca. 1549–1525 v. Chr.) gelang ihnen das und sie zerstörten dabei die Hyksos-Hauptstadt Auaris. Ebenso ungeklärt wie die Herkunft der Hyksos ist die Frage, wohin sie nach ihrer Vertreibung gingen. Auf jeden Fall ist es sinnlos, bei den Ägyptern nachzufragen. Die machten sich eifrig daran, jede Spur der einstigen Einwanderer in Ägypten zu tilgen und – wie wir schon gesehen haben – die „Eroberungs“-Geschichte umzuschreiben, um ihren eigenen Sieg größer erscheinen zu lassen.

Nachhall in der Zukunft

Zwar nutzten die Pharaonen ihre revisionistische Geschichtsversion, um nationalistische Gefühle zu schüren, aber reaktionär genug, um die von den Hyksos gebrachten Neuerungen aufzugeben, waren sie dann doch nicht.

Streitwagen und Kompositbogen wurden wesentliche Komponenten der ägyptischen Kriegsmaschinerie, genau wie die neuen Feldfrüchte und Techniken, die die Hyksos gebracht hatten, die ägyptische Wirtschaft in Schwung brachten. Ohne die Hyksos-Besetzung wäre Ägypten wahrscheinlich nie unter späteren Königen wie Ramses II. entlang der Ostküste des Mittelmeers expandiert oder zur Seemacht mit einem Großreich geworden.

ca. 1200–1178 v. Chr.

Die Seevölker

Sturmreiter

Siehe, mein Vater! Die feindlichen Schiffe kamen, sie verbrannten [...] unser Land und taten dort Böses [...] das Land ist verlassen [...]. Ich sage dir, mein Vater: Der Feind, der hergekommen ist, hat uns großen Schaden zugefügt.

Brief König Ammurapis von Ugarit an den König von Alašija (heute Zypern; Ugarit RS 18.147)

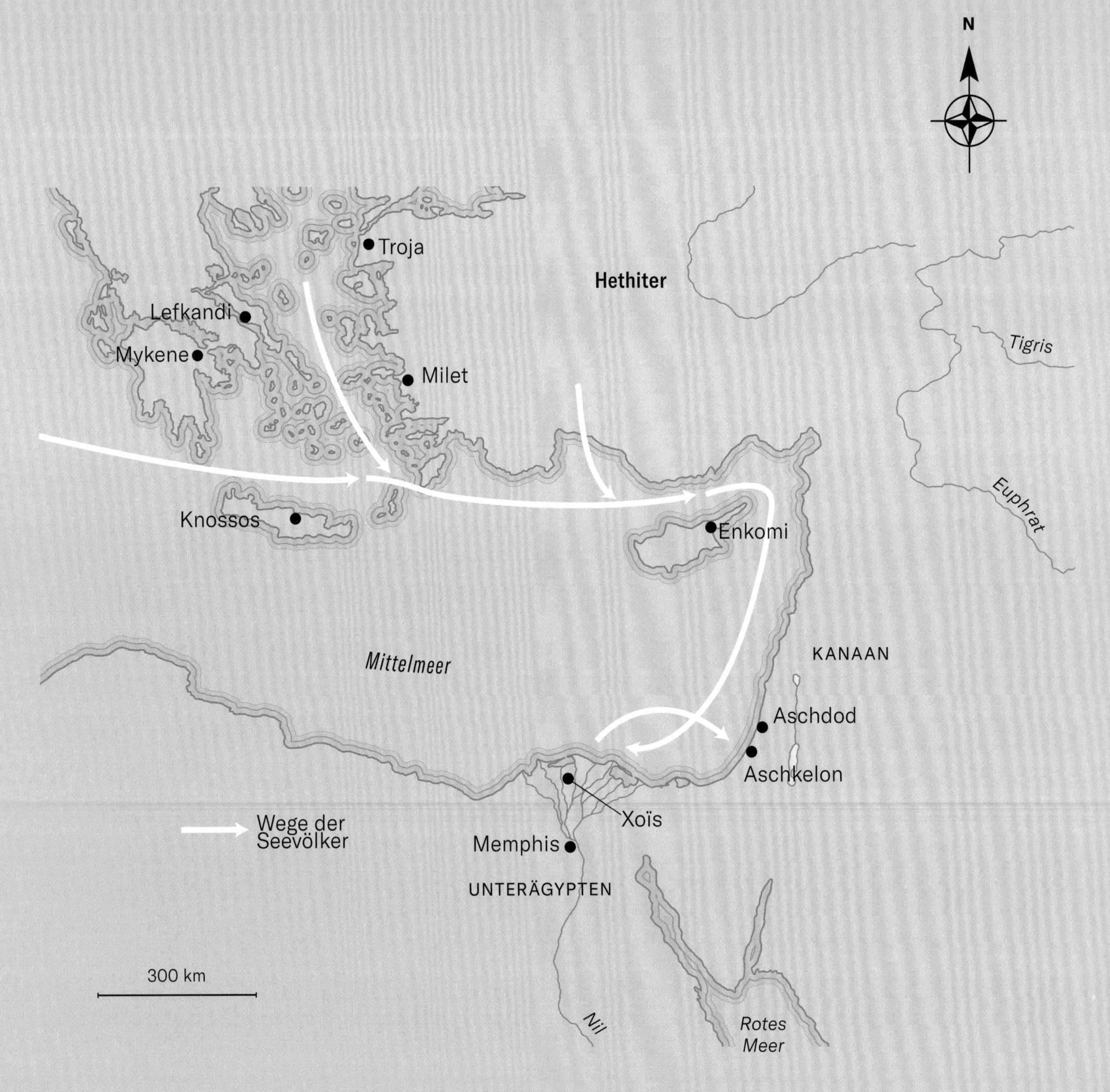

Der verzweifelte Hilferuf eines Königs an einen anderen ist eines der wenigen erhaltenen Dokumente des verheerenden Zivilisationszusammenbruchs, mit dem die Bronzezeit endete. Dass der Brief in verbrannten Ruinen ausgegraben wurde, deutet an, dass wohl keine Hilfe kam – höchstwahrscheinlich, weil alle anderen genauso tief in Schwierigkeiten steckten. Wer waren diese Leute in „feindlichen Schiffen"? Wo kamen sie her und wo gingen sie nach der Krise hin?

Alles, was wir von den „Seevölkern" wissen, stammt aus den Kulturen, die auf sie trafen. Und für die meisten davon endete die Begegnung gleich: Es blieb nicht viel übrig. Wir wissen nicht, welche Götter die Invasoren anbeteten, ob sie nomadische Seefahrer waren oder ihre Raubzüge von einem festen Stützpunkt aus unternahmen, ob sie einer gemeinsamen Kultur angehörten oder ein Zusammenschluss verschiedener Stämme waren. Der Großteil unseres Wissens über die Seevölker stammt von der einzigen Zivilisation, die sie abwehren konnte – den Ägyptern.

Die ägyptische Erfahrung

Zu den interessantesten Aspekten der ägyptischen Berichte über die Seevölker zählt das, was sie nicht sagen – weder ihre Identität noch ihre Herkunft wird erwähnt. Das deutet darauf hin, dass die Ägypter selbst Bescheid wussten und annahmen, dass das auch für diejenigen galt, die ihre Berichte lasen. Der leicht aufgeschreckte und empörte Ton der frühen Inschriften legt nahe, dass die Seevölker als freundliche, größtenteils harmlose Leute galten, die plötzlich über die Ägypter hergefallen waren und sie böse zugerichtet hatten.

„Sie kamen vom Meer und niemand konnte ihnen widerstehen", erklärte Ramses II. Die Pharaonen neigten dazu, ihre Feinde wie etwa die Hyksos gefährlich zu reden, um ihre eigenen Siege noch dramatischer und eindrucksvoller erscheinen zu lassen. Dennoch scheint klar, dass sich Ägyptens uralte Zivilisation in Gestalt der Seevölker einer wirklich existenzbedrohenden Gefahr gegenübersah – was die gerade untergegangenen Mykener und Hethiter nur hätten bestätigen können. Egal wer die Seevölker waren, sie waren jedenfalls gut organisiert, zahlreich und sehr geübt im Kampf.

Tatsächlich machte Ramses seine Sache beim Widerstand gegen die Invasoren sehr gut. Er führte eine Art Guerillakrieg und legte Hinterhalte in den versteckten Armen des Nildeltas, von denen aus seine Truppen Pfeile auf die feindlichen Flotten regnen ließen. Später besiegte er eines der Seevölker, die Scherden, in einer großen Seeschlacht.

Der „Gott von Enkomi". Diese rund 50 cm hohe Statuette einer Seevölkergottheit trägt einen Helm mit Stierhörnern, wie er in der bronzezeitlichen Kunst oft bei Götterbildern erscheint.

Apokalyptische Räuber

Eines der vielen Probleme bei der Identifikation der Seevölker besteht darin, dass dieser Name nicht aus zeitgenössischen Aufzeichnungen stammt, sondern von Historikern des 19. Jahrhunderts. Sie studierten ägyptische und hethitische Dokumente und schlossen daraus, dass für einen Großteil des Chaos rund um den Zusammenbruch der bronzezeitlichen Hochkulturen dieselben Völker verantwortlich waren.

Die heutige Forschung sieht diese Quellen kritischer. Inzwischen glaubt man allgemein, dass die Seevölker ebenso sehr Symptom wie Ursache des Zusammenbruchs waren und sehr gut aus mehreren verschiedenen Völkern, ja sogar aus völlig verschiedenen Kulturen bestanden haben können.

Es gibt gute Belege dafür, dass zu dieser Zeit Migrationsdruck auf die Grenzen weiterentwickelter Staaten herrschte

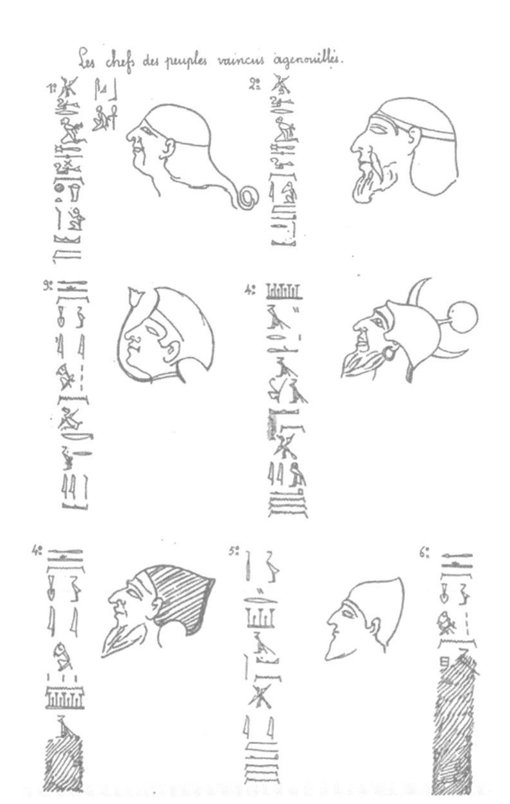

Zeichnung verschiedener Seevölkerstämme mit begleitenden Inschriften von einem Festungstor im ägyptischen Medinet Habu, abgezeichnet von Jean-François Champollion.

Ramses III. schlägt die Seevölker auf diesem seinen Sieg verherrlichenden Wandrelief aus Medinet Habu. Man beachte die ägyptischen Bögen und die großen Schilde, die einige Krieger der Seevölker tragen.

und dass manche Seevölker wandernde Barbarenstämme gewesen sein könnten. Durchaus wahrscheinlich ist, dass solche Völker sich inmitten des allgemeinen Zusammenbruchs auf die Seefahrt verlegten und die Länder mit sesshafteren Bewohnern plünderten. 1500 Jahre später gibt es eine Parallele während der Krise, der das Römische Reich im 3. Jahrhundert n. Chr. ausgesetzt war. Damals schaffte es ein wanderndes Volk, die Goten – landbewohnende Steppenkrieger, die die offene See nie gesehen hatten –, binnen weniger Jahre, eine riesige Piratenflotte aufzubauen, die die Küsten Kleinasiens unsicher machte.

Laut den Berichten der Ägypter begleiteten Frauen, Kinder und Vieh das Heer der Seevölker, was andeutet, dass sie aus ihrem eigenen Zuhause vertrieben worden waren und irgendwo einen neuen Wohnsitz suchten. Anscheinend waren die Seevölker genau wie später die Goten Opfer der Krise und reichten mit ihren Invasionen einfach das Leid, das ihnen selbst geschehen war, an andere weiter. Aber solange wir nicht feststellen können, wo ihre ursprünglichen Wohnorte lagen, muss das Hypothese bleiben.

Invasionswellen

Einige Historiker haben die These vertreten, dass manche Gruppen innerhalb der Seevölker gar keine barbarischen Invasoren waren. Vielleicht waren sie Minoer, die nach der Zerstörung Kretas geflohen waren, oder – so eine romantische, aber abwegige Theorie – Trojaner, die nach der Plünderung ihrer Stadt durch die Griechen Zuflucht suchten. In jedem Fall legt die Tatsache, dass die Ägypter ihre Angreifer zu kennen schienen und sogar zwischen ihnen unterschieden – sie gaben ihren Feinden nicht weniger als neun Namen –, den Gedanken nahe, dass einige Teile der Seevölker alteingesessene Mittelmeervölker waren.

Vermutet hat man hinter den in ägyptischen Quellen genannten Völkern unter anderem Protoetrusker (Turiša/Tereš), Sardinier (Šerden) und Philister (Peleset). Und diese Invasoren kamen in Wellen – auch nachdem Ramses steif und fest erklärt hatte, die Scherden besiegt zu haben (und die Überlebenden in seine Armee aufgenommen hatte), sah sich sein Nachfolger Merneptah (1213–1203 v. Chr.) dem Ansturm der Šekeleš, der Lukka, der Eqweš und anderer gegenüber.

Die Ägypter hätten es zwar nie zugegeben, aber ihr Überleben verdankten sie den Hyksos, die bis vor zwei Jahrhunderten ihr Land beherrscht hatten. Ohne die militärischen Innovationen – darunter Pferdewagen und Bronzewaffen – und die Wirtschaftsentwicklung, durch die die Hyksos das Land gestärkt hatten, wäre Ägypten dieser neuen Invasionswelle vielleicht erlegen. Merneptahs Inschriften machen deutlich, dass die Eindringlinge nicht nur plündern, sondern das Niland auch übernehmen und besiedeln wollten.

Anders als Ramses entschied sich Merneptah, seinen Angreifern an Land entgegenzutreten. Die Entscheidungsschlacht wurde an dem bisher nicht lokalisierten Ort Pi-yer im Nildelta geschlagen und Merneptahs entscheidender Sieg sicherte die Grenzen Ägyptens eine Generation lang. Doch auch danach waren die Seevölker nicht ganz besiegt. Sie fielen über das Amoriterkönigreich Amurru im heutigen Syrien her und hinterließen es „so öde, als wären die Menschen und das Land nie gewesen", so eine zeitgenössische Inschrift von Ramses III. (1186–1155 v. Chr.), dem nächsten Pharao, der es mit ihnen aufnehmen musste.

Den Behauptungen seiner Vorgänger zum Trotz, sie hätten die Seevölkergefahr ein für allemal gebannt, zeigen die Tatsachen, dass das eindeutig nicht so war. Der unglückliche Ramses III. verbrachte seine gesamte Regierungszeit damit, die Invasoren in einer Reihe von Feldzügen abzuwehren, die sein Volk demoralisierte und die Schatzkammer leerte.

Ramses III. handelte proaktiver als seine Vorgänger und scheint den Kampf zu den Feinden nach Kanaan getragen zu haben. Als die Seevölker dann eine gemeinsame Flotte aufstellten und 1178 v. Chr. Ägyptens Küste zu überrennen versuchten, reagierte Ramses, indem er den Feind nahe der Deltastadt Xoïs dicht unter Land lockte. Dort ließ ein Haufen Bogenschützen von der Küste aus ihre Pfeile auf die dichtgedrängten Schiffe niedergehen und Enterhaken zogen die feindlichen Fahrzeuge auf Speerträger zu, die in Verschanzungen warteten. Diese Schlacht scheint die Seevölker endgültig vernichtet zu haben, doch der Preis war hoch.

Ägypten war nun bankrott, und als Dank für die Rettung des Landes wurde Ramses von einer Höflingsverschwörung ermordet, die sich die Unruhe im Volk zunutze machte. Die Seevölker selbst scheinen sich als organisierte Streitmacht nie wieder formiert zu haben. Piraterie und Raubzüge blieben ein Kennzeichen des Lebens im Mittelmeerraum, aber als die griechisch-römische Antike heraufzog, wurden solche Angriffe seltener. Wo die Wanderungen der Seevölker schließlich endeten, lässt sich heute wahrscheinlich nicht mehr klären, aber das hat die Historiker nicht vom Spekulieren abgehalten.

Nachhall in der Zukunft

Ramses III. tat alles, um die Wirtschaft wieder aufzubauen, die durch die Last des Kampfes gegen die Seevölker Schaden genommen hatte, aber seine Regierung hatte schlicht nicht genug Geld, um die Grundfunktionen des Staates aufrechtzuerhalten. Deshalb ließen 1159 v. Chr. die Arbeiter in der Nekropole von Deir-el-Medina nahe Theben die Werkzeuge fallen, weil sie nicht bezahlt wurden und es satthatten. Sie marschierten nach Theben und begannen eine Sitzblockade im Tempel derjenigen Priester, die für ihre Bezahlung zuständig waren. Als sie ihren verdienten Lohn hatten, zogen sie ab, nahmen den Streik aber wieder auf, als das Geld erneut ausblieb. Die Frage wurde nie gelöst und ging schließlich im allgemeinen Chaos rund um die Ermordung von Ramses III. unter. Dennoch bleiben die Seevölker indirekt für den ersten organisierten Arbeiterstreik verantwortlich, der in historischen Quellen dokumentiert ist.

Ägyptische Handwerker arbeiten an Grabzubehör. Wandmalerei aus dem Grab des Nebamun und des Ipuki in Theben, ca. 1390–1349 v. Chr.

Teil 2

Von Assyrien bis Alexander

1200–323 v. Chr.

Die Erholung vom großen Zusammenbruch

Not macht erfinderisch, wie man so sagt. Das stimmt vielleicht, aber Verzweiflung ist ein noch besserer Ratgeber. Der Zusammenbruch der bronzezeitlichen Hochkulturen um etwa 1200 v. Chr. zerriss Handelswege, die über lange Jahrtausende mühsam aufgebaut worden waren und sich inzwischen über die ganze Mittelmeerwelt erstreckten. Bauholz, Keramik und Sklaven reisten entlang dieser Routen, aber kein Gut war wichtiger als das Zinn.

In einem Großteil Mesopotamiens und des östlichen Mittelmeerraums kommt Zinn von Natur aus nicht vor, also wurde es aus so weit entfernten Gebieten wie Britannien importiert. Ohne Zinn konnten die Schmiede keine Bronze herstellen, jenes Material, das so wichtig war, dass man später ein ganzes Zeitalter nach ihm benannte. Jetzt musste man sich dringend etwas einfallen lassen, denn Bronze war für alles von Waffen über Pflüge bis hin zu Kochgefäßen lebenswichtig. Man war gezwungen, eine Alternative zu finden, und begann Erz zu schmelzen, um Eisen zu gewinnen – das einen viel höheren Schmelzpunkt als Zinn oder Kupfer hat und auch sonst viel kompliziertere Herstellungsverfahren erfordert.

Es kam zu einer großartigen Entdeckung: Wenn man Eisenerz in einem Holzkohlefeuer bearbeitet, wird das Metall fest und bleibt dennoch flexibel. Das liegt daran, dass Kohlenstoff aus der Holzkohle in das Eisen eindringt und dabei Stahl entsteht, was damals allerdings noch niemand wusste. Bekannt war den Menschen nur, dass ihnen ein Metall geschenkt worden war, das der Bronze weit überlegen war, und weil sie Menschen waren, schmiedeten sie aus diesem wunderbaren neuen Material sofort Waffen und nutzten diese mit Begeisterung dazu, andere Menschen zu töten.

Der frühe Erwerb von Techniken der Eisenverarbeitung erlaubte es Völkern und Stämmen, ihr Gewicht geltend zu machen. Die angeblich analphabetischen **Philister** konnten die zahlreicheren, kultivierteren Israeliten dank ihres Besitzes überlegener Waffen aufhalten. (Allerdings behauptet die Bibel, dass ein gewisses Talent für Verrat und Unterwanderung auch nicht schadete.)

Neue Völker traten in den Vordergrund, als diejenigen, die innovativ und anpassungsfähig genug waren, sich auf eine veränderte Welt umzustellen, rasch das vom großen Zusammenbruch hinterlassene Vakuum füllten. Häufig waren diese Neuen Wanderhirten oder Nomaden, etwa die **Aramäer**, die früher an der Peripherie der bronzezeitlichen Staaten gelebt hatten. Diese Völker fühlten sich der alten Weltordnung weniger verbunden und waren besser darin, sich neuen Bedingungen anzupassen.

Denn nach der Zerstörung der alten Welt galt die traditionelle Art, Dinge anzugehen, nicht mehr. Die komplizierten Symbole der Keilschrift und der Hieroglyphen wirkten plump im Vergleich mit einer neuen Schreibweise, die nicht die Bilder der beschriebenen Dinge wiedergab, sondern die Laute, die man beim Sprechen für sie verwendete – die erste Alphabetschrift, bei der die Phöniker bahnbrechend waren. Und als der Handel sich wieder entfaltete, wurde das Schreiben gängiger, denn jetzt waren die Tontafeln durch eine ägyptische Erfindung ersetzt worden: Papyrus. Dieses dünnere, flexiblere Material wurde aus dem Mark von Pflanzen hergestellt, die am Nil wuchsen. Es ist der Urahn unseres Wortes „Papier“ (eines Materials, das inzwischen durch das Tablet abgelöst wird). Außerdem führten die Phöniker eine Reihe von Neuerungen im Schiffbau ein und hätten sicher auch weiterhin den Mittelmeerhandel dominiert, wären da nicht ihre Nachbarn im Norden gewesen, die Griechen.

Die Griechen waren inzwischen in verschiedene ethnische Gruppen geteilt, von denen die wichtigsten die Ionier – vielleicht die Überlebenden des mykenischen Zusammenbruchs – und die **Dorer** – ursprünglich vielleicht barbarische Eindringlinge, dann aber vollkommen griechisch – waren. Andere Barbaren im Norden wie die **Illyrer** widerstanden dem Sirenengesang der griechischen Kultur und blieben so wild wie eh und je, bis auch sie am Ende von den Römern unterworfen wurden.

Während des Dunklen Zeitalters hatten sich griechische Kolonien verbreitet, während gleichzeitig der Gebrauch der Schrift verschwand. Als man erneut Aufzeichnungen anzufertigen begann, schrieb man in den griechischen Städten an den Küsten Spaniens, Italiens, Nordafrikas, Kleinasiens und des Schwarzen Meeres in Alphabetschrift auf Papyrus. Wenn man irgendwo in einem Ruderschiff hinkommen konnte, waren die Griechen garantiert schon da – und hatten eine Kolonie gegründet.

Einige der wichtigsten griechischen Kolonien lagen auf der Insel Sizilien, wo Syrakus bald so groß und mächtig wurde wie die Städte auf dem griechischen Festland. Rasch einigten sich die Griechen Siziliens mit den einheimischen **Sikelern,** lagen aber in einer erbitterten Fehde mit den Karthagern im Südwesten der Insel. Noch heute kennen wir Städte außerhalb Griechenlands, die ursprünglich griechische Namen trugen: Massalia (Marseille), Nea Polis (die „Neue Stadt“, heute Neapel), Syrakus und Tripolis (die „Drei Städte“). Technisch gesehen konnte man keine dieser Kolonien eine Metropole nennen, denn *metropolis* heißt „Mutterstadt“ (außer im Fall der tatsächlich Metropolis genannten Stadt, die in Thessalien in Nordgriechenland lag). Die heute verschwundene Stadt Emporion („Handelsposten“) in Spanien besitzt zahllose Nachkommen, wo immer ein Kaufhaus in der englischsprachigen Welt sich vor einer Generation „Emporium“ zu nennen beschloss.

Jetzt fasste die Zivilisation also Fuß im Mittelmeerraum, aber ihre Ursprungsgebiete Ägypten und Mesopotamien hat sie nie verlassen. Zwar betrachteten die Ägypter ihr Land als Hexenkessel politischer und sozialer Unruhen, doch der Rest der Welt sah darin eine zeitlose, unwandelbare Zivilisation an den Ufern des Nils. So viel die Griechen von den Phönikern gelernt haben, bezogen sie doch auch viel Inspiration von der Religion, Architektur und Kunst Ägyptens.

Ihr Zinn bekamen die Ägypter weiterhin aus dem Inneren Nordafrikas geliefert, deshalb wurde bei ihnen noch Jahrhunderte, nachdem der Rest der zivilisierten Welt zur Produktion von Schmeideeisen übergegangen war, Bronze hergestellt. Genau umgekehrt war es in Mesopotamien und an der Ostküste des Mittelmeers: Schon früh entwickelte sich in Anatolien die Eisenverarbeitung, und rasch begann die gesamte Region Schmiedeeisen zu verwenden.

Wie man sich denken kann, gehörten die militaristischen Assyrer zu den Ersten, die das Potenzial eiserner Waffen schätzen lernten. Vom 9. bis zum 7. Jahrhundert nutzen sie brutal ihren Vorteil und eroberten Babylon, Elam, Lydien, Phönizien und die israelitischen Königreiche. Bei den Assyrern war es üblich, ganze besiegte Bevölkerungsgruppen anderswo anzusiedeln, und auf diese Art kamen die verschollenen Stämme Israels abhanden. Die **Phryger** in ihren Bergfestungen hielten unter ihrem König Mita durch, der heute als der legendäre Midas berühmt ist, der König mit dem goldenen Händchen.

Ägypten musste entdecken, dass jahrhundertealte Taktiken und Bronzewaffen gegen Eisenrüstungen keine Chancen hatten. Dabei mühten sie sich schon ab, nubische Invasionen aus Kusch im Süden zu unterdrücken. Eine Zeit lang wurden sowohl Ägypten als auch Nubien von **Kuschiten** beherrscht. Die Assyrer stürzten also ein Regime, das bereits wankte. 670 v. Chr. wurde Ägypten assyrischer Besitz – womit sich die Ägypter nie abfanden, weshalb sie bei jeder sich bietenden Gelegenheit dagegen rebellierten.

Aber die Kunst, Reiche zu erhalten, war weiterhin unterentwickelt, und die Assyrer scheinen keinen Schimmer davon gehabt zu haben, dass Herrschaft ein gewisses Maß an Einverständnis bei den Beherrschten erfordert. Militärische Gewalt und Terror (besonders gern pfählten und häuteten die Assyrer Leute, die sie nicht mochten, bei lebendigem Leib) können ein Reich nur begrenzt weit bringen, ehe der über Jahrhunderte aufgestaute Hass es überwältigt. Als ein Bürgerkrieg den Griff Assyriens lockerte, erhoben sich fast alle Untertanen des Imperiums. 609 v. Chr. war Assyrien gefallen.

Die einstigen Vasallen des Reiches, etwa die **Meder** und Babylonier, machten die assyrischen Hauptstädte Assur und Ninive systematisch dem Erdboden gleich, um todsicher zu sein, dass Assyrien sich nie wieder erheben werde. Die Macht ging auf die Babylonier über, deren Herrscher aus dem magiekundigen Stamm der **Chaldäer** kamen. Später war Babylon seinerseits gezwungen, sich der wachsenden Macht Persiens zu fügen. Persiens Wirtschaftskraft beruhte teils auf der

Neueinrichtung von Handelswegen, besonders nach China und in den Osten. Ein anderes Volk, das von diesem Handel profitierte, waren die **Baktrer.** Karawanen ihrer berühmten zweihöckrigen Kamele wurden bald zum Inbegriff dessen, was man später die Seidenstraße nannte.

Neue Chancen in Kleinasien führten zum Aufstieg neuer Königreiche. Keines davon war reicher als das der **Lyder,** das in griechischen Mythen als Land seltsamer Monster und großen Reichtums berühmt war. Der reichste aller Lyderkönige war natürlich Kroisos (lateinisch: Croesus). Er startete einen zum Scheitern verdammten Versuch, das frischgebackene Perserreich zu zerstören, und seine Niederlage bedeutete, dass Kleinasien unter persische Herrschaft fiel.

Während diese Ereignisse die großen Zivilisationen der Welt erschütterten, hatte weit weg am kulturlosen Rand der karthagischen Einflusssphäre eine Horde barbarischer Banditen die Kontrolle über eine Hügelkuppe in Mittelitalien übernommen. Außerhalb der lokalen Gerüchteküche war dieses Ereignis damals kaum der Rede wert, aber die Gründung Roms sollte spätere Zeitalter entscheidend beeinflussen.

722 v. Chr. bis heute

Die verschollenen Stämme Israels

Zerstreut unter alle Völker?

Und der Herr wird dich unter alle Völker zerstreuen, von einem Ende der Erde bis zum anderen, und dort wirst du anderen Göttern dienen, die weder du noch deine Väter gekannt haben, aus Holz und Stein. Und unter diesen Völkern sollst du keinen Frieden finden, noch wird die Sohle deines Fußes Ruhe haben, sondern der Herr wird dir dort ein bebendes Herz und schwache Augen und Herzeleid geben.

Deuteronomium 28,64–65

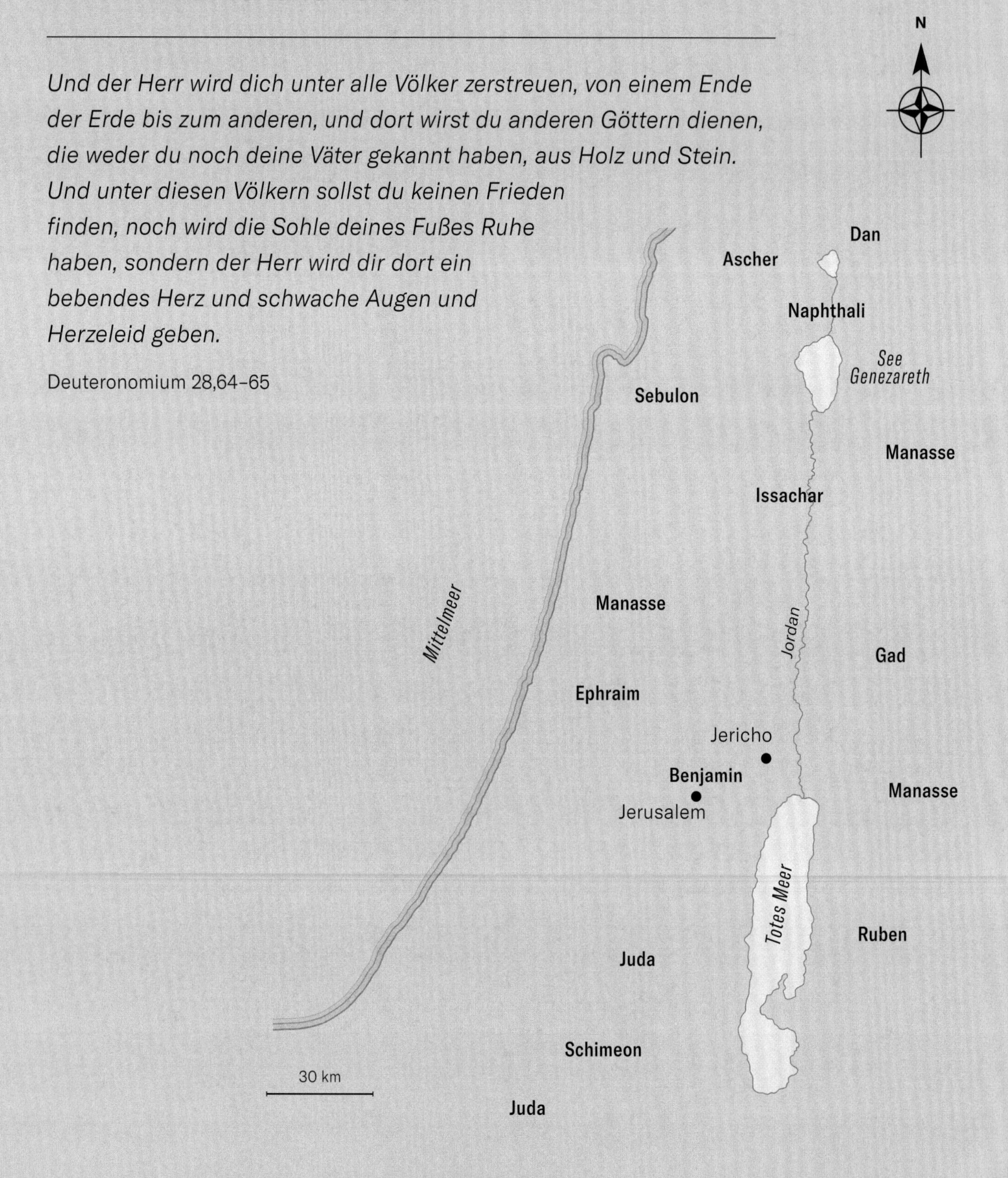

Zwar sind die meisten Stämme Israels bestimmt nicht vergessen, wohl aber gründlich verschollen. Tatsächlich kommt der Name des heute Juden genannten Volkes Israel von nur einem Stamm, nämlich Juda. Den biblischen Berichten zufolge wies der Patriarch Jakob das Land Israel zwölf Stämmen zu. Das waren Ascher, Benjamin, Dan, Ephraim, Gad, Issachar, Juda, Manasse, Naphthali, Ruben, Schimeon und Sebulon. Der Priesterstamm Levi besaß kein Land und seine Angehörigen lebten über ganz Israel verteilt. Wie und warum Juda überlebte, während zehn andere Stämme verschwanden, verrät uns viel über den Strudel aus Krieg und demografischen Umwälzungen im Nahen Osten während des 8. Jahrhunderts v. Chr.

Zu Beginn der Eisenzeit (ca. 1050 v. Chr.) spaltete sich das Königreich Israel in jene Stämme, die Rehabeam, den Sohn Salomos, als König anerkannten, und jene, die das nicht taten. Der vorherrschende Stamm im Süden war Juda, deshalb war das Südreich, obwohl der Stamm Benjamin dazukam, als Königreich Juda bekannt.

Viel an diesem neuen Königreich ist heute umstritten, weil die moderne Forschung nicht mehr so bereit ist, die Versicherung der Bibel zum Nennwert zu nehmen, dass Juda mächtig genug wurde, um mit dem bevölkerungsreicheren israelitischen Staat im Norden mithalten zu können. Es ist sehr gut möglich, dass Juda eine Art Rumpfstaat war, der sich nur deshalb mühsam halten konnte, weil seine Könige die beinahe uneinnehmbare Festung Jerusalem besaßen – um die eine kleine Stadt zu wachsen begann.

Auftritt der Assyrer

Israel und Juda entwickelten sich als relativ typische Kleinstaaten ihrer Zeit. Das heißt, sie zankten sich untereinander und mit ihren Nachbarn, den Aramäern und Philistern, und sie waren auf die wachsende Drohung der Assyrer völlig unvorbereitet. Der Auslöser dieser Gefahr war der Assyrerkönig Tiglatpilesar III. (ca. 744–727 v. Chr.). Zwar war er der dritte seines Namens, aber dieser Tiglatpilesar

Tiglatpilesar III., König der Assyrer und ein großer Krieger, der sich auf die Israeliten stürzte „wie ein Wolf auf die Herde“.

Detail eines Wandreliefs aus Nimrud mit einer Prozession assyrischer Krieger, die Statuen ihrer Götter auf den Schultern tragen. Zwar waren die Assyrer in vieler Hinsicht drückende Herrscher, doch scheinen sie nicht versucht zu haben, den monotheistischen Hebräern ihren Glauben aufzuzwingen.

stand für dramatischen Wandel, nicht für Kontinuität. Nach dem assyrischen Thron griff er in einer Bürgerkriegsphase, dann machte er sich daran, sein Königreich komplett umzubauen. Sobald die Bürokratie reformiert war, veränderte Tiglatpilesar das Heer aus einer Bürgermiliz in eine Berufsarmee.

Rasch erkannte er, dass der beste Weg, ein professionelles Vollzeitheer zu bezahlen, in Einkünften von jenen Völkern bestand, deren Länder dieses Heer vorher erobert hatte, und so begann eine Phase der Eroberungen und der Expansion, die erst mit seinem Tod endete. Inzwischen hatte er Babylon eingenommen (was die Assyrerkönige bei jeder Gelegenheit machten), dazu die Völker von Urartu und die sogenannten Neuhethiter besiegt. Nun waren die Assyrer so weit, sich auf die Königreiche Israel und Juda zu stürzen.

Zuerst versuchten sich die Israeliten im Norden von Tiglatpilesar mit einem riesigen Lösegeld in Silber freizukaufen (2 Könige 15,19), aber als sie erkannten, dass sich das als regelmäßiger Tribut nicht durchhalten ließ, versuchten sie sich gemeinsam mit ihren bisherigen Feinden,

Assyrische Bogenschützen greifen eine Stadt an. Während die Belagerungsmaschine sich die Rampe hinaufbewegt, um die Mauern zu attackieren, sind die gepfählten Opfer im Hintergrund eine grausige Ankündigung des Schicksals, das die Verteidiger der Stadt erwartet.

den Aramäern, zu verteidigen. Der Bibel zufolge war diese gottlose Allianz in Verbindung mit der israelitischen Toleranz für die Verehrung Baals und anderer Gräuel genug, den Zorn des Allmächtigen auf das Nordreich zu lenken. Der Tropfen, der das Fass zum Überlaufen brachte, war, dass Aramäer und Israeliten sich gegen Juda wandten und forderten, es möge dem antiassyrischen Bündnis beitreten … und wehe, wenn nicht.

Nach der Devise „Der Feind meines Feindes ist mein Freund" schickte Ahas, der König von Juda, einen Hilferuf an Tiglatpilesar, der mit großer Begeisterung reagierte. Um 734 v. Chr. griffen die Assyrer das aramäische Damaskus an und zerstörten es, und das Königreich Israel wurde zum Vasallenstaat des Assyrerreichs.

Doch offensichtlich teilten die Israeliten des Nordens mit ihren Brüdern im Süden einen unbezähmbaren Freiheitsdrang – der auch künftigen Eroberern lästig werden sollte – und so schmiedeten sie nach kurzer Zeit Pläne, ihre Unabhängigkeit zurückzugewinnen, indem sie die Assyrer gegen die Ägypter ausspielten.

Exil und Umsiedlung

Die Assyrer, über die jetzt Salmanassar V. herrschte (727–722 v. Chr.), zeigten sich nicht beeindruckt. Die Bibel berichtet in dürren Worten über den Ausgang: „Da kam der König von Assyrien durch das ganze Land her gezogen und ging hinauf nach Samaria und belagerte es drei Jahre lang. Im neunten Jahr des [israelitischen Königs] Hoschea nahm der König von Assyrien Samaria und führte Israel weg nach Assyrien und brachte es nach Halach und an den Habor, dem Fluss von Gosan, und in die Städte der Meder" (2 Könige 17,5–6).

Nur das Königreich Juda und der Stamm Benjamin blieben übrig. Was mit

Detail eines assyrischen Wandreliefs aus Ninive. Die Bewohner von Lachisch werden ins Exil getrieben, nachdem die assyrische Armee ihre Stadt erobert hat.

den nach Assyrien deportierten zehn Stämmen geschah, ist seitdem Gegenstand vieler, meist müßiger Spekulationen gewesen. Wo Halach und Gosan zu suchen sind, ist unbekannt, aber wenn sie nahe am Chabur liegen, dem „Fluss von Gosan", handelt es sich um einen Zufluss des Euphrat, also wären sie irgendwo in Nordsyrien gewesen. Die „Städte der Meder" lagen noch weiter östlich und wahrscheinlich in Ländern, die einst die Elamiter bewohnt hatten.

Die Assyrer waren große Freunde einer vollständigen Verpflanzung von Bevölkerungsgruppen in ihrem Reich, um dadurch Unruhen zu unterdrücken. Das durch die Deportation der zehn Stämme geleerte Land wurde mit „importierten" Menschen aus Babylon und anderen Eroberungen aufgefüllt.

Denkbar wäre, dass sich die verschollenen Stämme, sobald sie zerstreut waren und in einer neuen Umgebung lebten, allmählich mit den ansässigen Völkern mischten. Dann hätten Mischehen und die Übernahme der einheimischen Religion und Sitten sie binnen weniger Generationen völlig verschwinden lassen. Aber rationales Denken ist keine Stärke derer, die in späteren Jahrhunderten vom Schicksal der verschollenen Stämme besessen waren.

Nachhall in der Zukunft

Spätere Diasporaerfahrungen des jüdischen Volkes zeigen, dass die Juden zumindest in diesen Fällen dem Assimilationsdruck standhalten und ihre kulturelle Identität gegen jede Erwartung bewahren konnten. Darum hielt sich jahrhundertelang die Hoffnung, die zehn Stämme seien noch irgendwo da draußen. Beispielsweise erwähnt das Neue Testament beiläufig eine „Hanna [...] aus dem Stamm Ascher" (Lukas 2,36). Ascher war einer der verlorenen Stämme, aber es ist nie plausibel erklärt worden, wie eine Frau aus diesem Stamm sieben Jahrhunderte später im römisch kontrollierten Judäa hätte leben können.

900 Jahre später tauchte in Tunesien ein Mann namens Eldad auf und stellte sich der dortigen jüdischen Gemeinde vor. Er behauptete, zum Stamm Dan zu gehören, der nahe des legendären Flusses Sambatjon lebe. Angeblich war der Fluss sechs Tage die Woche unpassierbar, aber am siebten still. Der siebte Tag war der Schabbat, den kein Gottesfürchtiger hätte brechen können, indem er den Fluss überquerte, also blieb der Stamm zwangsläufig von der Welt abgeschnitten. (Später hat man versucht, den Stamm Dan mit den Beta Israel in Äthiopien zu verbinden, die der moderne Staat Israel seitdem als jüdisch anerkannt hat.)

Suchaktionen nach den verschollenen Stämmen haben sie außerdem in Afghanistan wiedergefunden, wo die Paschtunen manchen als potenzielle Ex-Israeliten gelten. Gentests haben bisher keine schlüssige Verbindung ergeben. Das gilt auch für „verschollene Stammesmitglieder" in China und für die Cherokee Nordamerikas, deren Gene sie durchweg nicht als die fehlenden Israeliten infrage kommen lassen. (Man könnte tatsächlich mit Recht behaupten, dass die moderne Naturwissenschaft mehr Mitglieder aus den verschollenen zehn Stämmen entfernt hat als Tiglatpilesar.) Dasselbe trifft auf die jüdischen Igbo in Nigeria zu, die dennoch weiterhin glauben, dass zu ihren Ahnen mindestens fünf der verschollenen Stämme zählen.

Vielleicht haben sich diese Stämme tiefer ins prähistorische Afrika hineinbewegt, da in Ostafrika und Simbabwe weitere Nachfahren aufgetaucht sind. Oder vielleicht haben die wandernden Israeliten auch eine ganz andere Richtung eingeschlagen und wurden aller Logik, Geografie und (wie sich herausstellte) Genetik zum Trotz zu den Japanern. Diese Theorie des 19. Jahrhunderts konnte sich nie auf glaubhafte Indizien stützen und wird heute nur noch im Zusammenhang romantischer Hirngespinste um die verschollenen Stämme erwähnt.

Andererseits: Wenn man den letzten belegten wahrscheinlichen Aufenthaltsort der verlorenen Stämme zusammen mit den anderen Völkern betrachtet, die seitdem in der Gegend waren – darunter Griechen, Römer und Mongolen –, und außerdem die hohe Zahl von Emigranten bedenkt, die aus diesen Ländern nach Westen gingen, dann lässt sich wohl mit Sicherheit sagen, dass es nur wenige Gemeinschaften in Europa, Amerika und dem Nahen Osten gibt, zu denen *keine* Nachkommen der verschollenen Stämme Israels gehören.

ca. 1200 v. Chr. bis heute

Die Aramäer

Nomadische Eroberer im Nahen Osten

Ich sammelte meine Streitwagen und Krieger im Dienst meines Herrn [des Gottes] *Aššur* [...] *Ich ging ins Land der Aramäer* [...] [die] *ich schlug. Ich erschlug ihre Krieger und schleppte ihre Güter fort, ihren Reichtum* [...]. *Ihnen auf den Fersen überschritt ich den Euphrat* [...]. *Ich verbrannte sie mit Feuer, vernichtete und überwältigte sie.*

Inschrift des Assyrerkönigs Tiglatpilesar I.

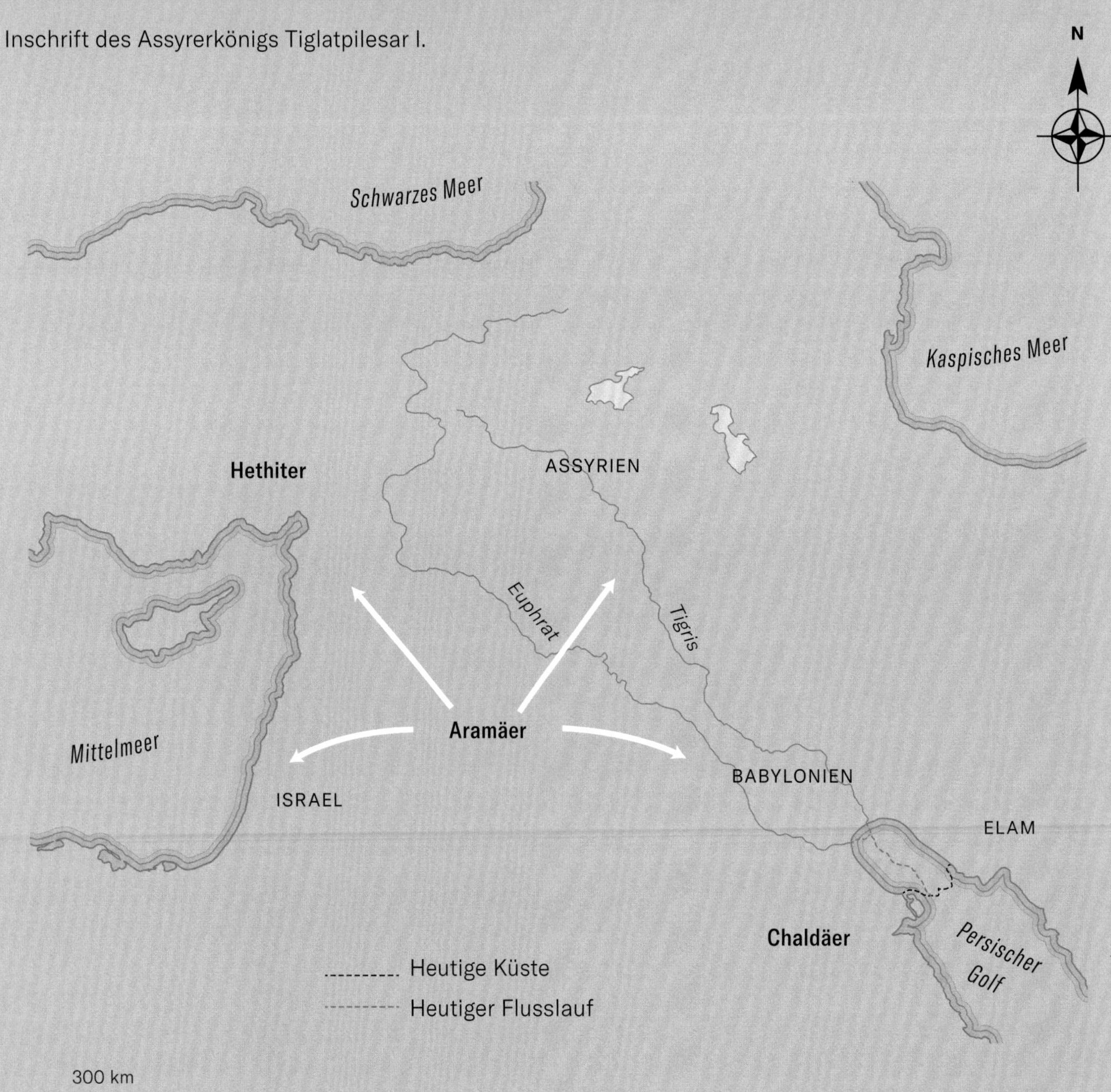

Wer hat heute schon von den Aramäern gehört? Und doch entwickelte dieses bemerkenswert anpassungsfähige, kreative Volk nicht nur eine der Sprachen der Bibel, die Jesus sprach, sondern es überlebt in verstreuten Enklaven noch heute, Jahrtausende nach seinem ersten Erscheinen im Nahen Osten. Was also ist seine Geschichte?

Nach fast jedem Maßstab hatte der Zusammenbruch des 12. Jahrhunderts v. Chr. apokalyptische Ausmaße. Der Handel ging in die Knie, Städte und ganze Zivilisationen wurden ausgelöscht und die Bevölkerungszahlen sanken dramatisch. Kulturen, die auf Stadtbewohnern und deren Produktion hoch entwickelter Güter beruhten, wurden von schriftlosen Subsistenzbauern abgelöst, die ihre eigenen klobigen Tongefäße töpferten.

Doch diese Verwüstung und Vernichtung schuf für manche auch Chancen. Eine der beiden wichtigsten Gruppen, die davon profitierten, waren die hoch organisierten, anpassungsfähigen Assyrer. Sie erkannten bald das Potenzial der Eisenwaffen, die die Bronze ersetzten, als die Handelswege verschwanden, auf denen das zur Bronzeherstellung nötige Zinn befördert wurde. Dank des Aufruhrs bei ihren Nachbarn begannen die Assyrer schnell, ein beachtliches Reich aufzubauen. Der stärkste Widerstand dagegen kam von der anderen Gruppe, der der Zusammenbruch der bronzezeitlichen Reiche am meisten nützte – den Aramäern.

Die Kraft der Schlichtheit

In mancher Hinsicht standen die Aramäer am anderen Ende eines Spektrums, gemessen an den zentralisierten, organisierten Assyrern. Während die assyrische Verwaltungsmaschinerie robust genug war, den Schlägen des herrschenden Chaos zu widerstehen, umgingen die Aramäer dieses Problem dadurch, dass sie gar keine nennenswerte Verwaltungsmaschinerie besaßen. Assyrien gelang es, sein kompliziertes, auf Bewässerung gestütztes Landwirtschaftssystem aufrechtzuerhalten, während die Aramäer – die bis dato Wanderhirten waren – einfach die Felder jener Bauern übernahmen, die den neuen Bedingungen nicht hatten standhalten können.

Reliefierte Steinplatten mit Skulpturen wie diese waren traditionelle Wandverzierungen neuhethitischer Palaste und Tempel. Der geflügelte Löwe mit Menschenkopf ist einer von vielen, die in Tell Halaf ausgegraben wurden, einer alten aramäischen Fundstätte.

Weil die archäologischen Befunde zeigten, dass sich die nomadischen Aramäer in Länder bewegten, wo vorher Bauern gesessen hatten, schlossen viele Historiker des 19. und 20. Jahrhunderts vorschnell, Wellen aramäischer Eindringlinge aus dem Nordosten hätten erst den Zusammenbruch der bronzezeitlichen Reiche verursacht. Genauere Analysen der Quellen zeigen jedoch, dass das Land oft bereits unbebaut war oder dass die Aramäer Völker verdrängten, die zu geschwächt waren, um sich zu wehren. Wie auch die Seevölker waren die Aramäer ein Krisensymptom, nicht die Ursache.

Sie kamen nicht etwa in einer Riesenwelle, sondern es scheint, als seien die Aramäer schon immer da gewesen, vielleicht als Teilgruppe eines Volkes, das die frühen Assyrer die „Aramu" nannten (sofern sie sie überhaupt zur Kenntnis nahmen). Wäre es nicht zum Zusammenbruch der bronzezeitlichen Hochkulturen gekommen, wäre aus den Aramäern vielleicht eins jener vielen Völker geworden, die in den Quellen flüchtig auftauchen und dann für immer verschwinden. So aber besaßen die Aramäer eine Kultur und Lebensweise, die gut zu den neuen Bedingungen passte, und sie gediehen prächtig.

Ähnlich wie bei ihren assyrischen Rivalen hieß auch der Schlüssel zum aramäischen Erfolg Anpassungsfähigkeit. Wo es ein Machtvakuum gab, füllten die Aramäer es. Wo die Völker entvölkerter Gebiete Verstärkung beim Ackerbau und bei der Verteidigung brauchten, wurden aus den Aramäern willkommene Nachbarn. Wo die Assyrer entschlossen waren, Land für ihr wachsendes Reich zu gewinnen, waren die Aramäer zähe Kämpfer, die gerade wegen ihrer Desorganisiertheit noch schwerer zu besiegen waren.

Der assyrische Staat war rund um einen einzelnen autokratischen König organisiert, die Aramäer aber hatten keinen einzelnen Anführer und mussten Stamm für Stamm besiegt werden. Und da sie keine Städte oder dauerhaft bestellten Felder zu verteidigen hatten, fanden sie es häufig praktischer, assyrischen Heeren einfach aus dem Weg zu gehen und dann zurückzuströmen, wenn diese Heere anderswo benötigt wurden.

Anpassung an die Umstände

Das Ergebnis dieser angeborenen Anpassungsfähigkeit war, als sich der Staub nach dem Zusammenbruch der bronzezeitlichen Hochkulturen gelegt hatte, dass die neue frühe Eisenzeit die Aramäer im Besitz eines breiten Streifens des Nahen Ostens vorfand, von Südanatolien bis nach Südmesopotamien und zu den Nordgrenzen der israelitischen Königreiche.

Die Siedlungsform wechselte den Umständen entsprechend. Im heutigen Nordsyrien versuchten die Staaten der sich verzweifelt abmühenden neuhethitischen Zivilisationen anscheinend gar nicht erst, sich den aramäischen Neuankömmlingen zu widersetzen. Sehr wahrscheinlich kam es zwar zu Zusammenstößen, doch die wenigen erhaltenen Texte zeigen lediglich eine stetige Zunahme aramäischer Namen unter den führenden Personen der Gemeinschaften, was nicht auf eine gewaltsame Verdrängung der ansässigen Bevölkerung hinweist, sondern auf eine allmähliche Assimilation oder doch mindestens auf eine Art Symbiose. (Die ältere Vorstellung, dass Bauern und Hirten natürliche Feinde seien, ist kürzlich revidiert worden. Inzwischen haben die Kulturwissenschaften gezeigt, dass Wanderhirten und sesshafte Ackerbauern manchmal komplizierte Beziehungen eingehen, in denen keine Seite ohne die andere auskommen kann.)

Nach Süden hin expandierten die Aramäer bis zu dem Punkt, an dem sie auf die organisierten und etwas xenophoben Staaten der Phöniker und Israeliten stießen. Nachdem durch eine Reihe militärischer Konflikte geklärt war, dass die Besitzer hart um ihr Land kämpfen würden, gaben sich die Aramäer damit zufrieden, an den Nord- und Ostgrenzen zu siedeln. Typisch aramäisch war, dass es keinen Staat „Aramäa" gab, sondern eine bunt zusammengewürfelte Mischung von Kleinkönigreichen, die ohne Unterschied gegen andere Aramäer, Israeliten oder Phöniker kämpften und stritten.

Aramäer und Assyrer

Weiter landeinwärts mussten sich die Aramäer mit den Assyrern auseinandersetzen. Hier verlief das Schicksal der Aramäer spiegelbildlich zu dem der Assyrer: Als die Assyrer schwach waren, expandierten die Aramäer, als die Assyrer sich unter einem fähigen König organisierten, schrumpfte das aramäische Territorium. Ignorieren konnten die Assyrer die Aramäer nicht, weil ihre Handelswege nach Westen durch aramäisch besetztes Land führten und die überaus kleinteilige Natur der aramäischen Führungsschicht Handelsverträge fast unmöglich machte.

Stattdessen versuchten die Assyrer von etwa 1050 v. Chr. bis ungefähr 700 v. Chr. ständig, die westlichen Aramäer unter ihre Kontrolle zu bringen. Am Ende gelang es ihnen, teils weil sie erkannten, dass es leichter war – sobald die Aramäer besiegt und ins Reich integriert waren –, ihnen ihre eigene kulturelle Identität und Sprache zu lassen. Aramäisch wurde sogar eine der Amtssprachen im Assyrer-

Auf dieser neuhethitischen Stele vom aramäischen Fundort Sam'al, die ins 8. Jh. v. Chr. gehört, sitzt eine kostbar gekleidete Person vor einem Tisch mit Speisen und Getränken, während ein Diener einen Fächer schwenkt. Darüber schwebt eine geflügelte Sonnenscheibe.

reich, was dazu führte, dass es allmählich das Akkadische als Verkehrssprache im Nahen Osten ersetzte.

In Südmesopotamien war die Lage unendlich viel komplizierter. Hier waren die Aramäer bloß eine weitere Zutat zu einem multikulturellen Eintopf, in dem bereits Babylonier, Assyrer, Sumerer und elamitische Überbleibsel steckten. Außerdem rangelten die Aramäer mit einem anderen frisch angekommenen Volk, den Chaldäern, um Ellbogenfreiheit. Ein großer Vorteil des aramäischen Vordringens in diese dicht besiedelte, seit Langem zivilisierte Region ist aus Historikersicht, dass eine (relativ) gut bezeugte Überlieferung existiert, wie die Einheimischen auf die Neuen reagierten.

Ein Grabrelief aus Palmyra im heutigen Syrien zeigt den Verstorbenen auf einer Liege, hinter der seine Familienmitglieder stehen. Die aramäische Inschrift nennt die Familie und dazu anscheinend eine Liste mit fünf Ahnengenerationen.

Sofort mischten sich die Aramäer in die Lokalpolitik ein, was oft bedeutete, dass sie jeden Herrscher unterstützten, der gegen die Assyrer war. Außerdem machten sie proassyrischen Monarchen das Leben schwer, während andere Herrscher schlicht zu dem Zweck proassyrisch wurden, assyrischen Schutz gegen aramäische Plünderer zu bekommen. Während die Chaldäer eine Tendenz zum Verschmelzen mit den ansässigen Völkern hatten, scheinen die Aramäer länger eine separate Gruppe geblieben zu sein, und wo sich die Chaldäer gern ans Stadtleben gewöhnten, blieben sie Wanderhirten.

Auch als die Aramäer aus dem Leben in Südmesopotamien nicht mehr wegzudenken waren, waren sie dort nicht besonders willkommen. In den folgenden Jahrhunderten waren Konflikte häufig, bis die Aramäer wie auch die Babylonier und andere Bewohner der Region schließlich Untertanen der verschiedenen Reiche wurden, die für den Rest der Antike über Mesopotamien herrschten.

Nachhall in der Zukunft

Die Anpassungsfähigkeit der Aramäer zeigt sich darin, dass ihre Kultur dazu neigte, sich mit der jedes Volkes zu vermischen, mit dem sie zusammenwohnten. Dadurch war die Ausbreitung des Aramäischen – anders als bei anderen vorherrschenden Sprachen wie Griechisch, Latein und Englisch – nicht von vielen anderen offensichtlich aramäischen Kultureinflüssen begleitet.

Die assyrische Übernahme des Aramäischen als einer ihrer Reichssprachen war teilweise ein pragmatisches Mittel, um den neuen, widerspenstigen aramäischen Untertanen entgegenzukommen, außerdem aber ein Eingeständnis, dass die relativ schlichte Alphabetstruktur des Aramäischen die Verwaltung viel einfacher machte, als das zuvor unter Verwendung der komplizierten Sprachen zur Aktenführung der Fall gewesen war. Die Aramäer selbst übernahmen ihr Alphabet von den Phönikern, passten es aber bald an. Deutlich wird die Verbreitung des Aramäischen an dessen späterem Gebrauch in der Bibel (das Buch Daniel war ursprünglich auf Aramäisch geschrieben) und an seiner Übernahme durch das spätere Perserreich.

Am Ende verwendeten viele nichtaramäische Völker vom Irak bis in die heutige Türkei Aramäisch als Muttersprache. Ein aramäischer Dialekt wurde in Galiläa während der Frühzeit des Römischen Reiches gesprochen und so gut wie sicher sprach Jesus seine Reden und Gleichnisse in dieser Sprache. Einige Varianten des Aramäischen existieren noch heute, womit es eine der ältesten noch täglich verwendeten Sprachen ist.

Die Fähigkeit der Aramäer, sich einzufügen und dennoch eine eigene Gruppe zu bleiben, hat es ihnen die letzten 5000 Jahre lang ermöglicht, als Volk zu überleben. Sie sind Juden gewesen (die Bibel wertete die Bekehrung des Aramäerkönigs Naaman als großen Coup), während andere Christen wurden (viele christliche Gemeinschaften im Nahen Osten betrachten sich als aramäisch) und wieder andere Muslime.

Noch heute bestehen die Aramäer in verstreuten Enklaven, international wie im Nahen Osten. Nur ein Beispiel für die Ausdauer dieses bemerkenswerten Volkes ist der (in Schweden gegründete) Aramäisch-Syrische Fußballverband, der an internationalen Wettbewerben teilnimmt und außerdem eine quicklebendige Facebook-Seite hat.

Klare aramäische Einflüsse zeigen sich auf diesem Wandteppich in einer Kapelle im Kloster Deyrumulur (Mor Gabriel) nahe Midyat in Ostanatolien. Wahrscheinlich sprach Jesus Aramäisch.

ca. 1200–8. Jh. v. Chr.

Die Philister

Fremde in einem fremden Land

Nun sammelten die Philister ihre Heere zur Schlacht [...]. *Und Saul und die Männer Israels waren versammelt und lagerten im Tal Elab und stellten sich zur Schlacht gegen die Philister auf* [...]. *Und es zog ein Vorkämpfer aus dem Lager der Philister aus, genannt Goliath aus Gath, dessen Höhe sechs Ellen und eine Handspanne betrug. Und er hatte einen Bronzehelm auf dem Kopf und war mit einem Panzerhemd gerüstet, und das Gewicht des Hemdes betrug fünftausend Schekel Bronze.*

1 Samuel 17,1–5

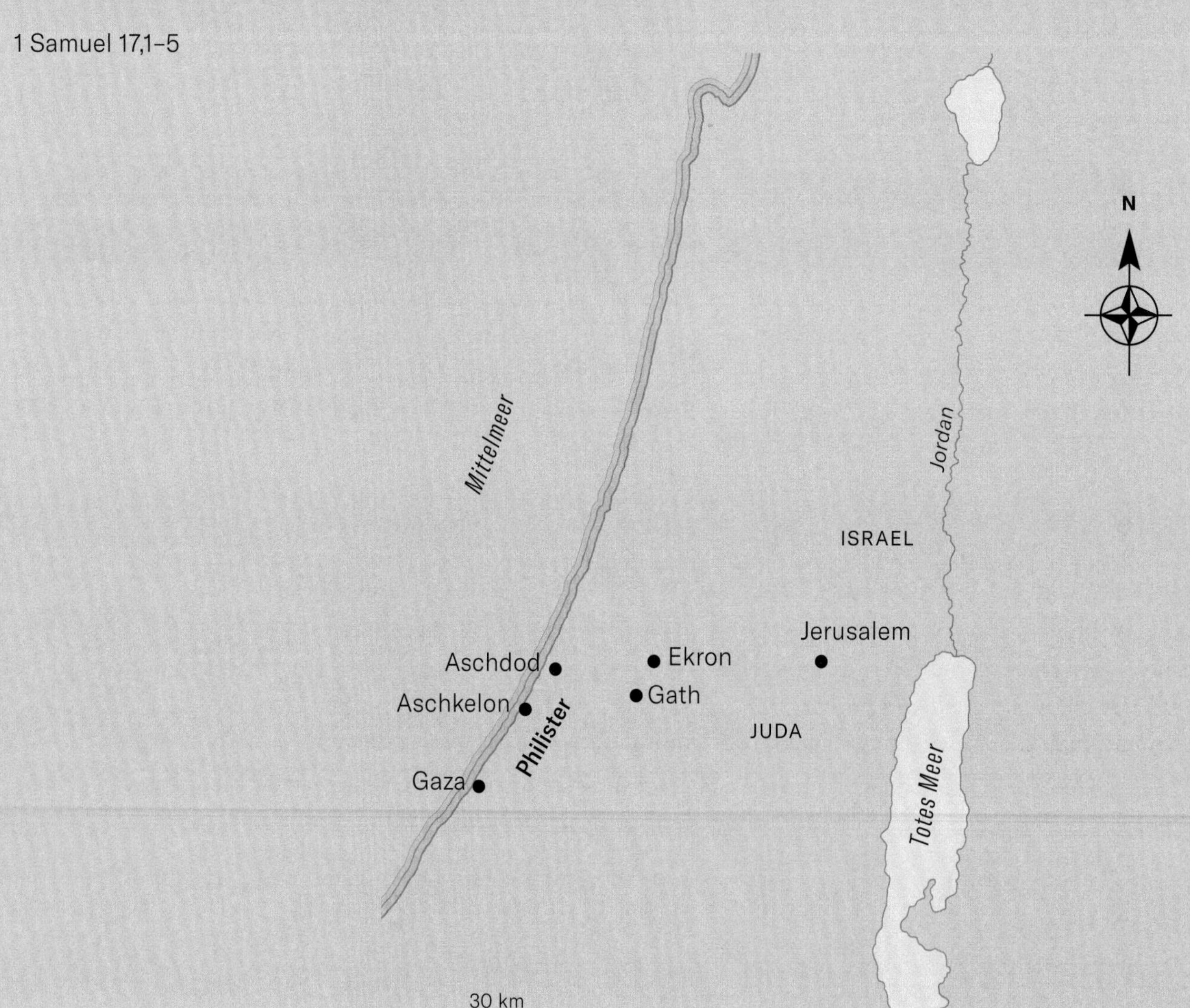

Philisterfigurine aus Tel Qasile, etwa 10. Jh. v. Chr. Wahrscheinlich stellt sie eine Fruchtbarkeitsgöttin dar. Keramik und Skulptur liefern verwirrende Hinweise auf den mysteriösen Ursprung der Philister.

Delila, Samsons Geliebte, war wahrscheinlich eine Philisterin, der riesige Krieger Goliath war auf jeden Fall ein Philister, und jeder kulturlose Spießer der Zeit danach ist schon so genannt waren. Aber wer waren diese Philister, die bestgehassten Nachbarn der antiken Israeliten? Wie kamen sie zu ihrem schlechten Ruf, und haben sie ihn verdient? Wo kamen sie her und was wurde am Ende aus ihnen?

Vom Meer nach Kanaan

Während der Krise am Ende der Bronzezeit kam es zu einer Reihe von Massenmigrationen. Wie wir gesehen haben, kämpften die Ägypter in dieser Zeit gegen mehrere Wellen von Migranten. Wo diese Möchtegerninvasoren herkamen, ist größtenteils ebenso mysteriös wie der Ort, an dem sie endeten, nachdem die Ägypter sie abgewehrt hatten – mit einer wichtigenAusnahme.

In einer Inschrift rühmt sich Pharao Ramses III. seines Sieges über ein Bündnis aus Seevölkern im Jahr 1178 v. Chr., von denen eines als *Prst* oder *Plst* bezeichnet wird. Hieroglyphen geben keine Vokale an; wenn man die mutmaßlichen Vokale einfügt, werden deshalb daraus die „Peleset" – ein Name, der der Bibelwissenschaft vertraut ist. Anscheinend kannten die Hebräer dasselbe Volk. Sie nannten sie Peleschet und die Bibel stellt sie als hartnäckige Feinde der Israeliten in Kanaan dar. Moderne Übersetzungen folgen den Griechen, die das hebräische Wort als *Philistaioi* wiedergaben.

Die Kreta-Connection

Wie aber kamen die Philister vom Kampf gegen die Ägypter auf Schiffen zum Kampf gegen die Hebräer im Binnenland von Kanaan? Und wo kamen sie überhaupt her? Antwort bietet die Völkertafel der Bibel: „Ägypten war der Vater der [...] Kasluhiter (von denen die Philister stammen) und der Kaphthoriter" (Genesis 10,13–14). Das bestätigt eine Verbindung zu Ägypten, wäre aber unendlich viel hilfreicher, wenn jemand wüsste, wer die Kasluhiter waren oder wo Kaphthor lag. Und um das Durcheinander noch zu vergrößern, scheinen hebräische Quellen das Wort „Philister" manchmal einfach im Sinn von „feindselige Fremde" zu verwenden.

Einige Forscher haben vermutet, „Kaphtor" könnte das antike Kreta gewesen sein. An archäologischen Fundorten in Palästina hat man Keramik entdeckt, die Gefäßen im kretischen Stil ähnelt. Aber diese verlockende Verbindung ist weniger deutlich, als sie zunächst scheinen mag. Gefäße kamen in der antiken Welt weit herum – wenn man derselben Logik folgt und allein nach Keramikstilen geht, würde die Schlussfolgerung, dass die Philister Ägäisbewohner waren, uns gleichzeitig verraten, dass es sich bei den Ägyptern um Athener handelte. Nachdenklicher stimmen da vielleicht die ovalen Grabgruben der Philister, eine eher ungewöhnliche Bestattungsform, die auch auf Kreta üblich war.

Aus der materiellen Kultur der Philister scheint klar hervorzugehen, dass sie keine einheimischen Kanaaniter waren (so verzichteten sie etwa auf die semitische Praxis der Beschneidung). Die Theorie besagt, dass die Philister ursprünglich aus Kreta kamen, durch das allgemeine Chaos des bronzezeitlichen Zusammenbruchs aber von dort vertrieben wurden. Bei dem gemeinsamen Versuch mit anderen vertriebenen Völkern, die Tür nach Ägypten mit Gewalt zu öffnen, hätte Ramses III. sie abblitzen lassen. Anschließend seien die Philister dann in Richtung der östlichen Mittelmeerküste zurückgeworfen worden und hätten sich im Gebiet um die alte Stadt Aschkelon niedergelassen.

Das ist eine verlockende Theorie, und jüngste DNA-Analysen an Skeletten aus Aschkelon scheinen zu bestätigen, dass es zu dieser Zeit eine Migration aus Südeuropa gab. Doch schon bald verschwindet diese DNA-Spur, vielleicht durch Eheverbindungen oder auch als Ergebnis assyrischer Massendeportationen aus Aschkelon. Nützlich wäre auch zu wissen, welche Sprache die Philister sprachen. Verstreute philistische Worte in der Bibel legen eine nichtsemitische Sprache nahe, und manche Eigennamen – wie der des berühmtesten Philisters Goliath – sind sicher nicht an der Ostmittelmeerküste einheimisch. Das Problem ist nur, dass sich diese Namen auch mit keiner anderen Region überzeugend verknüpfen lassen. Tatsächlich stammen, was der Seevölker-Hypothese widerspricht, einige der engsten Verwandten der paar Wörter, die wir von der Philistersprache kennen, aus einem neuhethitischen Staat auf der anderen Seite Syriens, der faszinierenderweise den Namen Palistin trägt.

Feinde Israels

Fest steht, dass die Philister, sobald sie aus welchem Herkunftsland auch immer angekommen waren, sich im Kanaan des 11. Jahrhunderts v. Chr. niederließen. Das Herz ihres Landes lag rund um die fünf Städte Gaza, Aschkelon, Aschdod, Gath und Ekron, und von dort aus machten sie sich ans Expandieren. Ihre Anwesenheit stieß den Israeliten bitter auf, die sich

Auf diesem Relief aus Medinet Habu in Ägypten erscheinen ganze Reihen philistischer Gefangener mit ihrem charakteristischen Kopfschmuck. Am Ende ließen sich die Philister in weniger stark verteidigten Ländern weiter nördlich nieder.

selbst erst kürzlich dort als Volk etabliert hatten. Für sie war ganz klar, wem das „Gelobte Land“ versprochen war, und zwar bestimmt nicht den Philistern. Den Rest ihrer Zeit als eigenes Volk verbrachten die Philister in häufigen, erbitterten und meist ergebnislosen Kämpfen mit den Israeliten.

Ihre Kriegsabenteuer während der Frühphase auf dem Mittelmeer hatten die Philister wahrscheinlich mit den neuesten Militärtaktiken und Techniken vertraut gemacht. Dazu zählten die neumodischen Methoden zur Eisenverarbeitung, und die Philister hüteten sich, sie an ihre aggressiven Nachbarn weiterzugeben. „Nun fand sich kein Schmied im ganzen Land Israel, denn die Philister sagten: Dass sich die Israeliten ja keine Schwerter und Speere machen!“, kommentiert die Bibel (1 Samuel 13,19). Die Archäologie bestätigt, dass die Philister zwar selbst nach den niedrigen Standards ihrer Zeit schriftunkundig waren, trotzdem aber ein hierarchisch geordnetes, gut organisiertes Volk. Die Städte wurden von Kommandeuren beherrscht, den *seranim*, und die Bauernhöfe auf dem flachen Land zeigen Anzeichen einer durchdachten Aufgabenteilung. Disziplin und überlegene Waffen brauchte es aber auch zum Überleben, denn wahrscheinlich gab es nie mehr als 40 000 Philister – das ist rund ein Drittel der Einwohner des heutigen Göttingen.

Weil wir keine eigenhändigen Texte besitzen, können die Philister nicht mehr in eigenen Worten zu uns sprechen. Das meiste, was wir außerhalb des archäologischen Befunds von ihnen wissen, stammt aus der Bibel. Mit den Jahren hat die Forschung sich von unkritischer Übernahme ihrer Angaben dahin verschoben,

David und Goliath auf einem byzantinischen Silberteller. Die Philister waren stets in der Unterzahl und von Feinden umgeben, was sie im Kampf zum Underdog machte.

dass fast jedes Wort im Alten Testament angezweifelt wird. Hat Samson wirklich die Philister mit dem Unterkieferknochen eines Esels erschlagen oder ist das eine Allegorie für einen israelitischen Sieg trotz waffentechnischer Unterlegenheit?

Noch ein interessanter Punkt ist Samsons Beziehung mit der verführerischen Delila. Sie stammte aus dem Tal Sorek an der Grenze zum israelitischen Gebiet, was andeutet, dass sie vielleicht selbst eine Philisterin war. Jedenfalls hatten die Philister anscheinend keine Mühe, Delila zu kontaktieren und zu bestechen. Womöglich waren die israelitisch-philistischen Beziehungen nicht immer so feindselig, wie die Überlieferung sie darstellt.

Aber wir dürfen die Quellen nicht überstrapazieren. Ehe wir uns darüber streiten, ob Davids Sieg über den Riesen Goliath ein reales Ereignis oder nur eine Legende war, sollte man sagen, dass einige Forscher die schiere Existenz eines antiken „Davidsreichs" bestreiten. (Nichtbiblische Quellen für dieses Königreich sind rar, auch wenn kürzlich eine Stadt aus der Zeit Davids im Tal Elah, wo David laut der Bibel mit Goliath kämpfte, systematisch ergraben worden ist.) Fest steht, dass die Philister ihrem Feind nicht ewig den Zugang zu Eisenwaffen vorenthalten konnten, und etwa um diese Zeit – im 10. Jahrhundert v. Chr. – haben die Israeliten den philistischen Ministaat vielleicht endgültig überwältigt.

Das Verschwinden

Vollständig war die Niederlage der Philister aber nicht. Ihr begrenztes Überleben verdankte sich vielleicht der Tatsache, dass die Israeliten sich bald nach dem letzten Zusammenstoß in die getrennten, verfeindeten Königreiche Israel und Juda spalteten. Da diese sich nun in Bruderkriegen verzehrten, blieben die Philister sich selbst überlassen. Zwar wurden sie nie wieder ein organisierter Staat, doch die fünf Städte blieben weiterhin unabhängige philistische Einheiten, die sich in einer Reihe unkoordinierter Grenzscharmützel dauerhaft gegen die Israeliten behaupten konnten.

Einige der letzten Erwähnungen der Philister kommen aus jenem Reich, das sie am Ende schluckte. Als Assyrien in Richtung Ostküste des Mittelmeers expandierte, spricht Tiglatpilesar III. im späten 8. Jahrhundert auf eine Art von den Philistern, die nahelegt, dass sie inzwischen eindeutig schon assyrische Vasallen waren. Anderthalb Jahrhunderte später eroberten die Neubabylonier unter Nebukadnezar II. (605–562 v. Chr.) die Region. Ungewiss ist, ob es damals noch Philister gab, die sich selbst so nannten. Viele gingen vielleicht in anderen Völkern des Gebiets auf oder waren – wie assyrische Quellen andeuten – wegen eines Aufstands zusammen mit dem rebellischen König Sidqa von Aschkelon ins Exil geschickt worden.

Wenn Letzteres zutrifft, erging es den Philistern vielleicht ebenso wie den verschollenen Stämmen Israels, die etwa zur selben Zeit deportiert wurden. Nur hatten die verschollenen Philister das Pech, dass sich seitdem niemand groß darum bemüht hat, sie wiederzufinden.

Nachhall in der Zukunft

Wie der Ursprung der Philister eine Streitfrage ist, so auch der Ursprung des Namens „Palästina". Das Wort ist schon alt, und der griechische Historiker Herodot gebraucht es um 450 v. Chr.; wahrscheinlich kommt es vom hebräischen „Peleschet". Umstritten wurde es ab der Mitte des 2. Jahrhunderts n. Chr., als der römische Kaiser Hadrian einen jüdischen Aufstand niederschlug und die Juden aus ihrer Heimat vertrieb. Einer Theorie zufolge nannte der rachsüchtige Hadrian die frühere Provinz Judäa nun „Syria Palaestina", um die alten Feinde der Juden zu ehren. Da ist es schon eine bittere Ironie, dass die heute Palästinenser genannten Menschen sich mit den Israelis um den Besitz eines Großteils der Region streiten, so wie die Philister einst mit den Israeliten.

Berüchtigt waren die Philister wegen ihrer fehlenden Schriftkenntnis, und den Israeliten kam ihre Kultur so fremd vor, dass sie gern glaubten, die Philister hätten überhaupt keine Kultur. Seitdem verwendet man „Philister" als abfälligen Begriff, um einen dummen Rüpel ohne Sinn für die höheren Dinge im Leben zu bezeichnen.

Vielleicht ändert sich das bald. Die archäologische Erforschung verschiedener Philisterstädte, darunter Aschkelon, Aschdod und Ekron, hat nämlich Belege für eine hoch entwickelte Zivilisation geliefert.

ca. 1000 v. Chr. bis ca. 5. Jh. n. Chr.

Die Dorer

Das Volk des Speeres

Auch nach dem Trojanischen Krieg war Hellas weiterhin damit beschäftigt, [Stamm für Stamm] *den Ort zu wechseln und sich neu anzusiedeln, und so fehlte ihm jene Ruhe, die dem Wachstum vorausgehen muss* […]. *Nachdem die Dorer die Herren der Peloponnes geworden waren, blieb viel zu tun und mussten noch viele Jahre vergehen, bevor Hellas einen dauerhaften Frieden erreichen konnte, den keine Wanderungen störten.*

Thukydides, *Geschichte des Peloponnesischen Krieges* 1,12

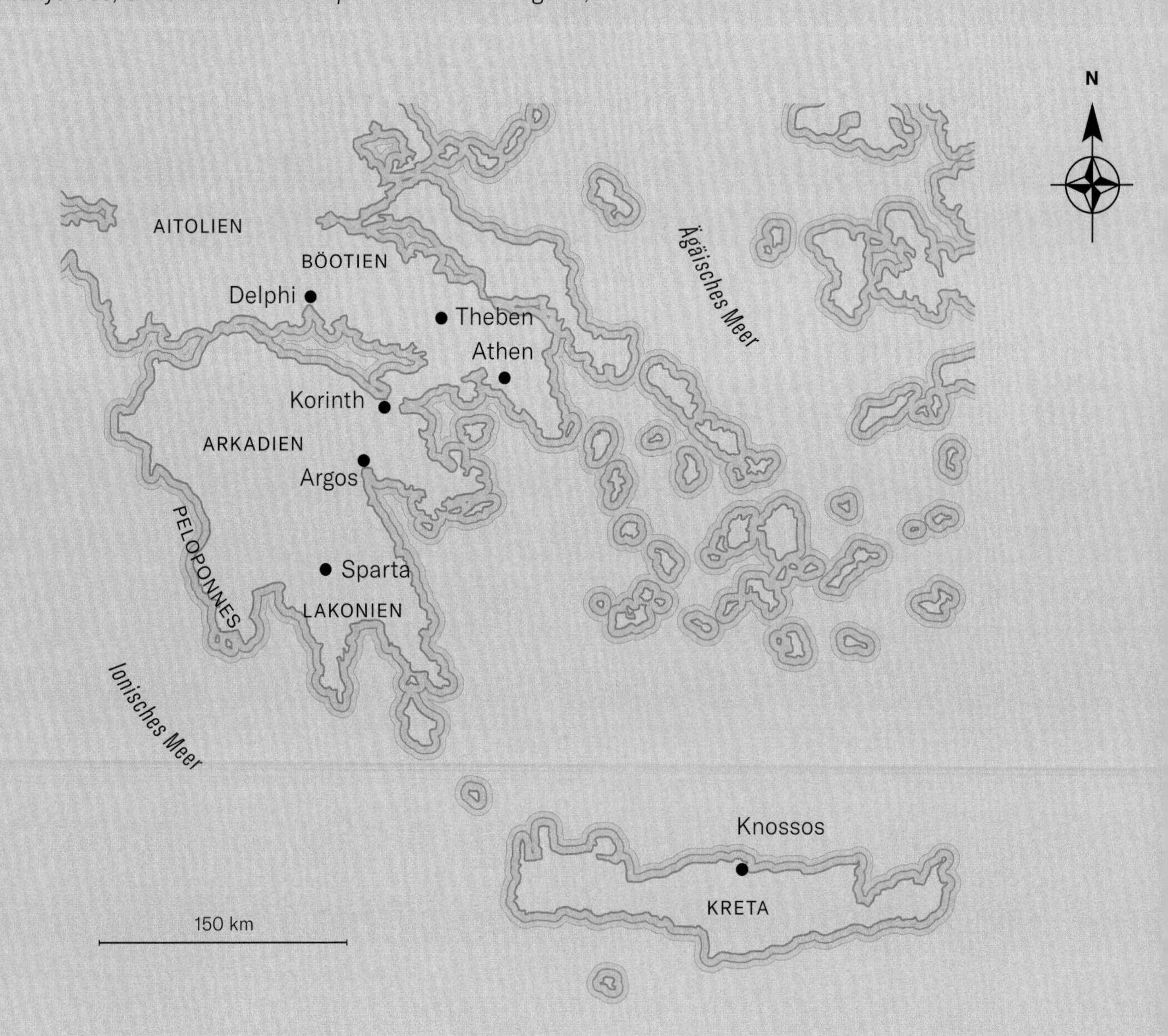

Um 1300 v. Chr. war Griechenland ein zivilisiertes Land, in dem Könige herrschten, Handel trieben und einander bekämpften. Ihren Untertanen gelangen beachtliche Erfindungen auf dem Gebiet der Architektur, der Stadtentwicklung und der Schrift. Diese mykenischen Griechen waren jenes Volk, das, wie der Mythos es will, nach Troja im Nordwesten Anatoliens segelte und die Stadt zerstörte, ein Ereignis, das sich später in Homers *Ilias* niederschlug.

200 Jahre später war ihre Kultur verschwunden. Die Archäologie zeigt, dass die Stadt Theben um 1250 v. Chr. durch Feuer zerstört wurde, und das war nur *ein* prominentes Opfer in einer Welle der Zerstörung, die über Griechenland rollte. Andere Städte kamen zu Schaden und es gibt klare Anzeichen dafür, dass ihre Einwohner anschließend versuchten, die Befestigungen zu verstärken – alles vergebens. Die nächste Zerstörungswelle war sogar noch stärker. Kaum eine wichtige Stadt entging der Vernichtung, mit Ausnahme der Festung und „Höhenstadt" – der Akropolis – von Athen.

Danach versank Griechenland in ein dunkles Zeitalter. Die Bevölkerungszahlen gingen in den Keller und statt Handelswegen, die einst das ganze Mittelmeer umspannt hatten, war man nun auf Tauschgeschäfte zwischen benachbarten Dörfern zurückgeworfen. Auf die hoch entwickelte Keramik des vergangenen Zeitalters folgten rohe Klumpen schlecht gebrannten Tons. Heute streitet die Fachwissenschaft über die Ursache dieses gewaltigen Zusammenbruchs. War es eine Seuche, eine Klimaveränderung, ein Bürgerkrieg, eine Invasion von außen oder eine Mischung aus all dem? Sicher ist es kein Zufall, dass zur selben Zeit das Hethiterreich auf ganz ähnliche Weise in die Knie ging und dass die Ägypter ihre Mühe hatten, ganze Wellen eindringender Seevölker abzuwehren.

Mag die moderne Forschung auch unsicher sein, was geschehen ist, die alten Griechen glaubten genau zu wissen, wer für ihre speziellen Probleme verantwortlich war – die Dorer.

Die Herakliden

Auch in der Frage, woher die Dorer kamen, sind die Meinungen der Forscher heute geteilt, während die Griechen ganz klare Vorstellungen darüber hatten: Doros, der Stammvater der Gemeinschaft, war einer der Söhne Hellens. Der mythische Hellen war jener Mann, den alle Griechen als ihren gemeinsamen Vorfahren betrachteten, und er ist der Grund, wieso alles Griechische „hellenisch" genannt wird. Die Dorer waren ein relativ kleines griechisches Volk, das hauptsächlich auf Kreta und vielleicht auch in Nordgriechenland saß. Dann kam Herakles (für Römer Hercules).

Zwar war Herakles hauptsächlich für sein Talent bekannt, Lebewesen in jeder Größe umzubringen, außerdem schaffte er es jedoch, mit zahlreichen Partnerinnen eine kleine Armee an Kindern zu zeugen. Grob gesprochen waren – obwohl er weit herumkam – diese Kinder dorischer Herkunft und lebten auf der Peloponnes. Später wurden sie vertrieben, und nach vielen Rückschlägen, die sie drei Generationen lang aufhielten, stürmte diese Gruppe wieder nach Süden und eroberte Südgriechenland.

Für Historiker des 19. Jahrhunderts hörte sich das sehr überzeugend an. Offensichtlich war der Mythos von der „Rückkehr der Herakliden“ eine durcheinandergeratene Erinnerung an eine massive dorische Invasion von Norden. Sie stürzte Griechenland in ein dunkles Zeitalter und vertrieb die Ureinwohner der Peloponnes, die hauptsächlich nach Osten flohen

Hopliten mit Helmen, Rundschilden und langen Speeren im Kampf. Der griechische Historiker Thukydides betrachtete viele Kriege in Griechenland als Kampf zwischen den ansässigen Ioniern und dorischen Landräubern.

und die ostgriechischen Städte Ioniens in Kleinasien und auf den Ägäisinseln gründeten. Sogar dem Namen der Dorer sollen ihre kriegerischen Wurzeln abzulesen sein: *dory* heißt auf Griechisch „Speer".

Das Problem ist allerdings, dass trotz eines Jahrhunderts intensiver Suche kein definitiver Beleg für eine „dorische Invasion" aufgetaucht ist. Das hat zur Entstehung eines Gegenarguments geführt, wonach die Dorer alles andere als ein wandernder Barbarenstamm aus dem Norden gewesen seien, sondern schon immer in Südgriechenland gelebt hätten (etwa so, wie es die griechischen Mythen die ganze Zeit schon behauptet hatten). Als die ältere Zivilisation durch eine unbekannte Katastrophe zerstört wurde, starteten die Dorer nicht etwa eine Invasion, sondern nahmen einfach verlassene Täler und Felder in Besitz.

Das dorische Griechenland

Um 800 v. Chr. war Griechenland wieder zivilisiert, sah allerdings ganz anders aus als das Griechenland 400 Jahre zuvor. Wo einst Könige von Palastkomplexen aus geherrscht hatten, bildete nun die Polis, der Stadtstaat, die soziale Grundeinheit Griechenlands. Völlig verschwunden war die heute als Linear B bekannte Verwaltungsschrift, in der eine Frühform des Griechischen geschrieben worden war; ersetzt hatte sie die griechische Variante der phönikischen Schrift, aus der später das heutige Alphabet wurde.

Egal wie und woher die Dorer gekommen waren, sie waren jedenfalls da. Von Korinth bis Sparta hielten sie die Peloponnes besetzt. Sie galten als vollwertige Griechen, obwohl sie ihren markanten eigenen Dialekt und einige besondere Traditionen besaßen. Wie alle Griechen sangen sie, kurz bevor die Schlachtlinien aufeinanderprallten, einen als „Paian" bekannten Kriegsgesang, aber die dorische Version war anders als die anderen. Dennoch verehrten sie dieselben Götter mit denselben Ritualen und viele ihrer Traditionen ähnelten denen anderer griechischer Volksgruppen.

Wie die ionischen Griechen schickten auch die Dorer ihren Bevölkerungsüberschuss als Kolonisten übers Meer. Während die Ionier sich hauptsächlich in Kleinasien niederließen, lagen die Schwerpunkte der dorischen Kolonisation allerdings im Westen. Die Stadt Syrakus auf Sizilien war eine dorische Siedlung, ebenso Taras (Tarent) in Süditalien. Einige dorische Siedlungen gab es auch in Kleinasien, vor allem Halikarnassos, die Heimat des Historikers Herodot und der Kriegerkönigin Artemisia. Auch die Insel Rhodos war dorisch.

Und sollten sie jemals barbarische Invasoren gewesen sein – einen Beweis, dass die späteren Dorer sehr zivilisierte Griechen waren, liefert das Prachtexemplar der griechischen Architektur der Klassik, der Parthenon. Dieses legendäre Bauwerk auf der Akropolis in Athen, dem pochenden Herzen der ionischen Kultur,

Diese berühmte Marmorbüste wird oft als Porträt des Spartanerkönigs Leonidas angesehen (der 480 v. Chr. starb). Der riesige Kamm auf dem Helm war ursprünglich wohl bemalt und stellte einen Helmbusch aus Rosshaar dar.

verwendet die dorische Architekturordnung. Die heutige Fachwissenschaft ist sich nicht einig, wie viel am dorischen Baustil genau auf die Dorer zurückgeht, aber die alten Griechen glaubten, dass die schlichten, kräftigen Linien der dorischen Architektur von den Holztempeln stammten, die ursprünglich die Dorer erbaut hatten.

Ein Großteil unseres Wissens über die Rivalität zwischen dorischen und ionischen Griechen stammt von dem Historiker Thukydides (ca. 472–400 v. Chr.). Seine Schilderung des Peloponnesischen Krieges (431–404 v. Chr.) zeigt die dorischen Korinther und Spartaner im Konflikt mit den ionischen Athenern und deren Verbündeten. So klar dies den Unterschied zu machen scheint, bleibt doch die Frage, ob Thukydides diese Teilung nicht übertrieben hat, um eine komplizierte politische Situation zu vereinfachen. Auf jeden Fall hatten die Athener einige Verbündete, die Dorer waren, und ihre Nachbarn, die Böoter, mit denen sich die Athener ebenso heftig stritten, waren weder Ionier noch Dorer, sondern Äoler.

Es gibt die Tendenz, die Dorer mit ihrem berühmtesten Zweig gleichzusetzen, den Spartanern. Das hat dem dorischen Volk ein ziemliches Macho-Image eingetragen, besonders weil die kretischen Dorer viele kulturelle Eigenschaften mit den Spartanern teilten. Komplexer wird das Bild der Dorer als unverblümt redendes Kriegervolk jedoch, wenn wir uns daran erinnern, dass Syrakus eine vorwiegend dorische Stadt war, in seinen Institutionen aber Athen näherstand als Sparta. Und obwohl sie Dorer waren, blamierten die vergnügungssüchtigen Korinther die ganze Mannschaft mit ihrem ausschweifenden Lebensstil. („Nicht jeder kann nach Korinth gehen“ war ein antikes Sprichwort, das besagt, dass manche Formen des Luxus nicht für jedermann sind.)

Die späteren Dorer

Ein weiterer Grund zu der Annahme, dass Thukydides die Differenzen zwischen Dorern und Ioniern vielleicht hochgespielt hat, ist der Umstand, dass dieser Unterschied in hellenistischer Zeit kaum eine Rolle gespielt zu haben scheint. Nach den Eroberungen Alexanders im späten 4. Jahrhundert v. Chr. kam es zu einer massiven Auswanderung aus Griechenland nach Kleinasien. Griechische Kolonisten waren bei hellenistischen Herrschern, die ihre Reiche in Asien festigen wollten, höchst gefragt, und es gibt kaum Anzeichen, dass die Siedler sich in ethnische Gruppen trennten.

Zur Zeit des Römischen Reiches war der dorische Dialekt zum Großteil durch eine in der ganzen griechischen Welt verbreitete Form des Griechischen ersetzt worden (bekannt als „Koine“, was „die gemeinsame [Sprache]“ heißt). Als römische

Provinz hieß Griechenland „Achaia“ – nach einer weiteren eigenständigen ethnischen Gruppe unter den Griechen. Am Ende verschwanden die meisten Dorer durch denselben Integrations- und Absorptionsprozess, der die meisten Völker der Antike traf, allerdings blieben die Spartaner eigensinnig für sich – bis zum 5. Jahrhundert n. Chr. und zum Fall Roms.

Nachhall in der Zukunft

Noch heute wird der dorische Baustil verwendet, um Kraft und Schlichtheit zu betonen – beispielsweise sind viele Säulen am Kapitol in Washington, D.C. dorisch. Wo die Zurschaustellung von Reichtum oder Kultur gefragt ist, wählen die Architekten lieber den reicher geschmückten korinthischen Stil, beliebt für Banken und Museen. (Die Säulen der markanten Fassade des British Museum beruhen auf der ionischen Ordnung.) Auch an Universitätsbauten des 18. Jahrhunderts finden sich dorische Bauelemente – vielleicht weil die dorische unter allen griechischen Bauordnungen die billigste in der Herstellung ist.

Die dorische Bauordnung blieb auch in späteren Zeiten in der Architektur beliebt, wie diese italienische Zeichnung einer Portikus von der Wende des 18. zum 19. Jh. zeigt.

ca. 1000 v. Chr. bis 600 n. Chr.

Die Phryger

König Midas und der Gordische Knoten

Phrygien, das in Weingärten gekleidete, wo [die Muttergöttin] *Rhea wohnt, die Dionysos in seiner Kindheit versorgte.*

Nonnos, *Dionysiaka* 34,214

Im Kreis seines Gefolges verrät der Gott Dionysos Midas, wie er den Fluch seines goldenen Händchens loswerden kann – ein Gemälde Nicolas Poussins von 1629/30.

Von den anatolischen Phrygern haben die meisten wohl noch nie gehört, wahrscheinlich aber sind sie mit dem Namen des berühmtesten Herrschers dieses Volkes vertraut – König Midas. Einem griechischen Mythos zufolge gewährte der Weingott Dionysos (Bacchus) Midas einen Wunsch, weil er einem aus dem Gefolge des Gottes geholfen hatte. Nach einigem Nachdenken bat der König, alles, was er anfasste, möge sich in Gold verwandeln. Leider hatte Midas die Auswirkungen dieses Talents nicht durchdacht. Darum verwandelte seine Berührung Essen und Trinken in eindeutig nicht nahrhaftes Gold.

Am Ende war Midas gezwungen, auf seine neue Fähigkeit zu verzichten. Das tat er, indem er sich im Fluss Paktolos nahe der späteren Stadt Sardeis wusch. Dieser Fluss ist heute der Sart Çayi und sein Sand wurde goldhaltig, als Midas ihn berührte. Ja, so reich waren die Elektronvorkommen in diesem Fluss (Elektron ist eine natürliche Legierung aus Silber und Gold), dass sie den König im Land am Unterlauf des Flusses reich wie Krösus machten – vorwiegend deshalb, weil dieser König Krösus (Kroisos) war.

Phryger und Hethiter

Wer waren nun die Phryger, zu denen Midas zählte? Die Phryger selbst waren ein erstaunlich langlebiges Volk und haben der Forschung eine ausreichend deutliche ethnografische Spur hinterlassen, da man herausgefunden hat, dass sie wahrscheinlich vom Balkan westlich Griechenlands stammten. Ihre Sprache zählte zur indoeuropäischen Familie, während die meisten einheimischen Völker Anatoliens

Die Statue eines Phrygers aus dem 2. oder 3. Jh. n. Chr. ist eines der wenigen Beispiele einer männlichen „Karyatide" – eines Stützpfeilers in Menschengestalt. Normalerweise ist so eine Figur weiblich.

Sprachen mit semitischem Ursprung sprachen. Offensichtlich hatten die Phryger ihre Sprache ziemlich gern, denn deren letzte Sprecher sind für das 6. Jahrhundert n. Chr. belegt, gut 1600 Jahre nach dem ersten Auftreten.

Wie und wann die Phryger in Kleinasien landeten, ist ein ziemliches Rätsel. Einigermaßen sicher scheint, dass es phrygische Invasoren waren, die dem zusammenbrechenden Hethiterreich den Todesstoß gaben. Doch die griechische Tradition besagt sehr deutlich, dass die Phryger schon lange vor dem Zusammenbruch der bronzezeitlichen Hochkulturen, der die Hethiter zu Fall brachte, in Kleinasien ansässig gewesen seien. Beispielsweise kämpften den Mythen zufolge phrygische Reiter auf trojanischer Seite gegen die Griechen. Und da waren sie schon in Anatolien, denn als Herakles nach Osten zog, kämpfte er in Kleinasien gegen einen Phrygerkönig und tötete ihn.

Ihre Präsenz in dieser Region wird anscheinend durch assyrische Quellen gestützt, die von „Muški" genannten Plünderern sprechen – ein Name, der einem antiken Namen für die Phryger nahekommt. Später nannten die Assyrer die Phryger explizit „Muški", nur hatten sie leider die verwirrende Angewohnheit, verschiedene Völker beim gleichen Namen zu nennen.

Eine Möglichkeit, die Quellen miteinander in Einklang zu bringen, wäre die Annahme, dass es Phryger in Anatolien gab und sie ein Untertanenvolk der Hethiter waren. Später wären die Phryger dann im Durcheinander am Ende der Bronzezeit durch weitere Stammesangehörige aus dem benachbarten Thrakien verstärkt worden (ein Detail, das wir bei Herodot erfahren). Als das Hethiterreich dann zusammenbrach, gründeten die Phryger ihr eigenes Königreich, das zu der Zeit, als um 850 v. Chr. die Quellen wieder einsetzen, schon eine feste Größe war.

Gordion und der Gordische Knoten

Die Phryger bewohnten den Westteil der anatolischen Hochebene. Ein Großteil dieses Landes ist karg und das Klima hart. Für den Weinanbau und die Pferdezucht ist es jedoch bestens geeignet, was erklärt, warum man den Phrygern in der Antike einen guten Pferdeverstand nachsagte. Die Hauptstadt war Gordion am Fluss Sangarios, das sich um eine natürliche Festung herum entwickelt zu haben scheint. Und auch in seinem Fall werden die, die noch nie von Gordion gehört haben, doch den äußerst verwickelten Knoten kennen, der im Stadtzentrum einen Ochsenwagen an einen Holzbalken band.

Geweiht war der Karren dem phrygischen Gott Sabazios, und ein Orakel hatte

Auf diesem Holzschnitt aus dem 17. Jh. zerschneidet Alexander den Gordischen Knoten an einem Ochsenkarren. Der Knoten bestand aus Rindenstreifen; als sie einmal getrocknet waren, brauchte es eine drastische Methode, um ihn zu lösen.

verkündet: „Wer den Knoten lösen kann, wird König von Asien werden.“ Den Gordischen Knoten aufzudröseln war keine Kleinigkeit, da er laut späteren Berichten aus mehreren ineinander verschlungenen Knoten bestand; und weil das Seil aus Rindenstreifen gedreht war, wurde es mit dem Alter nur noch schwerer zu entwirren.

Zunächst schien es, als sollte die Herrschaft über Asien unabhängig von dem Orakel an die Kimmerer gehen, einen Barbarenstamm, der bei seiner Invasion 696 v. Chr. Gordion einnahm und in Schutt und Asche legte. Vorher hatten die Kimmerer ihr Glück schon bei den Assyrern versucht und eine heftige Schlappe erlitten; als Nächstes attackierten sie das Königreich Lydien weiter westlich. Nach einigen Anfangserfolgen wurden sie 619 v. Chr. durch eine Koalition unter lydischer Führung besiegt, zu der auch die Phryger zählten. Die Kimmerer zerstreuten sich und verschmolzen schließlich mit der Bevölkerung im nahen Kappadokien. Auch sie sind heute beinahe vergessen, ausgenommen ihr berühmtestes, wenn auch fiktives Stammesmitglied – Conan der Barbar.

Trotz ihres Misserfolgs scheint die Kimmererinvasion das Ende Phrygiens als zusammenhängender Staat gebracht zu haben; danach war es für kurze Zeit eine Landschaft, die sich mehrere kleine Fürstentümer unter je einem Kleinherrscher teilten. Nach und nach kam das Gebiet unter die Herrschaft des benachbarten Königreichs Lydien. Gordion wurde wiederaufgebaut, jetzt aber als lydische Festung.

Lydien fiel seinerseits der Macht Persien zum Opfer, als das Reich Kyros des Großen (559–530 v. Chr.) nach Westen expandierte. 450 v. Chr. war die Region erneut geeint, diesmal aber als Satrapie – ein Verwaltungsbezirk des Perserreichs. Das Gebiet genoss beträchtlichen Wohlstand, denn die Königsstraße, die das persische Kernland mit dem Mittelmeergebiet verband, führte mitten hindurch – eine Kommunikationslinie, die später als Westende der Seidenstraße berühmt werden sollte.

Einen neuen Herrscher bekam Phrygien 333 v. Chr., als die Griechen unter Alexander dem Großen (336–323 v. Chr.) Anatolien eroberten. Alexander selbst kam nach Gordion und plagte sich mit

Die große Göttin Kybele auf ihrem von Löwen gezogenen Wagen. Wo viele Renaissancebilder haarsträubend ungenau sind, scheint dieses Detail einer Deckenmalerei im italienischen Siena antike Skulpturen als Vorbild genutzt zu haben.

dem berühmten Knoten. Am Ende zückte der frustrierte Eroberer sein Schwert und „löste" den Knoten, indem er ihn einfach durchsäbelte. Offensichtlich erfüllte dieses Benehmen die Bedingungen der Prophezeiung in hinreichender Weise, denn Alexander wurde wirklich der Herr Asiens (wie man Anatolien in alter Zeit nannte) und von noch viel mehr. „Den Gordischen Knoten durchschlagen" ist seitdem zur Metapher für das Finden einfacher, aber drastischer Lösungen für komplizierte Probleme geworden.

Nach Alexander

Alexanders Eroberung der Region war nicht von Dauer, weil bald darauf ein weiterer randalierender Stamm, die Galater, aus Thrakien herüberkam und mit den Phrygern ungefähr dasselbe machte wie vorher die Phryger mit den Hethitern: Die Galater zerstörten Gordion und gründeten ihre eigene Hauptstadt Ankyra (das heutige Ankara). Schließlich erreichte die Stadt Pergamon einen unsicheren Status als Souverän in der Region, die dann 133 v. Chr. den Römern übergeben wurde.

Trotz aller Wechsel ihrer Herren scheinen die Phryger als Volk in aller Stille weiterexistiert zu haben, samt ihrer charakteristischen Sprache, Kultur und Religion. Inzwischen schrieb man die Sprache mit griechischen Buchstaben und der Hauptgott Sabazios wurde mit dem römischen Jupiter gleichgesetzt. Doch auch dem phrygischen Gott Attis gelang es, einen Weg ins römische Pantheon zu finden, und man errichtete ihm sogar eine Tempel-Zweigstelle in Rom selbst.

Attis profitierte als Trittbrettfahrer von dem noch größeren Erfolg der anatolischen Göttin Kybele, die in der einen oder anderen Form schon mindestens seit 5000 Jahren in der Region verehrt worden war. Die Griechen übernahmen für diese Göttin die phrygischen Kultformen, und in Rom wurde sie unter dem Namen Magna Mater, die „Große Mutter" (oder „Große Göttin"), begeistert willkommen geheißen. Während der Republik schrieben die Römer der Göttin später eine entscheidende Hilfe beim Sieg über Hannibal und die Karthager zu.

Aus der römischen Republik wurde ein Imperium, und dessen phrygische Untertanen waren in Judäa anwesend, als die Apostel in Zungen redeten (Apostelgeschichte 2,10). Mit dem Ende des Römischen Reiches wurde Phrygien ganz friedlich zur Verwaltungseinheit des Byzantinischen Reiches. Doch inzwischen waren die Phryger zu Gastgebern einer aufsässigen Westgotenhorde geworden, die der römische Kaiser Theodosius 399 n.Chr. dort angesiedelt hatte. Diese Neuankömmlinge stießen zu mehreren Tausend Juden, die etwa 500 Jahre davor in die Region deportiert worden waren. Doch wenn das Überleben der Sprache irgendetwas beweist, dann die Fortdauer der phrygischen Kultur – und noch in frühbyzantinischer Zeit betrachteten sich manche eindeutig noch als Phryger: „Der Bischof Selenas […] war väterlicherseits ein Westgote, aber seine Mutter war Phrygerin, und so konnte er in der Kirche leicht in beiden Sprachen lehren“ (Sokrates von Konstantinopel, *Kirchengeschichte* 5,23).

Erst mit der osmanischen Eroberung Anatoliens im 15. Jahrhundert verschwand Phrygien als Verwaltungseinheit. Danach verließen die Phryger, die ihre lydischen, persischen, pergamenischen, römischen und byzantinischen Herrscher hatten kommen und gehen sehen, widerwillig die Bühne der Geschichte.

Nachhall in der Zukunft

Die Französische Revolution von 1789 ist auf den ersten Blick zwar ein etwas merkwürdiger Ort, um nach Phrygern zu suchen, aber zumindest deren Hüte waren dabei. Die weiche, krempenlose Filzmütze wurde von den Revolutionären als Freiheitssymbol übernommen, weil man sie mit der ähnlich geformten Mütze verwechselte, die freigelassene römische Sklaven getragen hatten. Tatsächlich ist die „Jakobinermütze“ vielleicht aus den Vereinigten Staaten nach Frankreich gekommen, wo sie während der Revolutionskriege auf die Spitze eines Freiheitsbaums gepflanzt wurde. Seitdem ist die Mütze häufig in Staatssymbolen verwendet worden, etwa auf Münzen und auf dem Siegel des US-Senats.

Auf dieser zeitgenössischen Karikatur wird John Bull, der Prototyp des Engländers, von den Früchten des Freiheitsbaums in Versuchung geführt. Der republikanischen phrygischen Mütze in der Mitte des Baumes steht die monarchische britische Krone auf der Eiche im Hintergrund gegenüber.

10. Jh. v. Chr. bis 6. Jh. n. Chr.

Die Illyrer

Balkanräuber

Die Illyrer plünderten gern Messenien und Elis [in Südgriechenland], *weil sie überall an dieser langen Küste angreifen konnten,* [...] *und während nur langsam Hilfe kam, konnten sie das flache Land nach Belieben überrennen.*

Polybios, *Geschichte* 2,1,6

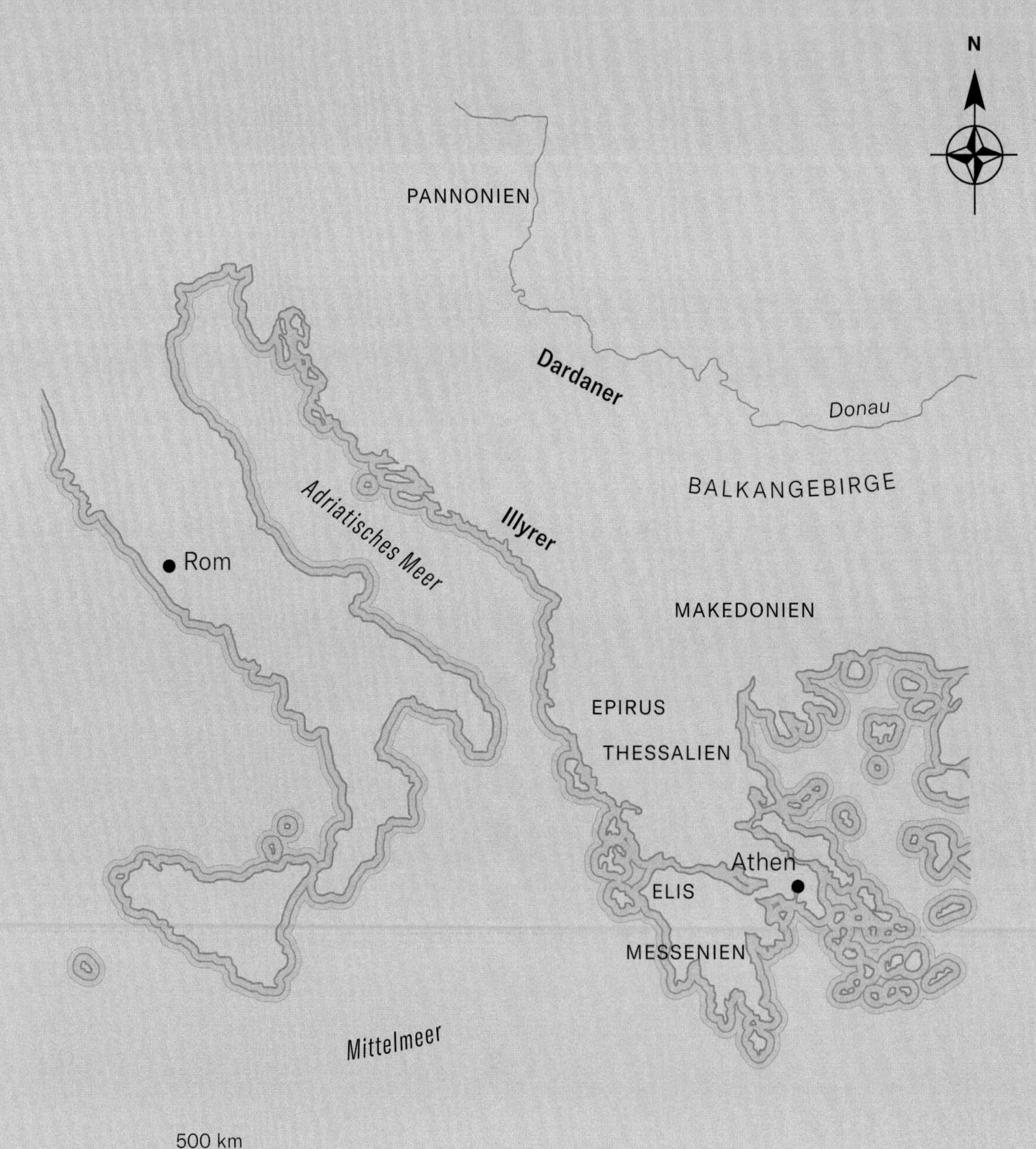

Wenn man auf ein fremdes Volk trifft, ist es – sollte man denken – nur höflich, es zu fragen, wie es sich selbst nennt. Doch während des Großteils der Zeit, seit es Geschichtsaufzeichnungen gibt, ist das nicht so gewesen. Stattdessen haben die, die etwas aufzeichneten, typischerweise anderen Völkern willkürlich Namen gegeben, die dann an ihnen kleben blieben. So ist es auch mit den Illyrern. Wenn es einen ursprünglichen Illyrerstamm gab, dann sind die Griechen wahrscheinlich irgendwo knapp nördlich von Epirus mit dieser relativ kleinen Gruppe zusammengetroffen – und prompt verwendeten sie den Namen für die gesamte Bevölkerung westlich von Makedonien und südlich der Donau.

Bis dahin wussten die Völker dieser Region gar nicht, dass sie sehr viel gemeinsam hatten, abgesehen von der Vorliebe, die friedlicheren Länder in Griechenland und Makedonien zu plündern. Tatsächlich ist es lange ein Streitthema in der modernen Ethnografie gewesen, welche Völker und Kulturen überhaupt die Bevölkerung des antiken Illyrien ausmachten.

So sprachen die Illyrer beispielsweise eine indoeuropäische Sprache (wenn auch in Form einer ganzen Reihe indoeuropäischer Dialekte). Das legt nahe, dass sie aus dem Nordosten kamen, zusammen mit anderen vorgeschichtlichen Migranten, die dieselbe Sprache sprachen. Aber die Kontinuität ihrer Keramik aus frühester Zeit bis in die frühe Eisenzeit hinein weist auf ein autochthones Volk hin (wörtlich: „dem Boden selbst entsprungen", was meint, dass sie schon immer da gewesen sein sollen). Möglich ist auch, dass es einigen Wellen indoeuropäischer Migranten gelang, einen Sprachwechsel herbeizuführen, während der Großteil der ursprünglichen Bevölkerung blieb, wo sie war, ungefähr so, wie die normannischen Eroberer dem Englischen eine französische Note gaben und noch vorher das Gallische durch Latein zum Französischen wurde.

Archäologie und Mythos

Um die komplizierte ethnografische Lage in Illyrien noch mehr zu verwirren, zeigt die Archäologie, dass es während der frühen Eisenzeit noch einen weiteren Zustrom an Menschen gab, der aus dem heute als Hallstatt-Kultur bekannten Kreis keltische Elemente in die Region brachte. Kurzum: Was den zivilisierten Leutchen der klassischen Antike als einheitliches, ungehobeltes und extrem krawallsüchtiges Volk erschien, erweist sich bei näherem Hinsehen als Flickenteppich aus verschiedenen Stämmen mit verschiedenen Dialekten, die mal mehr, mal weniger Elemente einer gemeinsamen Kultur miteinander verbanden.

Ein griechischer Mythos behauptet, dass der Name Illyriens vom Sohn eines griechischen Heros namens Kadmos stammt, dem Gründer Thebens. Geboren wurde Illyrios, als Kadmos einen Feldzug gegen die Völker im Nordwesten führte, und später wurde das Kind zum Herrscher jener Region. Andere Mythologen hielten es angesichts des schlechten Benehmens der Illyrer für wahrscheinlicher, dass Illyrios der Sohn des barbarischen, menschenfressenden Kyklopen Polyphem war, der in Homers *Odyssee* auftritt.

Wenn Griechen und Makedonen das Wort „illyrisch" verwendeten, dann tatsächlich normalerweise in Kombination mit Begriffen wie „Problem", „Überfall" oder „Piraten". Grob gesagt bestand das einzige Interesse antiker Kulturen an Illyrien in der Frage, wie man das raublustige Verhalten seiner Bewohner eindämmen konnte. Aus solchen Kontexten kennen wir zum Beispiel einen Illyrerstamm, der Liburner hieß.

Obwohl die Griechen diesen Helmtyp entwickelt hatten, nennt man ihn „illyrisch", weil die dortigen Krieger ihn begeistert übernahmen. Den Illyrern gefiel das größere Blickfeld, das die offene Vorderseite des Helmes gewährt.

Liburnische Piraten und Händler

Die Liburner waren ein Seefahrervolk, das im heutigen Kroatien lebte. Ihr Hang zur Piraterie stützte sich auf schnelle, wendige Galeeren eines Typs, den die Griechen *libyrnis* nannten. Mit einem Segel und einer einzelnen Reihe Ruderbänke durchstreiften diese Schiffe die Adria und waren der Schrecken aller Kaufleute, die die Überfahrt zwischen Italien und Griechenland versuchten. Weil sie so leicht gebaut waren, konnten sie sich gut in den vielen Buchten und schmalen Meeresarmen der illyrischen Küste verstecken, ja sogar flussaufwärts plündern. Tatsächlich übernahmen die Römer später den Bauplan der Liburne und verwendeten solche Schiffe für ihre Flussflotten auf Rhein und Donau.

Während die Liburner in einem Großteil des Mittelmeergebiets handelten, herrschte bei den Griechen der – wahrscheinlich begründete – Verdacht, dass sich liburnische Händler, wenn sie auf ein einzelnes Schiff trafen, im Handumdrehen aus „Kaufleuten" in Piraten verwandelten.

Darüber, wie viel die seefahrenden Liburner mit anderen „illyrischen" Stämmen gemeinsam hatten, lässt sich streiten. Beispielsweise wohnte ein Dalmater genanntes Illyrervolk praktisch Tür an Tür mit den Liburnern, besaß jedoch eine streng landgebundene Hirtenkultur. Die Liburner waren relativ weit entwickelte Händler, doch aus den archäologischen

Jahrhunderte, nachdem sie von illyrischen Piraten verwendet worden waren, gebrauchte die römische Armee immer noch Liburnen. Hier sieht man sie auf der Trajanssäule im Kampf gegen die Daker.

Befunden geht hervor, dass die meisten Dalmater in Zelten und Höhlen lebten und sich nur selten weit von ihren angestammten Weiden entfernten. In gewisser Weise waren die Dalmater aus Sicht der übrigen Illyrer „Illyrer" – das heißt, ein kulturloses, primitives Volk von Wilden, das zu Ausbrüchen von Stammesgewalt gegen seine Nachbarn neigte.

Überfälle auf griechische Länder

Wenn die Illyrerstämme der frühen Eisenzeit überhaupt gemeinsame Sache machten, dann bei großen Angriffen auf Griechen und Makedonen. Bei solchen gemeinsamen Unternehmungen gegen die Makedonen arbeiteten die Illyrer manchmal mit einem Dardaner genannten, ihnen verwandten Volk zusammen. Im Lauf der Zeit lernten Illyrer und Dardaner scharf im Auge zu behalten, wo sich das makedonische Heer gerade befand; dass dieses Heer in Griechenland oder Thrakien war, wurde zum Signal für illyrische Plünderzüge.

Noch weiter nördlich saß ein weiteres Volk, das weitläufig mit den Illyrern verbunden war: die Pannonier. Wie die anderen Illyrervölker kannten auch sie überwiegend keine Schrift und haben kaum Zeugnisse außer den archäologischen hinterlassen; diese zeigen, dass auch die

Pannonier wie die meisten Illyrer eine einfache Kultur besaßen, die aus einer Kombination aus Landwirtschaft und Plündern bestand. Die Menschen lebten in Stammesgruppen auf Familienbasis und wurden in solchen Gruppen auch gemeinsam bestattet (die Krieger mit ihren Waffen). Die Pannonier waren der keltischen Kultur und siedelnden Kelten stärker ausgesetzt als die Illyrer an der Küste.

Im Streit mit Rom

Erst in römischer Zeit begannen die Illyrer als geeintes Volk zu handeln. Anscheinend verband im mittleren 3. Jahrhundert v. Chr. ein Anführer namens Agron, der im heutigen Montenegro saß, mehrere Illyrerstämme zu einem gemeinsamen Königreich. Er brach mit der Tradition und wurde zum Verbündeten der Makedonen, nicht zu ihrem Gegner. Der Vorteil lag darin, dass die Makedonen den Illyrern Bescheid gaben, als sie einen Angriff auf Südwestgriechenland starten wollten – und die Illyrer machten begeistert mit.

Tiberius führte in den Jahren, ehe er Kaiser in Rom wurde, eine Reihe schwieriger Feldzüge gegen die Dalmater.

Der Nachteil, ein etwas stärker geeinter Staat zu werden, bestand darin, dass die vom schlechten Benehmen der Illyrer Verärgerten endlich ein größeres Angriffsziel hatten. Nach Agrons Tod im Jahr 231 v. Chr. weitete seine Witwe Teuta die illyrischen Raubzüge auf See bis nach Korkyra (dem heutigen Korfu) aus – einer Insel, die eine lebenswichtige Zwischenstation bei der Überquerung der Adria nach Italien war. Vielleicht verfolgte Teuta damit Ambitionen auf ein Großreich, denn man glaubte, Korkyra sei früher illyrisch gewesen, ehe griechische Siedler die Illyrer von der Insel verjagt hätten. Dennoch war diese Bedrohung des Seehandels zu viel für die römische Republik, die inzwischen Italien dominierte. 229 v. Chr. begannen die Römer ihre erste Militärexpedition östlich Italiens gegen die Illyrer – die erste in einer ganzen Reihe, die man später als Illyrerkriege kannte. Während aus Jahrzehnten Jahrhunderte wurden, eroberten die Römer Makedonien, Griechenland und Kleinasien und kämpften daneben weiterhin gegen die Illyrer. Das raue Gelände und die Dezentralisierung der Illyrerstämme machte den Römern einen entscheidenden Sieg schwer, besonders da sich die Illyrer als fähige Guerrillakämpfer erwiesen.

Zur Zeit des Kaisers Augustus (27 v. Chr. bis 14 n. Chr.) kontrollierten die Römer zwar einen Großteil der Küste, taten sich aber gegen die Pannonier schwer. Roms Anstrengungen vollendeten den Prozess, den die Illyrer selbst begonnen hatten: Sie machten aus ihnen ein einiges Volk. Im Jahr 6 n. Chr. erhoben sie sich alle in vollkommener Harmonie zur Revolte gegen Rom. Die Dalmater, die Liburner, die Pannonier und andere Stämme wie die Iapoden, die Breuker und die Pirusten machten endlich gemeinsame

Sache. Der spätere Kaiser Tiberius (14–37 n. Chr.) brauchte vier Jahre und fünf Legionen, um den Aufstand unter Kontrolle zu bringen. Zum Glück hatte auch sein Adoptivvater Augustus in jüngeren Jahren Krieg in der Region geführt und verstand, welche Schwierigkeiten das mit sich brachte.

Aus der Region wurde die römische Provinz Illyricum, die später in die Provinzen Pannonia und Dalmatia geteilt wurde. Im Lauf der Jahrhunderte wurden die Illyrer schrittweise so sehr romanisiert, dass sie das Imperium retteten. Während des 3. Jahrhunderts n. Chr., als Rom unter der Last von Barbareneinfällen zu zerbrechen drohte, stabilisierte eine Reihe „illyrischer Kaiser" – Männer pannonischer oder illyrischer Herkunft – das Reich. Kaiser wie Decius (249–251), Claudius Gothicus (268–270), Aurelian (270–275) und Diocletian (284–305) regierten meistens kurz und immer in gewaltsamen Zeiten, doch zur Zeit Diocletians hatten ihre Anstrengungen die Krise weitgehend beendet.

Als Rom dann zuletzt doch fiel, war es ein weiterer Illyrer, Justinian I. (527–565), der die Kontrolle über das künftige Byzantinische Reich übernahm. Inzwischen waren die Illyrer vollständig romanisiert und man muss bezweifeln, dass sie die Ironie der Tatsache zu schätzen wussten, dass sie am Ende von plündernden slawischen Barbaren vernichtet wurden. Als Volk verschwinden sie etwa im 7. Jahrhundert n. Chr.

Der uns vertraute Dalmatiner mit seinen Tupfen kommt ursprünglich aus Dalmatien. Im 18. Jh. wurde er nach England importiert und war dort als „Kutschen-" oder „Wagenbegleithund" beliebt, der neben dem Gefährt herlief, um die Insassen vor Straßenräubern zu schützen.

Nachhall in der Zukunft

Zweifellos hatten die Dalmaterstämme mit ihrer Weidewirtschaft Hunde, die ihre Herden beschützten und zusammenhielten. Wahrscheinlich waren das die entfernten Vorfahren jener Hunderasse, deren heutiger Name sich letztendlich von dem Stamm ableitet – der Dalmatiner. Dalmatinerhunde gab es schon im 17. Jahrhundert; bekannt sind sie für ihre Energie und die Anhänglichkeit an die, die sie lieben, Fremden gegenüber sind sie jedoch zurückhaltend, ja feindlich. Auf jeden Fall sind das Eigenschaften, mit denen sich die antiken Dalmater hätten identifizieren können.

Die heutigen Albaner pflegen ein eher romantisiertes Bild der Illyrer als Teil ihrer Herkunftsidentität. Als potenzielle Ahnen betrachten sie einen Stamm namens Albona, der sich während der römischen Invasion in Illyrien aufgehalten haben soll. Vielleicht nennen die Italiener die Dämmerung „alba", weil Albanien das Land ist, über dem sie die Sonne aufgehen sehen.

7. Jh. bis 546 v. Chr.

Die Lyder

Reich wie Krösus

Soweit wir wissen, waren die Lyder die Ersten, die Gold- und Silbermünzen machten und gebrauchten. Sie waren auch die ersten Kaufleute.

Herodot, *Historien* 1,94

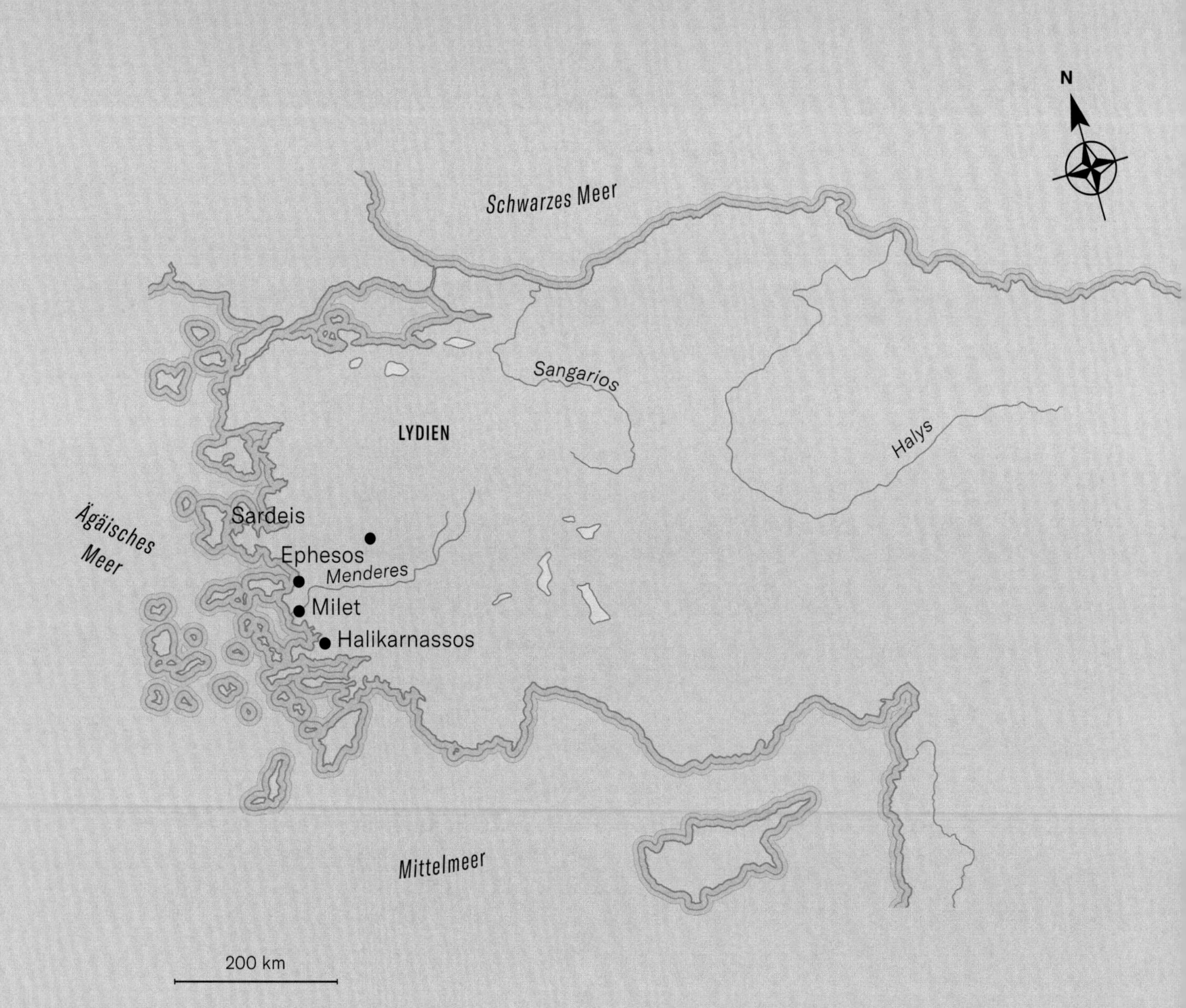

Lydien war schön und reich; schon das war vielleicht Grund genug, wieso aus dem Namen eines antiken Königreichs der heutige Mädchenname Lydia wurde. Außerdem gibt es achtbare biblische Vorbilder (Paulus bekehrte eine Farbenhändlerin namens Lydia zum Christentum). So lebt der Name weiter, auch wenn die antiken Lyder selbst heute beinahe vergessen sind.

Vom Namen abgesehen haben es zwei Könige Lydiens und ein dortiger Fluss aus Kleinasien in die Welt von heute geschafft. Der Fluss ist eine gewundene Wasserstraße, die entlang der Grenze des Königreichs Lydien verlief. So sanft dreht und wendet er sich auf dem Weg zum Meer nahe der antiken griechischen Stadt Milet, dass alles, was ein ähnliches Muster beschreibt, wie der Fluss Maiandros in „Mäandern" verläuft. (Heute ist er der Menderes in der Türkei.)

Dass das Land am Fluss flach genug ist, einen so verwickelten Wasserlauf zuzulassen, legt nahe, dass der Hauptgrund für Lydiens Reichtum in der Landwirtschaft bestand, und tatsächlich waren die Lyder für die Pferde berühmt, die auf diesen üppigen Weiden gezüchtet wurden. Eine weitere Quelle für den Reichtum des Landes war der Fluss Paktolos, der reich an Gold war, das aus dem anatolischen Hochland angeschwemmt worden war. Die Legende sagt, dass es zu dem buchstäblich goldenen Flusssand kam, weil sich König Midas von Phrygien im Wasser des Paktolos gewaschen hatte, um sich von seinem legendären goldenen Händchen zu befreien.

Lyderkönige

Die neidischen Griechen verglichen ihre gebirgige und insgesamt wenig ertragreiche Heimat mit dem reichen Ackerland Lydiens und machten aus einem von dessen Königen einen Musterfall von Reichtum: Noch heute träumen viele davon, „reich wie Krösus" zu werden.

Ebenfalls auf einen mythischen König dieses Volkes gehen die sprichwörtlichen Tantalusqualen zurück. König Tantalos war eingeladen, den olympischen Göttern ein Fest auszurichten, und während er verzweifelt nach etwas Passendem für den Hauptgang suchte, entschied er sich, seinen eigenen Sohn zu servieren. Die Götter waren durch das Opfer des Königs keineswegs geschmeichelt, sondern angeekelt und entsetzt. Für seine Geschmacklosigkeit wurde Tantalos bestraft, indem er auf ewig bis zur Hüfte in einem Wasserbecken stehend angekettet wurde, während von Zweigen über ihm saftige Früchte herunterhingen. Von Hunger und Durst gepeinigt kann Tantalos das Wasser den-

Die ältesten lydischen Münzen – wie dieses Beispiel von ca. 550 v. Chr. – hatten ein Standardgewicht, aber noch keine einheitliche Form.

noch nicht trinken, da es vor ihm zurückweicht, wenn er sich hinabbeugt, und die Früchte nicht essen, denn die Äste heben sich jedes Mal außer Reichweite, wenn er nach ihnen greift.

Versuchungen ausgesetzt war auch die mythische lydische Königin Omphale, die eine Zeit lang Herakles als Diener hatte. Als Strafe der Götter für einen besonders willkürlichen Totschlag musste Herakles Sklavendienste leisten. Omphale nutzte ihre Position als Arbeitgeberin des Helden so gründlich aus, dass Herakles ihr einen Sohn hinterließ, der schließlich zum Herrscher des Königreichs wurde. Laut Herodot war ein solches Verhalten unter Lyderinnen in Ordnung. Tatsächlich war es bei lydischen Mädchen üblich, Geld für Sex zu nehmen, bis sie eine ordentliche Mitgift beisammenhatten, anschließend wurden sie anständige Ehefrauen.

Auf dieser rotfigurigen griechischen Vase wird Kroisos gleich von den Persern, die ihn gefangen genommen haben, verbrannt werden. Angeblich wurde er durch den Perserkönig Kyros im letzten Moment begnadigt.

Entstehung des Königreichs

Aus Mythologie und diplomatischen Beziehungen war Lydien den Griechen bereits wohlbekannt, als sich das Königreich aus den Trümmern des bronzezeitlichen Zusammenbruchs als einer von mehreren anatolischen Staaten an Stelle des einstigen Hethiterreichs herausschälte. Herodot berichtet außerdem, dass ein Mann namens Gyges irgendwann im 7. Jahrhundert v. Chr. die von Herakles gegründete Dynastie gestürzt habe. Wahrscheinlicher ist, dass Lydien in phrygischem Besitz war, bis durch die Invasion kimmerischer Barbaren aus dem Osten die Rollen vertauscht wurden. Damals nutzte Gyges das Chaos, um sein eigenes Königreich zu gründen.

Verantwortlich war Gyges wohl auch dafür, dass Sardeis lydische Hauptstadt wurde. Etwas umstritten ist, wo vorher die wichtigste Stadt des lydischen Volkes lag. Homer schlägt den sonst unbekannten Ort Hyde vor. Heutige Forscher verweisen darauf, dass die Bevölkerung der Region in hethitischer Zeit Maionen genannt wurde, und Plinius der Ältere (23–79 n. Chr.), ein späterer römischer Autor, vermerkt, dass es noch zu seiner Zeit eine lydische Stadt namens Maionia gab.

Als unabhängiges Volk gediehen die Lyder prächtig – ihr Staat hatte die richtige Lage, um vom Handel zwischen Europa und dem Nahen Osten zu profitieren, und lydische Lederartikel und Textilien waren für ihre Qualität bekannt. Der berühmteste lydische Beitrag zum Handel war die Erfindung des Münzgelds. Lydische Münzen waren im Grunde Elektronklumpen, auf die ein Löwenkopf gestempelt war, um zu zeigen, dass sie einem „amtlichen" Standardgewicht entsprachen. Diese Protomünzen waren relativ wertvoll und die aktuelle Theorie lautet, dass man auf diese Idee kam, weil sich

Die Ruinen der lydischen Hauptstadt Sardeis in pittoresker Lage am Fuß des Tmolosgebirges.

damit die Armee einfach bezahlen ließ. Gleichwohl war die Münzwährung ein Konzept, das zur Umsetzung reif war, und bald hatte jedes Volk, das nach Souveränität strebte, seine eigene Münzstätte.

König Kroisos

Der letzte König Lydiens war der sagenhaft reiche Kroisos (560–546 v. Chr.). Inzwischen war Lydien – durch Handel und Krieg mit den Griechenstädten in Kleinasien – eng mit der weiten griechischen Welt verknüpft. Tatsächlich hatte die stetige Expansion des lydischen Territoriums mehrere früher unabhängige griechische Städte mit Gewalt dem Königreich einverleibt, das inzwischen den Großteil Westanatoliens bis zum Fluss Halys (Kızılırmak) im Osten umfasste.

Kroisos spendete großzügig für den Wiederaufbau des Tempels der Göttin Artemis in Ephesos, und vor allem dank seinem beträchtlichen Beitrag wurde dieser Bau so prächtig, dass er als eines der sieben Weltwunder der Antike galt. Außerdem war Kroisos von der Qualität des Apollonorakels im griechischen Delphi überzeugt. An dieses Orakel wandte er sich daher etwa im Jahr 548 v. Chr. mit der Bitte um Rat.

In den Jahren davor war Lydien mit der neuen Vormacht im Nahen Osten aneinandergeraten, einem Meder genannten expansionistischen Volk. Insgesamt konnten sich die Lyder dank ihrer überlegenen Reiterei und ihrer Bogenschützen halten. Dann waren die Meder auf einmal verschwunden und durch ein frisch nach oben gekommenes Volk namens Perser

Lyder bringen ihren persischen Herrschern Tribut. Relief aus Persepolis, der großen von Dareios (522–486 v. Chr.) errichteten Palaststadt.

ersetzt worden. Wie die Meder hatten sich auch die Perser gleich neben Lydien auf dem Ostufer des Halys festgesetzt. Es war nur eine Frage der Zeit, wann das Königreich Lydien und das persische Imperium aneinandergerieten. Sollte er die Initiative ergreifen, fragte Kroisos das Orakel, und die Gefahr im Keim ersticken, ehe die Perser die Länder, die sie nun beherrschten, fest in den Griff bekämen?

„Wenn du das tust", antwortete das Orakel, „wirst du ein großes Reich zerstören." Erst 546 v. Chr. erkannte Kroisos als Gefangener in den rauchenden Trümmern seiner Hauptstadt, dass auch Lydien als „großes Reich" gelten konnte … und dass er eindeutig sein eigenes Reich zerstört hatte, indem er den Krieg zu den Persern trug.

Bei den Griechen gab es die Theorie, dass einige Lyder, denen die persische Herrschaft unerträglich war, ihre Familien und Besitztümer auf Schiffe luden und nach Italien auswanderten, wo aus ihnen die Etrusker wurden. Wahr ist sicher, dass sowohl die Etrusker als auch die Lyder Sprachen hatten, die Fremden weitgehend unverständlich waren (und mit deren Verständnis die Wissenschaft sich noch heute abmüht). Dennoch ist diese romantische Theorie dadurch widerlegt worden, dass lydische und etruskische Inschriften sich voneinander ebenso himmelweit unterscheiden wie von allem anderen, und Genproben der etruskischen Bevölkerung legen nahe, dass sie in Italien schon länger heimisch war.

Lydien überlebte als persische, hellenistische, römische und dann byzantinische Provinz. Doch ähnlich wie heutige Mädchen namens Lydia tat es das nur dem Namen nach. Die charakteristische lydische Kultur und Sprache waren schon deutlich vor der Römerzeit verschwunden.

Nachhall in der Zukunft

Viele, die noch nie von König Gyges von Lydien gehört haben, kennen doch eine der Geschichten, die sich um ihn ranken. Als Gyges – damals noch ein einfacher Schäfer – eine Höhle in den Bergen erkundete, stieß er auf einen goldenen Ring. Als er den Ring auf seinen Finger streifte, wurde er sofort unsichtbar, und diese Kraft nutzte Gyges, um die Macht über das Königreich zu übernehmen. Zwar verraten die griechischen Geschichten nicht, was später aus dem Ring wurde, doch eine bemerkenswerte Parallele hat er in Mittelerde, wo ein wandernder Hobbit zu einem Ring mit ähnlichen Kräften kommt. (J. R. R. Tolkien, der längst berühmte Autor von *The Hobbit*, war ein Gelehrter, dessen Spezialgebiet Sprachen und Mythen waren.)

Nachdem Tantalos dafür bestraft worden war, den Göttern ein kannibalisches Festessen serviert zu haben, sollte man noch erwähnen, was aus dem Hauptgericht wurde. Dieser junge Mann wurde wieder zum Leben erweckt, allerdings mit einer Schulter aus Elfenbein als Ersatz für die, welche die Göttin Demeter gedankenversunken aufgegessen hatte. Der Junge zog aufs griechische Festland, heiratete eine Königstochter und wurde der Herrscher Südgriechenlands. Sein Name war Pelops, und deswegen heißt die Peloponnes so. Um seine Braut zu gewinnen, gewann er ein Wagenrennen in Olympia und gab so den Startschuss zu einem kleinen Sportfest, das man später als die „Olympischen Spiele“ kannte.

ca. 1000–450 v. Chr.

Die Sikeler

Besiedler Siziliens

Die Sikeler setzten von Italien aus auf die Insel über [...,] die deshalb fortan Sizilien genannt wurde. Nach ihrer Überfahrt besaßen sie weiterhin die reichsten Teile des Landes, fast dreihundert Jahre lang bis zur Ankunft der Griechen.

Thukydides, *Geschichte des Peloponnesischen Krieges* 6,28

Wir sind daran gewöhnt, dass Kolonisation eine gewaltsame, brutale Sache ist, an deren Ende die Kolonisten das Volk, dessen Land sie sich mit Gewalt geholt haben, ausbeuten und häufig sogar umbringen. Was aber, wenn die Kolonisten mit aller Vorsicht willkommen geheißen würden, wenn sie nicht zu unterdrückerisch aufträten und allmählich mit den ursprünglichen Einwohnern zu einer Einheit würden? Sosehr es zwangsläufig zu einer Reihe gewalttätiger Episoden kam, in Kolonisationsfragen waren die Sikeler anscheinend erstaunlich verträglich, als Besatzer wie als Besetzte.

Gleich wo sie herkommen mögen, das Volk, das der Insel Sizilien seinen Namen gab, stammt ursprünglich nicht von dort. Hinreichend sicher scheint, dass die antiken Autoren zu Recht behaupteten, die ersten Menschen auf Sizilien hätten einem Stamm namens Sikaner angehört. Dann kam das Chaos des Zusammenbruchs der bronzezeitlichen Hochkulturen.

Die Ägypter berichten, eines der seefahrenden Bündnismitglieder, die sie abwehrten, sei ein Stamm namens *Schekelesch* gewesen. Späteren Überlieferungen zufolge verschlug es die Schekelesch auf der Flucht aus Ägypten ins westliche Mittelmeer und sie ließen sich in Süditalien nieder. Hier nahmen sie allmählich italische Sitten und Gebräuche an, dazu die Landessprache, ehe sie irgendwann gegen 1000 v. Chr. nach Sizilien übersetzten.

Tatsächlich sagt der antike Historiker Diodor genau das (5,6): „Und viele Generationen später setzte das Volk der Sikeler geschlossen aus Italien nach Sizilien über und wurde dort heimisch.“ Wie sein gängiger Name *Diodorus Siculus* uns lehrt, war Diodor ein Sohn der vormals sikelischen Stadt Agyrion im Herzen der Insel, und wahrscheinlich geht sein Bericht auf dieselbe Überlieferung zurück.

Wie es bei solchen Migrationen immer ist, waren die Menschen, in deren Land die

Ein Löwe greift einen Stier an. Sikelisches Relief auf einem Votivaltar aus hellenistischer Zeit, gefunden im sizilianischen Centuripe.

Sikeler auswanderten, nicht besonders begeistert über ihr Kommen. Aber besonders viel konnten die einheimischen Sikaner nicht dagegen machen, denn als eines der Seevölker (wenn das denn zutrifft) müssen die Sikeler sich mit eisenzeitlichen Waffen ausgekannt haben.

Dennoch lassen heutige archäologische Forschungen vermuten, dass die Sikelerinvasion beileibe kein apokalyptisches Ereignis war. Während der ganzen Antike war Sizilien relativ dünn besiedelt, vor allem im Landesinneren, wo sich die Sikeler niederzulassen beschlossen. Zwar war es nicht gerade so, dass es Land für alle gab, doch die archäologischen Befunde legen alles in allem nahe, dass die Sikaner sich, nachdem sie von den besten Stellen verjagt worden waren, an den zweitbesten Orten niederließen, hauptsächlich im Westen der Insel.

Auf dieser eleganten römischen Wandmalerei aus der Villa Varano im italischen Stabiae pflückt Persephone Blumen.

Sikeler und Griechen

Als die Zivilisation um 800 v. Chr. wieder auf die Beine kam, galten die Sikeler als das tonangebende Volk auf der Insel. Der Dichter Homer weist dem umherirrenden Odysseus eine sikelische Dienerin zu, die schon auf dem Landgut seiner Eltern gelebt hatte, ehe der griechische Held in den Trojanischen Krieg zog – was nahelegt, dass es in der frühen Eisenzeit Beziehungen zwischen Griechenland und Sizilien gab.

Im klassischen Griechenland stellte man sich vor, Sizilien sei früher ein wilder, ferner, romantischer Ort gewesen – auf jeden Fall aber Teil der griechischen Welt. Beispielsweise soll Hades, der finstere Gott der Unterwelt, Persephone auf Sizilien geraubt und zu seiner Braut gemacht haben. Auch andere Völker haben diesen Ort für sich beansprucht, aber gut im Rennen liegt der See Pergusa nahe der früher sikelischen Stadt Enna, nicht zuletzt, weil an seinen Ufern eine Fülle von Blumen

Die filigranen Reliefverzierungen und die Bemalung dieses Deckelgefäßes (*lekanis*) aus Sizilien zeigen das hohe technische Können der Menschen aus Centuripe im 3. Jh. v. Chr.

wächst, die Persephone gerade gepflückt haben soll, als sie verschleppt wurde.

Ein weiteres Volk, mit dem die Sikeler in – häufig gewaltsamen – Kontakt kamen, waren die Phöniker, dank karthagischer Siedlungstätigkeit im Westen der Insel. Leider wissen wir heute wenig Genaues über die karthagisch-sikelischen Beziehungen, denn die Sikeler haben keine schriftlichen Aufzeichnungen über diese Zeit hinterlassen und auch für jeden Informationsschnipsel der Karthager über sich selbst, geschweige denn über andere Völker, sind die heutigen Historiker froh und dankbar.

Ein Großteil unseres Wissens über die Sikeler kommt von den Griechen, denn so klar es scheint, dass die Sikeler ursprünglich eine italische Sprache verwendeten: zu der Zeit, als sie etwas aufzuschreiben begannen, gebrauchten sie vorwiegend das Griechische dafür. Die Griechen ließen sich mehr oder weniger auf der Ostseite der Insel nieder und hatten, ungefähr wie die Sikeler vor ihnen, die nötige Militärtechnik, damit niemand ernsthaft Einspruch gegen ihre Ankunft erheben konnte. Andererseits scheint es, ebenfalls wie im Fall der sikelischen Ansiedlung, ganz so, als hätte ohnehin niemand groß etwas dagegen gehabt. Wie schon gesagt, wohnten die Sikeler hauptsächlich im Inneren der Insel, und wie Cicero später anmerkte, lag die Sikelerstadt Enna nach allen Seiten ungefähr so weit weg vom Mittelmeer, wie es auf dieser Insel überhaupt möglich ist. Daher machte die Ankunft von Fremden an einer Küste, die die Sikeler sowieso kaum interessierte, sie etwa ebenso neugierig wie bekümmert. Und außerdem brachten die Griechen Geschenke.

Die Kolonisation von Syrakus kann als eine Art Musterfall für die griechische Besiedlung Siziliens gelten. Zuerst besetzten die Griechen die (vermutlich unbewohnte) Insel Ortygia gleich vor der Küste. Dann bauten sie durch Handel, Bestechung und Diplomatie gute Beziehungen zu den Einheimischen auf (in diesem Fall wohl Sikaner, aber dasselbe Schema galt für Kolonien, wo Sikeler ansässig waren). Schließlich erwarben die Griechen Boden auf dem Festland und aus der Kolonie Ortygia wurde Syrakus.

Die Sikeler waren ein nach Stämmen organisiertes Volk, das Ansätze von Ackerbau betrieb, aber hauptsächlich von Weidewirtschaft lebte. Das Innere Siziliens entsprach ihren Bedürfnissen sehr, und wie sich zeigte, war es ganz nützlich, Griechen an der Küste zu haben, mit denen sich handeln ließ. Wo sich Griechen und Sikeler für dieselben Felder interessierten, da wechselten diese ebenso häufig durch Verkauf und Heirat den Besitzer wie durch rabiatere Erwerbsformen.

Tatsächlich zeigen gerade Geschichten, wie die schlauen Griechen den dummen sikelischen Bauerntölpeln das Land abluchsten, dass die Griechen es vorzogen, Sizilien nicht einfach mit roher Gewalt zu nehmen. Man könnte vermuten, dass es für jeden um sein Besitzrecht betrogenen Sikeler einen nicht belegten Griechen gab, der bei einem Landverkauf draufzahlte. (Die moderne Anthropologie hat gezeigt, dass einheimische Völker in Wirklichkeit kluge Verhandlungspartner abgaben, wenn sie mit entwickelteren Kulturen zu tun hatten – es war schlicht so, dass sie manche Waren eben oft höher schätzten.)

Während die griechische Klassik fortschritt, entwickelte sich die sikelische Gesellschaft sprunghaft weiter. Einstige Kleinstädte wuchsen, als die Sikeler die Freuden des Stadtlebens kennenlernten, und mindestens drei Siedlungen wurden groß genug, dass auch die Griechen sie als „Städte“ bezeichneten. Zur gleichen Zeit kam es zu einer spürbaren Verschlechterung der Beziehungen zwischen den Sikelern und den dorischen Griechenstädten unter Führung von Syrakus.

Konflikt und Assimilation

Diodor zufolge machte sich ein Mann namens Duketios die antisyrakusanischen Gefühle zunutze und vereinte die Sikeler hinter sich. (Vorher waren sie durch die Häuptlinge einzelner Stämme geführt worden.) Eine Zeit lang beherrschte der Sikelerbund das Landesinnere. Duketios gelang es, Land zurückzugewinnen, das die Griechen den Sikelern abgenommen hatten, aber sein rascher Machtzuwachs beunruhigte die Syrakusaner. Sie verbündeten sich mit der nahen Griechenstadt Akragas (Agrigent) und 450 v. Chr. vernichtete ihre gemeinsame Streitmacht im Kampf das sikelische Heer. Duketios zeigte das bemerkenswerte Fehlen von Hass zwischen Sikelern und Griechen, indem er nach Syrakus ritt und sich ausliefern wollte. Als ebenso großzügig erwiesen sich die Syrakusaner, die ihn mit genug Vermögen für ein komfortables Leben nach Korinth verbannten. Interessant ist außerdem, dass Duketios mindestens eine Stadt gründete und andere mit einer gemischten griechisch-sikelischen Bevölkerung neu besiedelte.

Leider hielten die guten Beziehungen nicht lange. Duketios brach sein Versprechen und kehrte nach Sizilien zurück. Bald nach seiner Rückkehr starb er, aber das genügte schon, um einen syrakusanischen Angriff und die Eroberung großer, vorher sikelischer Gebiete auszulösen. Dennoch geschah die eigentliche Eroberung auf kultureller Ebene, nicht mit Gewalt. Die Sikeler waren von ihren griechischen Nachbarn in Sprache, Kultur und (dank vieler Ehen) auch in ethnischer Zugehörigkeit immer weniger zu unterscheiden.

Als der Historiker Diodor im 1. Jahrhundert v. Chr. schrieb, bemerkte er zum Verschwinden seiner Ahnen Folgendes (5,6,5):

Als erst hinreichend große Zahlen an Griechen nach Sizilien kamen, übernahmen die dort schon Lebenden jene Sprache. Schließlich gewöhnten sie sich an die griechische Lebensweise. Zuletzt verloren sie nicht nur ihre barbarische Sprache, sondern auch sich selbst.

Nachhall in der Zukunft

Zwischen den Schekelesch unter den Seevölkern, den Sikeloi Italiens und den Sikelern, die nach Sizilien auswanderten, scheint eine eindeutige etymologische Verbindung zu bestehen. Jedenfalls gaben die Sikeler der Insel ihren heutigen Namen. Interessant ist, dass er sich gehalten hat, obwohl Sizilien in späteren Zeiten so viele Völker kommen und gehen gesehen hat, dass Genetiker, die das komplexe ethnische Erbe der Insel zu enträtseln suchen, ihre Mühe beim Isolieren „echter" Sikelergene haben.

Dass die Sikeler aus Italien kamen, scheint einstimmig so gesehen zu werden. Laut Thukydides hieß einer ihrer Könige Italos und hat seinen Namen auf Italien übertragen. Das Volk, das die Sikeler aus Italien vertrieb, war ein als „Aborigines" bezeichneter Stamm. Sie wohnten vor den Römern in Mittelitalien, weshalb *aborigines* später für die ursprünglichen Bewohner auch anderer Länder verwendet wurde.

Münzen des 5. Jh.s v. Chr. aus griechischen Städten auf Sizilien, darunter (Mitte) eine aus Syrakus. Am Ende gingen die Sikeler vollständig in der griechischen Kultur auf, für die diese Münzen stehen.

ca. 1500–550 v. Chr.

Die Meder

Ninives Zerstörer

Siehe, da stand vor dem Strom ein Widder mit zwei Hörnern, und die zwei Hörner waren hoch; eins aber war höher als das andere, und das höhere erhob sich zuletzt. Ich sah, wie der Widder nach Westen stieß und nach Norden und nach Süden, sodass kein Tier ihm standhalten konnte, noch gab es einen, der aus seiner Hand befreien konnte; sondern er tat nach seinem Willen und wurde groß.

Daniel 8,3–4

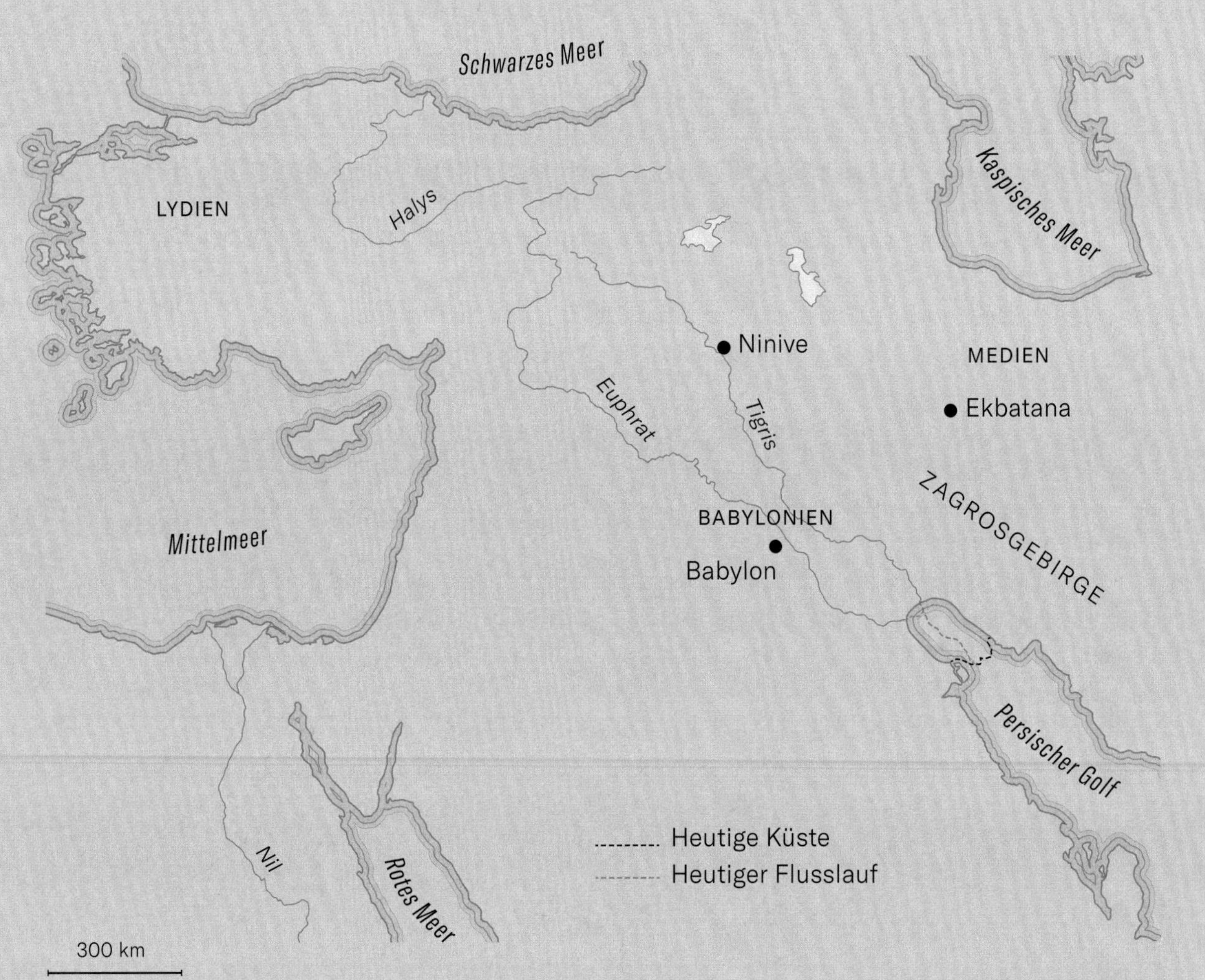

Die seltsame Prophezeiung in der Bibel beschreibt die Herrschaft (den „Widder“) der Meder und der Perser. Die unwirkliche Beschreibung ist wohl ein passender Einstieg in eine Geschichte der Meder. Sogar Menschen, die noch nie von ihnen gehört haben, kennen doch die medische Priesterkaste, die Magoi – denen wir das heutige Wort „Magier“ verdanken. Für die Völker im antiken Judäa und Europa waren die Meder ein fernes, exotisches Volk mit seltsamen Riten und Glaubensvorstellungen.

Das „höhere Horn“ des Widders waren die Perser, die den Oberlauf des Tigris beherrschten. Das untere „Horn“ war die Heimat des Volkes der Meder; ein Großteil davon ist der heutige Iran. Die Meder waren arischer Herkunft (das Wort Iran kommt tatsächlich von der Bezeichnung *Ārya*, doch ist heiß umstritten, was unter „Ariern“ überhaupt zu verstehen ist). Abgesehen von dieser Grundtatsache liegen die Ursprünge der Meder im Dunkeln. Möglich ist, dass sie die Nachfahren der Elamiter waren, die vor ihnen das Land bewohnt hatten, vielleicht drangen sie aber auch um 1500 v. Chr. als Wanderhirten ein. Vielleicht waren sie eine Mischung aus beidem, denn der griechische Historiker Herodot berichtet, dass es ursprünglich sechs verschiedene Stämme gegeben habe, die sich zu den Medern vereinigten.

Man sollte auch noch erwähnen, dass die Griechen eine obskure Theorie zur Herkunft der Meder hatten. Den griechischen Mythen zufolge stammten die Meder von der Tophexe der Antike ab, der schrecklichen Medea. Von ihrem Mythos gibt es mehrere Varianten, aber in allen flieht Medea nach einer mörderisch-magischen Karriere in der griechischen Welt nach Osten. Medeas Sohn Medos sei ein großer Krieger und ein noch besserer Herrscher gewesen, deshalb habe das Volk des Landes, das vorher Areia hieß, ihm zu Ehren seinen Namen in „Meder“ geändert.

Laut dem römisch-jüdischen Historiker Josephus stammten die Meder von einem Enkel Noahs ab. „Was nun Jawan und Madai betrifft, die Söhne Japhets, so stammen von Madai die Madeer, die ‚Meder‘ genannt werden“ (*Jüdische Alter-*

Auf dem Relief aus Persepolis trägt ein typisch gekleideter medischer Soldat ein Lamm, wahrscheinlich als Opfergabe.

tümer 1,6,1). Anscheinend sind die Einzigen, die uns nicht um jeden Preis eine Herkunftsgeschichte der Meder erzählen wollen, die Meder selbst. Ihre Sprache ist nicht überliefert und wir besitzen keine Texte mit der medischen Version ihres Ursprungs, ob magisch oder nicht.

Von Rebellen zu Herrschern

Die ältesten, eher tatsachenorientierten Nachrichten über die Meder stammen von den gewissenhaften Archivaren der Antike, den Assyrern. Im 9. Jahrhundert v. Chr. unternahmen sie Feldzüge gegen die „Madai". Nach assyrischen Berichten lag die ursprüngliche Heimat der Meder „an der Großen Chorasan-Straße gleich östlich von Harhar bis nach Alwand". Diese Straße wurde später Teil der berühmten Seidenstraße und verlief aus der Umgebung von Babylon nach Zentralasien. Harhar und Alwand vermutet man im Zagrosgebirge, wo später das Volk der Meder Rinder und Pferde züchtete, die für ihre Qualität berühmt waren.

Die Meder, die die Assyrer kannten, waren in verschiedene Kleinkönigreiche zersplittert. Vielleicht sorgte assyrische Unterdrückung nach der Eroberung dafür, dass die unterworfenen Meder sich als ein einziges Volk verstanden. Die Assyrer berichten von mehreren Aufständen, die sie blutig niederschlugen.

Zwar halfen die Assyrer den Medern insofern, als sie sie vor barbarischen Plünderern wie den Kimmerern schützten, doch wie tief die Antipathie der Meder gegen die Assyrer war, zeigte sich, als die Meder sich mit einer Allianz ehemaliger

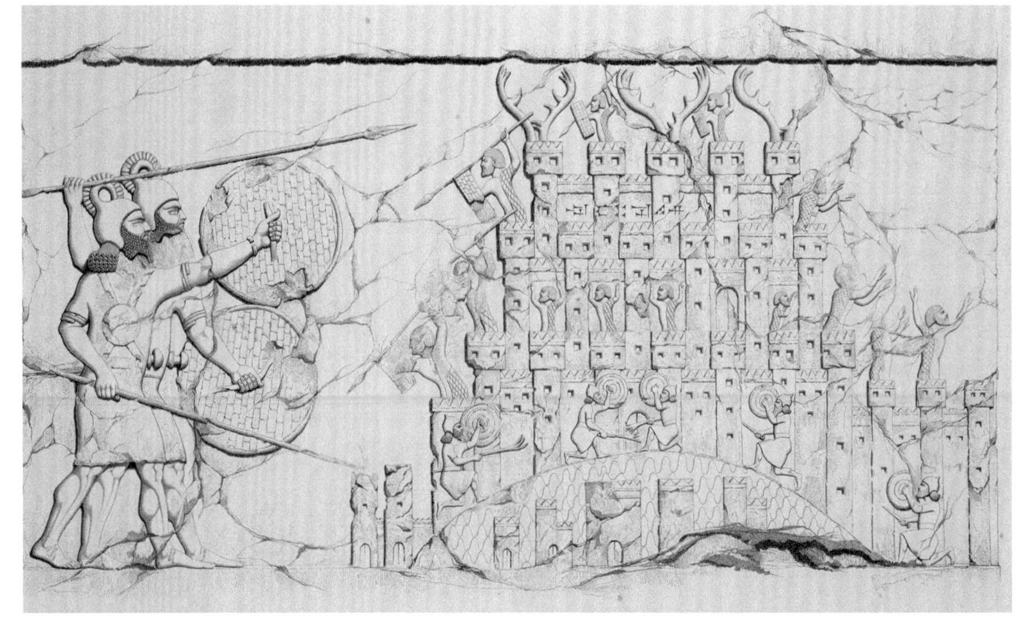

Umzeichnung eines antiken Reliefs, auf dem Assyrer eine medische Stadt angreifen, durch einen Archäologen. Wahrscheinlich waren die einzelnen Städte unabhängig und kamen einander nicht zu Hilfe, wodurch sie für ihre aggressiven assyrischen Nachbarn leichte Beute wurden.

Meder und Perser auf einem Relief aus Persepolis. Die Meder tragen runde Hüte und bewahren ihre Bögen in Kästen auf, während die Perser ihre Bögen über der Schulter tragen.

assyrischer Untertanen unter babylonischer Führung verbündeten, die entschlossen war, ihre Unterdrücker vom Erdboden zu tilgen. Medische Truppen zählten zu jenen Rebellen, die 612 v. Chr. Ninive zerstörten.

Der Fall Assyriens schuf ein Machtvakuum im Nahen Osten und die Meder scheinen zu den Völkern zu zählen, die darangingen, es zu füllen. Zu ihrer Hauptstadt machten sie das einst elamitische Ekbatana, dann stießen sie, wie es der Prophet Daniel geweissagt hatte, nach Norden, Westen und (ein bisschen auch) nach Süden vor. Unklar bleibt, wie kriegerisch dieser Prozess verlief oder ob die Meder einfach komplette Verwaltungsstrukturen übernahmen, die vom verschwundenen Assyrerreich übrig geblieben waren.

Wenn wir Herodot glauben wollen – was viele moderne Historiker nicht tun –, dann beherrschten die Meder von 625 bis 549 v. Chr. ein beachtliches Reich, zu dem die einst assyrischen Gebiete im heutigen Iran sowie ein Großteil des nördlichen Mesopotamien und Armenien zählten. Unter König Kyaxares (624–585 v. Chr.) drangen die Meder nach Anatolien vor und kamen bis zum Königreich Lydien, ehe sie auf entschlossenen Widerstand trafen und am Fluss Halys haltmachten.

Auf dem Gemälde Jean-Charles Nicaise Perrins von 1709 befiehlt Astyages den Tod des kleinen Kyros. Kyros war der Enkel des Mederkönigs Astyages, stürzte ihn später jedoch, und die Meder wurden Teil des Perserreichs.

Inzwischen galten die Meder zusammen mit Babylon und Ägypten als eine der Großmächte der damals bekannten Welt.

Die mysteriösen Meder

Trotzdem wissen wir nur wenig über die medische Gesellschaft und Kultur. Ein Grund dafür ist, dass die Meder in einigen Punkten ihren nahen Verwandten, den Persern, sehr ähnelten. Für spätere westliche Historiker waren Perser und Meder ein und dasselbe, und griechische Historiker, die es besser hätten wissen müssen, sprachen von den Persern als „den Medern". Deshalb fällt es schwer, spezifisch medische Traditionen und Verhaltensweisen herauszufiltern.

Voraussetzen können wir eine Art Feudalgesellschaft, in der Fürsten aus den fünf Mederstämmen Land besaßen und ihrem König, den sie auf Anfrage mit Kriegern unterstützten, Gefolgschaft schuldeten. Der sechste Stamm waren die Magier – eine Priesterkaste, die Träume deutete und den Feuerkult des Gottes Ahuramazda förderte. In der weiteren Geschichte des Mederreichs wurde diese Religion stark durch die Lehren Zarathustras beeinflusst.

Wegen des Könnens der Magier beim Deuten von Zeichen, Wundern und Träumen wurde ihr Name allmählich zur Bezeichnung für jeden fähigen Anwender der geheimen Künste, und wohl in dieser Bedeutung kommen im Matthäusevangelium (2,1) drei *magoi* aus dem Osten (die in anderen Traditionen höchst unmedische Namen bekommen) und folgen einem Stern nach Bethlehem.

Die persischen Eroberer

Aus dem Leim ging das medische Machtgebäude, als König Astyages (585–550 v. Chr.) seine Tochter mit dem Perserkönig Kambyses vermählte (ca. 580–559 v. Chr.). Zu dieser Zeit waren die Perser den Medern unterstellt, doch der Sohn des Kambyses und seiner Frau hatte da andere Vorstellungen. Als dieser junge Mann, Kyros II. – heute nennt man ihn Kyros den Großen –, in Persien an die Macht kam, rebellierte er augenblicklich gegen seinen Großvater. Astyages schickte ein Heer aus, um die aufrührerische Provinz zurückzugewinnen, doch deren Feldherr lief zu den Rebellen über. Schließlich stürmte Kyros Ekbatana und nahm Astyages gefangen, dessen Tochter er heiratete (wenn das so war, dann war sie vielleicht gleichzeitig auch seine Tante). Durch diese Ehe wurde aus dem Aufstand für einen Großteil von Astyages' früherem Herrschaftsgebiet eher ein Palastcoup und so wurde dieses friedlich zu einem Teil des Perser- statt des Mederreichs. Danach machte sich Kyros daran, den Rest zu erobern.

Sobald ihr Land persisch war, wurden die Meder es anscheinend auch. Inschriften legen nahe, dass sie die persische Sprache rasch annahmen, und die wenigen Unterschiede der beiden Kulturen verblassten, als Meder und Perser zu einem einzigen Volk verschmolzen – das die Griechen schon immer in ihnen gesehen hatten.

Nachhall in der Zukunft

Einer der Vorteile, Untertan des medisch-persischen Reiches zu sein, bestand darin, dass das System weniger auf den Launen der örtlichen Bürokraten beruhte und mehr auf der Herrschaft des Gesetzes. Noch heute ist „ein Gesetz der Meder und Perser" etwas, das sich nicht so einfach ändern lässt.

Das medische Wort *maguš* (von einer Wurzel, die „Macht ausüben" heißt) ist auf dem Weg über das altgriechische *magikē* zum heutigen „Magie" mutiert.

Umstritten ist, ob es die Meder noch als eigenes Volk im Nahen Osten gibt – nämlich als Kurden. Gentests haben keine eindeutigen Resultate geliefert, weil wir nicht wissen, wie das Genom der Meder aussah oder ob die Meder überhaupt alle zur selben ethnischen Gruppe gehörten. Da schlüssige Beweise fehlen, ist die ganze Frage untrennbar mit der heutigen Politik der Region verbunden.

ca. 1000–539 v. Chr.

Die Chaldäer

Meister der Magie

O Tochter der Chaldäer […]. Stell dich nun hin mit deinen Zaubersprüchen und mit der Vielzahl deiner Beschwörungen, mit denen du dich seit deiner Jugend abgemüht hast […]. Nun mögen die Astrologen, die Himmelsschauer, die Monatsweissager aufstehen und dich retten.

Jesaja 47,1, 12–13

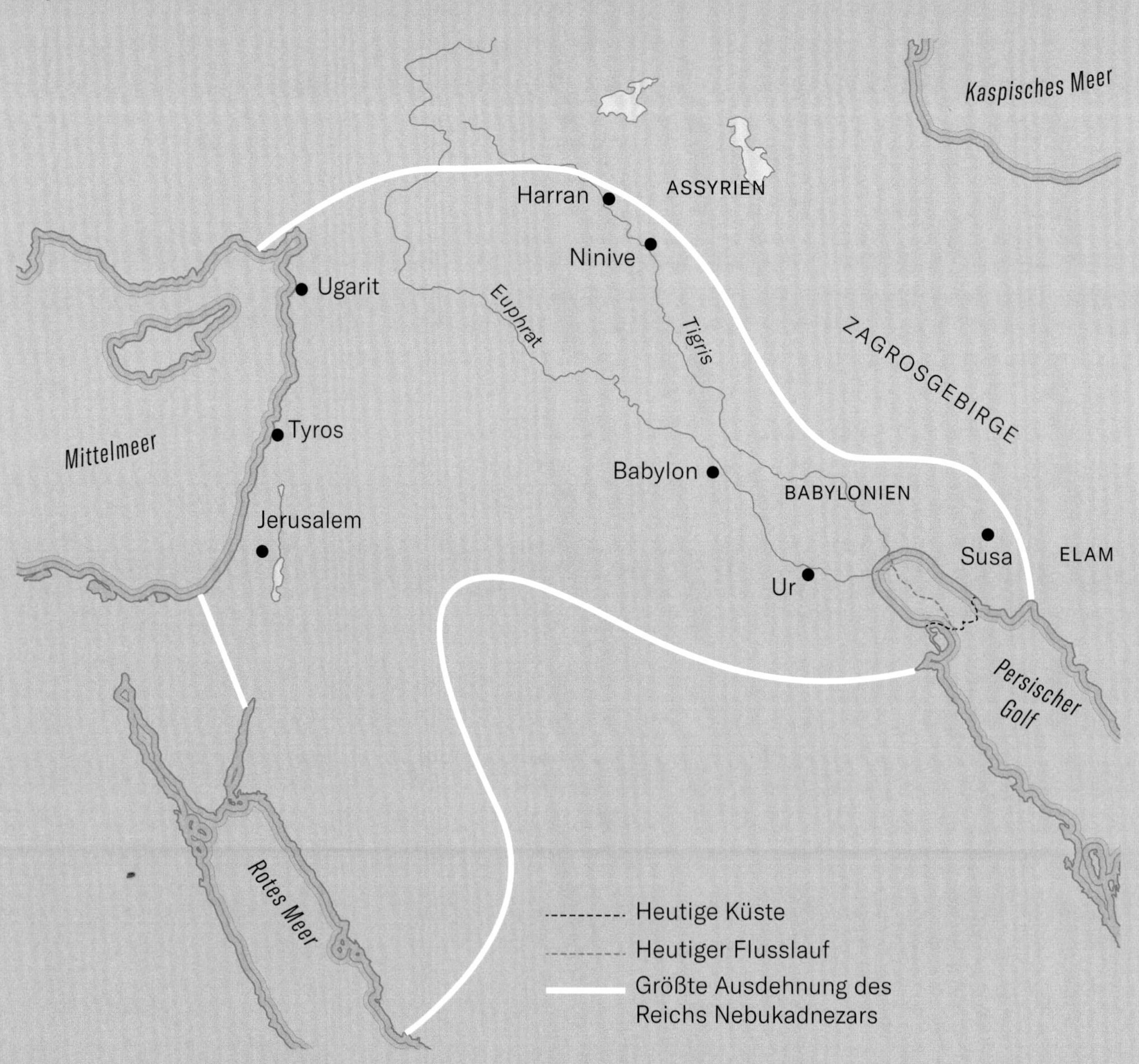

Nicht nur die Hebräer betrachteten die magisch-prophetischen Fähigkeiten des Chaldäervolks mit Misstrauen und Ehrfurcht zugleich. So berühmt waren die Chaldäer in der ganzen antiken Welt, dass in der römischen Kaiserzeit jeder, der die Zukunft vorhersagen zu können behauptete, unter dem Namen „Chaldäer" lief.

Unbequeme Neue aus dem Norden

Als die Chaldäer erstmals auf die Völker des antiken Mesopotamien stießen, waren sie alles andere als gern gesehen. Die ursprünglichen Chaldäer waren das, was die historische Anthropologie als „protoakkadische Völker" bezeichnet, also Verwandte der Assyrer – was sie aber nicht davon abhielt, irgendwann im 10. Jahrhundert mit aller Gewalt in Assyrien einzufallen.

Zu dieser Zeit stand das Assyrerreich in seiner ersten Blüte und seine Heere drängten die Eindringlinge leicht in Landstriche an den Südufern des Euphrat ab. Den Aramäern, die dort lebten, fehlte das assyrische Kampftalent und so mussten sie widerwillig Platz für die Neuankömmlinge machen, die sich für die Gastfreundschaft bedankten, indem sie ihnen umgehend alles wegnahmen.

Der Bibel zufolge brach ein Mann namens Abram aus der Stadt Ur „im Land der Chaldäer" auf, um sein Glück in Kanaan im Westen zu suchen. Das ist die erste für uns sichtbare Verbindung zwischen den Chaldäern und überirdischen Mächten, denn Abraham (wie wir ihn heute nennen) wird als Stammvater des jüdischen, christlichen und muslimischen Glaubens verehrt.

Den in Ur herrschenden Chaldäern spielten ihre assyrischen Cousins böse mit. Aus Bemerkungen, die die Schreiber der Assyrerkönige Aššurnasirpal I. (884–859 v. Chr.) und Salmānu-ašarēd (Salmanassar) III. (859–824) in Keilschrift auf Tontafeln hinterließen, geht hervor, dass die Chaldäer inzwischen Untertanen des Assyrischen Reiches waren. Dass die Chaldäer über diese Entwicklung nicht glücklich waren, versteht sich, denn die Assyrer waren brutale Herrscher.

Die Repressalien der Assyrer hinderten die Chaldäer nicht daran, mit eini-

Schreitender Löwe an einer Wand aus glasierten Ziegeln aus dem Babylon Nebukadnezars. Noch Jahrtausende später kann man die glänzenden Farben und die eindrucksvolle Bildwirkung würdigen.

Fantasievolle Darstellung chaldäischer Astronomen, die auf einer Zikkurat den Himmel beobachten. Damals gab es kaum einen Unterschied zwischen Astronomen und Astrologen.

ger Regelmäßigkeit zu rebellieren, und normalerweise machten die Babylonier und Elamiter bei ihren Aufständen mit, Völker, die ihre assyrischen Herren genauso wenig gernhatten wie die Chaldäer. Jedes Mal gelang es den Assyrern, die Rebellion blutig niederzuschlagen, aber unter den Völkern im Reich staute sich allmählich ein gewaltiger Hass auf.

Die Chaldäer als Reichsgründer

626 v. Chr. erwiesen sich die Assyrer als ihr eigener schlimmster Feind. Ein schwerer Anfall von Bürgerkrieg schwächte ihr Reich derart, dass ein kleiner Chaldäerkönig namens Nabû-apla-uṣur (Nabopolassar) Babylon der assyrischen Kontrolle entreißen konnte. Die unterworfenen Völker im Assyrerreich hatten den Bürgerkrieg und die immer neuen Forderungen ihrer brutalen Herrscher nach Arbeitskräften und Geld satt. Chaldäer, Meder, Parther und Perser schlossen sich mit den barbarischen Skythen und den Kimmerern zu einer Koalition zusammen, deren Ziel die völlige Auslöschung Assyriens war.

Die Koalition hatte einen Riesenerfolg. Als Nabopolassar 605 v. Chr. starb, war die assyrische Hauptstadt Ninive eine rauchende Ruinenlandschaft und die Assyrer waren ausgestorben. Inzwischen hatten Nabopolassar und seine Chaldäer durch ihre Kontrolle über Babylon ein eigenes Reich aufgebaut. Etwa um diese Zeit vertieften sich Babylons chaldäische Herrscher in die detailreichen Forschungen zu Astronomie und Astrologie, für die diese alte Stadt berühmt ist. (Den Babyloniern verdanken wir die zwölf Tierkreiszeichen und die Einteilung der Stunde in 60 Minuten – Letzteres, weil die Babylonier für astronomische Beobachtungen ein Sexagesimalsystem nutzten, also ein Zahlensystem mit der Basis 60.)

Die moderne Archäologie hat große Textmengen zutage gefördert, die die Magiebesessenheit der Chaldäer zeigen. Wie so viele andere Völker der Antike glaubten auch die Chaldäer, dass die Welt von Geistern wimmelte. Viele davon waren bösartig und für Pech und Krankheiten verantwortlich, während andere sich zum Dienst an der Menschheit überreden ließen.

Ein Textfragment von einer Tafel, die sich heute im British Museum befindet, vermittelt einen Eindruck vom chaldäischen Stil der Dämonologie:

> Möge der böse Dämon ausfahren!
> Möge er einen anderen in Besitz nehmen!
> Der hilfreiche Dämon, der hilfreiche Riese,
> mögen sie in seinen Körper eindringen!

Viele, die noch nie von den Chaldäern gehört haben, wissen auch abgesehen von Abraham wenigstens etwas über sie. Da wären beispielsweise die berühmten Hängenden Gärten von Babylon. Nach manchen Berichten wurden sie für die persische Frau des Chaldäerkönigs Nabū-kudurrī-uṣur (Nebukadnezar) II. errichtet (ca. 604–562 v. Chr.), um ihr Heimweh nach den Bergen ihrer Heimat zu lindern. Am besten bekannt ist Nebukadnezar für seine Hauptrolle im biblischen Buch Daniel. Nicht Priester, die über der Leber eines Opfertiers brüteten, oder Sterngucker, die von einer babylonischen Zikkurat nach oben blickten, seien es am Ende gewesen, die den Untergang des Neubabylonischen Reiches der Chaldäer vorhersagten, sondern der Gott der Hebräer. Die Juden hatten wenig für die Chaldäer übrig, wie das Buch Habakuk verrät (1,6–10):

> Die Chaldäer, jenes bittere und voreilige Volk [...]. Auch ihre Pferde sind geschwinder als die Leoparden und grimmiger als die Wölfe am Abend, und ihre Reiter werden sich ausbreiten und ihre Berittenen von weither kommen; sie werden fliegen wie der Adler, der zum Fressen eilt. Sie alle werden kommen, um Gewalt zu tun [...] und sie werden die Gefangenschaft sammeln wie den Sand. Und sie werden Könige verlachen [...] sie werden jede Festung verhöhnen, denn sie werden Staub aufhäufen und sie einnehmen.

Feinde Gottes

Der hebräische Gott grollte den Chaldäern, weil die Ägypter beim Versuch, die chaldäische Herrschaft am Ostrand des Mittelmeers zu untergraben, die Hebräer zum Aufstand getrieben hatten. Das erwies sich als katastrophal für das Haus David und das Königreich Juda, als Nebukadnezar 586 v. Chr. Jerusalem eroberte, den Tempel Salomos niederriss und Tausende Israeliten ins Exil an den Wassern Babylons verschleppte.

Trotz der Vorherrschaft seines Reiches über viele Länder und Völker war klar, dass Nebukadnezar sich sorgte, sein Volk könnte das Schicksal der Assyrer teilen. In der Bibel wird berichtet, er habe von einer Statue geträumt, die sein Reich darstellte. Diese Statue war aus Bronze, Eisen und Gold gemacht, stand aber auf tönernen Füßen. Während diese grundlegende Schwäche auf mangelnden Respekt für den hebräischen Gott Jahwe hingewiesen haben könnte, ist der Untergang der Chaldäer teilweise der Tatsache zuzuschreiben, dass sie sich an die Bevölkerung von Babylon assimiliert hatten. Schon lange hatten sie ihre eigene semitische Sprache aufgegeben und das Aramäische übernommen, das die meisten Völker in Mesopotamien sprachen. Nun verschmolzen die Chaldäer in Gebräuchen, Religion und Kleidung schrittweise mit dem assyrisch-babylonischen Mix in den Kerngebieten des Königreichs und waren nicht mehr davon zu unterscheiden. Trotzdem herrschten die Chaldäer auch weiter in der Priesterkaste des Reiches vor. Nach und nach meinte „Chaldäer" nicht mehr das Mitglied eines schnell verschwindenden Volkes, sondern stattdessen einen Experten für Magie und Weissagungen.

Im Jahr 543 v. Chr., zur Zeit des Belšarru-uṣur (Belsazar), eines der Nachfolger Nebukadnezars, stand dann die Schrift an der Wand: Laut dem Buch Daniel (5,5) feierte der Herrscher gerade ein üppiges Fest, da erschien eine Hand und schrieb eine Weissagung auf die Wand, das Königreich werde untergehen. Der Deuter dieser Worte war der hebräische Prophet Daniel, der den Herrscher davon in Kenntnis setzte, er sei „gezählt, gewogen und zu leicht befunden".

Das tödliche Instrument des Gottesgerichts war der Perserkönig Kyros der Große. Die Perser waren eine aufstrebende Macht im Osten, die bereits das ältere Reich der benachbarten Meder unterjocht hatte. Als Kyros seine Aufmerksamkeit dem Neubabylonischen Reich zuwandte, fiel es ihm 539 v. Chr. wie eine reife Frucht in die Hände – teils deshalb, weil der Statthalter der Provinz Assyrien im entscheidenden Moment zu den Persern überlief.

Ein weiterer Grund für Babylons raschen Fall lag darin, dass die Chaldäer nicht nur Israeliten in großer Zahl ins Exil verschleppt hatten, sondern auch andere unzufriedene Völker. Naturgemäß unterstützten all diese Völker Kyros, der sich bedankte, indem er sie aus der Gefangenschaft entließ und ihnen die Rückkehr in ihre Heimat erlaubte. Mit dem Ende ihres Reiches verschwinden die Chaldäer als Volk aus der Geschichte.

Ein bleibender Name

Doch der Name lebte weiter. 400 Jahre nach der Niederlage des letzten Chaldäerkönigs debattierten Skeptiker in der römischen Republik darüber, ob die Chaldäer ihrer Zeit wirklich in die Zukunft sehen könnten – so berichtet es Cicero (*De divinatione* 47; in Wahrheit haben alle, die er nennt, ein blutiges, vorzeitiges Ende gefunden).

> Ich erinnere mich an die vielen Prophezeiungen, die die Chaldäer für Pompeius, für Crassus und selbst den jüngst ermordeten Caesar machten und die besagten, sie alle würden in hohem Alter daheim und im Glanz ihres Ruhms sterben.

Die Schrift an der Wand in Rembrandts *Gastmahl des Belsazar* von 1635, heute in der Londoner National Gallery.

Der Zusammenbruch des Römischen Reiches und der Aufstieg des Christentums sorgten gemeinsam dafür, dass die Chaldäer für die nächsten 1000 Jahre aus der Geschichte verschwanden. Aber ein so suggestiver Name gerät nicht so leicht in Vergessenheit. Nach Umbauten in der Verwaltung der katholischen Kirche zwischen 1500 und 1600, die eine christliche Gruppe im Gebiet Assyrien anerkannte, die Glaubensgemeinschaft mit Rom suchte, tauchte der Name „Chaldäer" wieder auf. Als chaldäisch-katholische Kirche existiert diese Gemeinschaft seitdem weiter. Noch immer führt sie ein prekäres Dasein in ihrer heute überwiegend muslimischen Heimat, außerdem gibt es eine wachsende Gemeinschaft in anderen Ländern. Viele von ihnen identifizieren sich mit den antiken Chaldäern – doch müsste man schon magische Fähigkeiten haben, wenn man die Richtigkeit dieser Behauptung bestätigen wollte.

Nachhall in der Zukunft

Rembrandts Gemälde *Das Gastmahl des Belsazar* (1635) hält den bedeutsamen Moment fest, in dem eine göttliche Hand auf die Wand zu schreiben beginnt und dem Chaldäerfürsten damit das Abendessen ruiniert. Zwar folgen die hebräischen Buchstaben auf dem Bild nicht der üblichen Schreibweise von rechts nach links, aber jeder halbwegs fähige Priester hätte sie bestimmt entziffern können.

Die Redewendung vom Koloss auf tönernen Füßen ist in die Titel zahlreicher Bücher und Lieder eingeflossen. In den 1940er-Jahren sang Frank Sinatra: „Too late, too late, I realized my idol had feet of clay." In jüngerer Zeit verwendete der verstorbene Terry Pratchett den Ausdruck als Titel eines seiner Bücher in der weltweit erfolgreichen Scheibenwelt-Serie.

ca. 1000 v. Chr. bis 350 n. Chr.

Die Kuschiten

Ägyptens Eroberer aus dem Süden

Sie sind die größten und schönsten Männer der ganzen Welt. Ihre Bräuche sind völlig verschieden vom Rest der Menschheit, ganz besonders darin, wie sie Könige wählen. Sie suchen den Größten ihres ganzen Volkes, und sollte seine Kraft seiner Körperlänge entsprechen, machen sie ihn zum Herrscher.

Herodot, *Historien* 3,20

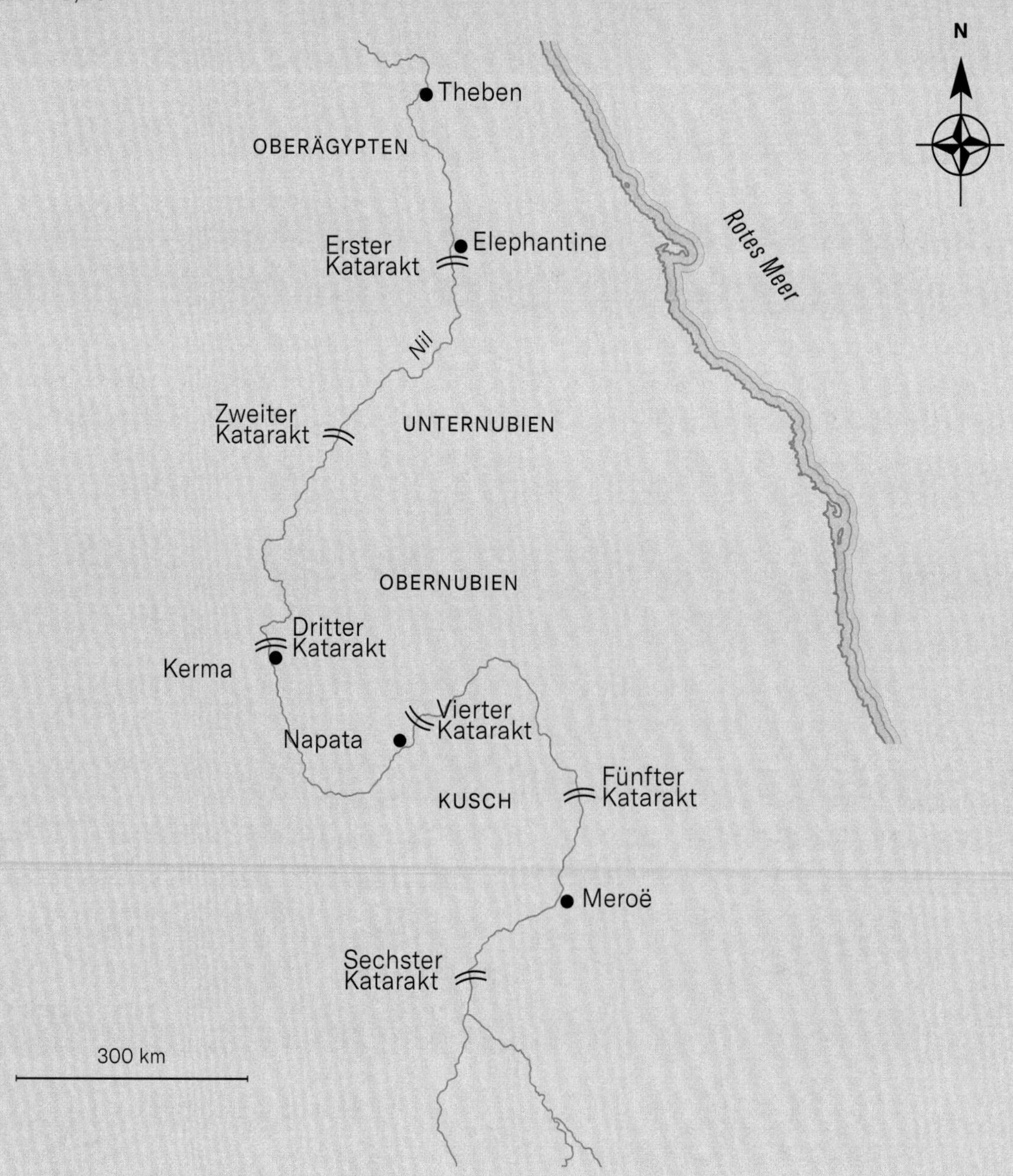

Schon lange weiß die Geschichtswissenschaft, dass die Griechen viele ihrer Ideen von den Ägyptern hatten und weitere (wie die Schrift) indirekt über die Phöniker. Aber bekamen die Ägypter einige ihrer Ideen vielleicht von einem Volk noch weiter im Süden, von einer afrikanischen Zivilisation, die vom Oberlauf des Nils bis zu den Ufern des Viktoriasees reichte?

Das Volk, um das diese faszinierende Theorie kreist, ist eine afrikanische Ethnie, die Kuschiten. In der Ägyptologie galten diese südlichen Nachbarn der Ägypter lange als eine Art Anhängsel, und erst in den letzten Jahrzehnten hat sich das Studium der Kuschiten zu einer eigenständigen Disziplin entwickelt. Allerdings haben Kuschiten und Ägypter eine lange, vielschichtige Beziehungsgeschichte, in der jeder Staat abwechselnd den anderen beherrschte. Deshalb ist es manchmal schwer zu unterscheiden, welche Aspekte der ägyptischen Zivilisation aus Kusch stammen und welche die Kuschiten von den Ägyptern übernahmen.

Ursprung und Aufstieg

Das Königreich Kusch entwickelte sich in jenem Teil Nordafrikas, den die Ägypter Nubien nannten, wahrscheinlich von *nub*, dem ägyptischen Wort für „Gold". Eine andere ägyptische Bezeichnung für die Region war „Land der Bogenschützen" (Ta-Seti), weil die eindringenden Ägypter auf die harte Tour herausgefunden hatten, dass die Einheimischen hervorragend schießen konnten. Es war eine sehr alte Kultur, deren erste geeinigte Königreiche sich um 3000 v. Chr. zu bilden begannen. Tatsächlich könnte es die Notwendigkeit gewesen, der wachsenden Gefahr aus dem Süden zu begegnen, die die Ägypter dazu zwang, sich zu einem einzigen Staat zusammenzuschließen.

Als die Ägypter Mitte des 2. Jahrtausends v. Chr. das Volk der Hyksos endgültig hinauswarfen, das ihr Land über ein Jahrhundert lang beherrscht hatte, wurde Ägypten zur expansionistischen Macht. Nicht nur marschierten ägyptische Heere in Kanaan weit im Norden ein, sie rückten auch südwärts nach Nubien vor und vernichteten dabei das nubische Königreich Kerma. Anschließend war Nubien für mehrere Jahrhunderte eine ägyptische Provinz. Die beiden Kulturen waren in einem sehr tiefgreifenden Austausch, auch wenn die ägyptischen Quellen eine Reihe von Aufständen verzeichnen, was nahelegt, dass die Nubier nicht restlos glücklich mit ihrem Status als Teil Südägyptens waren.

Im 10. Jahrhundert v. Chr. steckte Ägypten in Schwierigkeiten. Eine Serie von Attacken durch Wellen wandernder Seevölker hatte es zwar abgewehrt, aber der Preis war, dass das Königreich nun bankrott und

Der runde Kopf und die feinen Gesichtszüge dieser Bronzestatue zeigen, dass die dargestellte Person ein Kuschite ist, während der Leopardenkopf auf dem Schurz erkennen lässt, dass er Priester war.

erschöpft war. Die ägyptische Macht im Süden verfiel so sehr, dass die Lokaladligen sie selbst in die Hand nehmen konnten und ein unabhängiges kuschitisches Königreich errichteten, ausgehend vom Stadtstaat Napata am Nil im heutigen Sudan.

Wie die Ägypter feststellten, standen sie außerdem einem neuen Feind in Gestalt der wieder erstarkenden Macht Assyriens gegenüber, das bis an die östliche Mittelmeerküste expandiert war und anscheinend ernsthafte Absichten hegte, auch Ägypten zu erobern. Während sich die Ägypter auf die Gefahr im Norden konzentrierten, nutzte das Königreich Kusch die Gelegenheit, ernsthafte Vorstöße in Ägyptens südliche Besitzungen zu unternehmen. Eine Reihe kuschitischer Kriegerkönige schob anschließend die Grenzen ihres Reiches über Elephantine hinaus vor und auf die alte ägyptische Stadt Theben zu.

728 v. Chr. war Ägypten unter der Last des militärischen, sozialen und ökonomischen Drucks zerbrochen. Mindestens drei Pharaonen erhoben den Anspruch, ein Stück des geteilten Königreichs zu regieren. Während sie miteinander zankten, löste ein kuschitischer König namens Piye die Frage endgültig, indem er den gesamten Staat unter seine Kontrolle brachte. Erneut waren Ägypten und Nubien vereint, diesmal aber unter den Kuschiten. Aus Piye und seinen Nachfolgern

wurde die 25. Dynastie ägyptischer Pharaonen, die ein Land beherrschte, das sich beinahe 2500 Kilometer von Gaza bis zur sagenumwobenen Stadt Meroë erstreckte, rund 200 Kilometer nördlich des heutigen Khartum im Sudan.

„Das große Meroë"

Meroë war die zweitwichtigste Stadt Kuschs und die Drehscheibe, durch die Gold, Elfenbein und Sklaven nach Norden strömten. Der griechische Historiker Herodot, der im 5. Jahrhundert v. Chr. schrieb, beschreibt eine utopische Stadt (*Historien* 3,17–25), wo die Menschen 100 Jahre alt würden und sich von „Fleisch und Milch" ernährten. Ausgrabungen im Jahr 1910 lieferten Beweise, die eine Identifikation mit Herodots Meroë stützten, und auch sein „Sonnentempel", wo Nahrung für das Volk aus dem Nichts erschien, ist versuchsweise lokalisiert worden. Herodot will von der „großen Stadt" Meroë gehört haben, als er auf Elephantine war, einer Nilinsel nahe dem Ersten Katarakt, 50 Tagereisen weiter nördlich.

In jedem Fall war Meroë gründlich urbanisiert. Laut Strabon, dem Geografen des 1. Jahrhunderts n. Chr., bestanden die Häuser aus Palmholz im Wechsel mit Ziegellagen. Heute ist die Stadt so radikal zerstört, dass es unmöglich ist, auch nur eine annähernd maximale Einwohnerzahl zu nennen, aber noch immer enthalten diese Ruinen über 200 ansehnliche Pyramiden im steilwandigen „nubischen Stil".

Von der kuschitischen Kultur ist so viel verloren, dass wir heute unsere Mühe haben, Teilaspekte zu bestimmen. Bestimmt wäre es hilfreich, wenn wir die

Kuschitische Pyramiden in Meroë (im heutigen Sudan), der zweitwichtigsten Stadt des kuschitischen Königreichs. So eng waren kuschitische und ägyptische Kultur verflochten, dass sich heute unmöglich sagen lässt, welche Zivilisation was von der anderen lernte.

wenigen erhaltenen Texte in meroitischer Sprache lesen könnten, die mindestens die späteren Kuschiten verwendeten. Bisher aber ist noch kein Rosettastein entdeckt worden, der durch mehrsprachige Inschriften einen Schlüssel zu den rätselhaften Tontafeln bilden könnte, die die Archäologen ausgegraben haben, und daher muss vorerst viel vom Verwaltungs- und Sozialleben der Kuschiten ein Geheimnis bleiben.

Die kuschitische Herrschaft über Ägypten dauerte weniger als ein Jahrhundert, von rund 750 v. Chr. bis 656 v. Chr. Die kuschitischen Pharaonen erwischten einen kraftvollen Start, kämpften um die Kontrolle der Ostküste des Mittelmeers und halfen dem Königreich Juda bei der Verteidigung Jerusalems gegen die Assyrer. (Es rückt unsere Maßstäbe zurecht, dass, während sich die Gelehrten der Klassischen Altertumswissenschaften auf die Griechen und die lokalen Scharmützel des Städtchens konzentrieren, aus dem einmal Rom werden sollte, zur selben Zeit an den östlichen Mittelmeerufern Menschen aus dem Sudan gegen Menschen aus dem Iran um die Kontrolle über Syrien kämpften.)

Rückzug aus Ägypten

Dieses imperiale Ausgreifen überforderte ihre Ressourcen, und die Kuschiten waren nicht nur außerstande, den Ostrand des Mittelmeers zu erobern, sie verloren noch dazu Nordägypten, wo die Assyrer eine Marionettenregierung einsetzten. Der letzte kuschitische Pharao Tantamani (Tanutamun) unternahm einen energischen Versuch, Ägypten zurückzugewinnen, doch er scheiterte, und um 650 v. Chr. war wieder Napata die Kernregion des kuschitischen Königreichs. Die Grabpyramide von Tantamani ist noch immer am königlichen Bestattungsplatz von El-Kurru (im heutigen Sudan) nahe Napata neben den Pyramiden König Piyes und seiner Nachfolger zu bewundern.

Die Ägypter verfolgten die zurückweichenden Kuschiten, griffen Napata an, plünderten die Stadt und brannten sie nieder. Nach 590 v. Chr. entschieden die Kuschiten, dass ihre Nachbarn im Norden zu stark geworden seien, und zogen sich weiter nach Süden zurück, wo sie Meroë zu ihrer neuen Hauptstadt machten.

Nachdem Assyrien in einer Flut von Bürgerkriegen und rachsüchtigen Ex-Untertanen untergegangen war, wurde Ägypten zum Untertanen des achämenidischen Perserreichs, das Kyros der Große gegründet hatte. Die Perser hatten vom legendären Reichtum Meroës gehört und unternahmen einen entschlossenen Versuch, ihn zu erbeuten, doch ein Feldzug unter ihrem König Kambyses II. (530–522 v. Chr.) scheiterte. Danach blieben die Kuschiten sich selbst überlassen.

Völlig aufgegeben wurde Napata nicht, und nachdem die Römer Ägypten erobert hatten, wagten sie sich im 1. Jahrhundert v. Chr. nach Süden. Sie fanden Napata damals von einer Kriegerkönigin namens Kandake beherrscht vor, die auch in der Apostelgeschichte (8,26) erwähnt wird. (Tatsächlich war „Kandake“ vielleicht das kuschitische Wort für „Königin“ und kein Eigenname.) Der römische General Petronius zerstörte Napata, war aber von der Heftigkeit der Reaktion verblüfft, als immer neue Kriegerwellen seine Garnisonen angriffen. („Ihre Frauen tragen Waffen!“, vermerkte Strabon leicht schockiert.) Am Ende bat Kandake um Verhandlungen. Als Petronius ihr mitteilte, ihre Gesandten müssten mit Caesar Augustus sprechen, war die verwirrte Antwort ungefähr: „Caesar *wer*, bitte?“

Meroë im Süden lebte überwiegend in Frieden weiter, hatte aber eigene Probleme. Das Gebiet war reich an Bodenschätzen und Wäldern, aber Bergwerke benötigen große Holzmengen als Stützwerk und für die Schmelzöfen. Am Ende brauchte Meroë alles lokal verfügbare Holz auf, was zu massiven Umweltschäden führte. Als die axumitischen Nachbarn aus Äthiopien 350 n. Chr. Meroë verwüsteten, gaben sie nur einer Stadt den Rest, die sich zum Großteil bereits selbst zerstört hatte.

Nachhall in der Zukunft

Als die Griechen unter Alexanders Führung nach Osten zogen, überschritten sie eine massive Gebirgskette, die den Bergen im äthiopischen Hochland östlich von Kusch ähnelte. Das ist eine Theorie (von vielen), wie der Hindukusch zu seinem Namen kam. (Heute trägt eine Cannabissorte aus dieser Region den Namen „Kusch“, die auf medizinische Verwendungsmöglichkeiten hin untersucht wird.)

Eine der umstrittensten Theorien zum Ursprung der griechischen Zivilisation stellte der Autor Martin Bernal in seinem Buch *Black Athena* (1987, überarbeitet 2006) auf. Wie sein Untertitel „Die afroasiatischen Wurzeln der klassischen Zivilisation“ verrät, plädiert er dafür, dass die griechische Kultur stark durch Ideen, ja sogar Siedler aus Afrika beeinflusst wurde. Diese kurze Zusammenfassung kann Bernals Theorie nicht wirklich gerecht werden und nicht jeder stimmt ihr zu, aber der Gedanke ist faszinierend, die verschollenen Kuschiten könnten die westliche Zivilisation mitgestaltet haben.

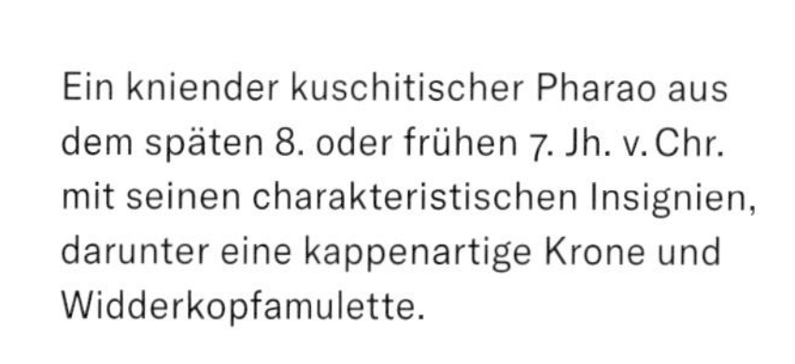

Ein kniender kuschitischer Pharao aus dem späten 8. oder frühen 7. Jh. v. Chr. mit seinen charakteristischen Insignien, darunter eine kappenartige Krone und Widderkopfamulette.

329 v. Chr. bis 10 n. Chr.

Die Baktrer

Mächtige Händler auf der Seidenstraße

Zwar waren sie zivilisierter als Nomaden, aber eine der schlimmsten Eigenschaften [der Baktrer …] *war, dass die durch Alter oder Krankheit Gebrechlichen bei lebendigem Leib Hunden vorgeworfen wurden, die sie als Beute behandelten. Die Hunde wurden eigens zu diesem Zweck gezüchtet und die Einheimischen nannten sie ‚Bestatter'.*

Strabon, *Geographika* 11,11,3

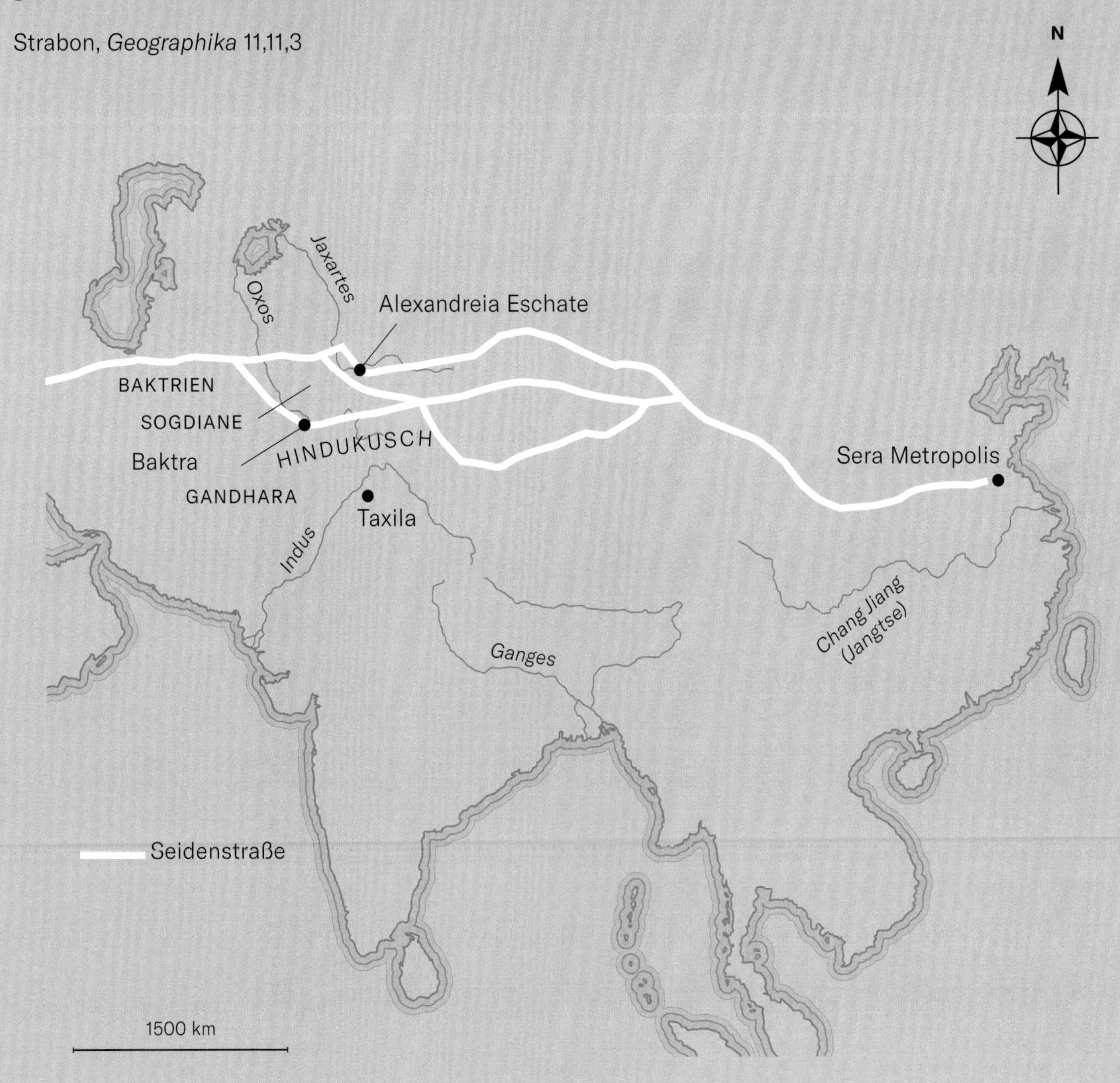

Die Stadt Balkh in Nordafghanistan liegt etwa 75 Kilometer südlich der Grenze zu Usbekistan. Von Griechenland ist sie über 5000 Kilometer weit entfernt, und sogar heute dauert ein Flug zwischen Athen und Balkh über neun Stunden. Was daran interessant und erstaunlich ist? In der klassischen Antike hieß Balkh Baktra und war die Hauptstadt eines beachtlichen griechischen Königreichs, das auf die eine oder andere Art rund 300 Jahre lang bestehen blieb.

Alexander im Osten

Die Geschichte der Griechen im heutigen Afghanistan begann 329 v. Chr. damit, dass Alexander der Große den letzten Mann verfolgte, der Anspruch auf den Thron des persischen Achämenidenreichs erhob, Bessos, den Satrapen (Provinzstatthalter) von Baktrien. Durch Baktriens Eroberung wurde Alexander zum Herrn aller früheren Güter des Perserkönigs.

Die Baktrer, die seit dem 6. Jahrhundert v. Chr. zum Perserreich gehört hatten, wurden nicht ohne Gegenwehr griechische Untertanen. Die Mehrheit der Bevölkerung Baktriens und des Nachbarstaats Sogdiane folgte den Lehren ihres heimischen Propheten Zarathustra, dessen Lehre – der Zoroastrismus – noch heute viele Anhänger hat. Feuer und Erde waren den einheimischen Völkern heilig, die deswegen entsetzt über den griechischen Brauch waren, Leichen entweder zu begraben oder zu verbrennen. Ihre eigenen Toten wurden im Freien der Verwesung und den Aasfressern überlassen – ein Brauch, der die Griechen so sehr schockierte, wie umgekehrt die Baktrer von ihnen geschockt waren.

Es folgte eine muntere Rebellion und der pragmatische Alexander erkannte, dass er entweder einen Kompromiss schließen oder sich mit einem Zustand permanenten Aufruhrs abfinden musste. Was genau man damals vereinbarte, wissen wir nicht, aber Teil des Abkommens war, dass Alexander eine sogdische Prinzessin namens Roxana (oder auch Roxane) heiratete.

Städte waren in der Region auf jeden Fall nichts Neues (mit bereits über 1000 Jahren war Balkh/Baktra so altehrwürdig, dass es als „Mutter der Städte" bekannt war). Alexander und seine Untergebenen jedoch hoben den Städtebau auf eine ganz neue Ebene, indem sie eine Vielzahl neuer Städte gründeten und andere – darunter Baktra – in hellenistischer Form umbauten. Als Alexander auf der Suche nach neuen Welten zum Erobern weiterzog, besaß das Königreich Baktrien-Sogdiane mehrere Hundert „Städte" und eine Bevölkerung von etwa 35 000 griechischen Siedlern.

Viele von ihnen waren Glücksritter, die in den Grenzregionen, die sich im Osten nun auftaten, ein neues Leben anzufangen hofften. Andere waren Veteranen aus dem Heer, die Alexander zwangsweise in den Ruhestand geschickt hatte

Das Grab Alis aus dem 15. Jh. in Mazar-i-Sharif nahe Balkh, wie Baktra heute heißt. In der Stadt gibt es nur wenige antike Denkmäler, weil Dschingis Khan sie im späten 12. Jh. dem Erdboden gleichmachte.

und die gar nicht froh darüber waren, ihr Leben Tausende Kilometer von zu Hause entfernt beenden zu sollen. Als sich die Nachricht von Alexanders Tod verbreitete, versuchten daher die meisten Siedler, ihre Sachen zu packen und nach Griechenland heimzukehren, aber die Karawane der Rückkehrer wurde von Alexanders Nachfolgern aufgehalten, die genau wussten, dass die Anwesenheit griechischer Siedler unerlässlich war, wenn sie diese östlichste ihrer Eroberungen behaupten wollten.

Während des nächsten Jahrhunderts waren griechische Siedler und baktrische Einheimische zu einem unbehaglichen Zusammenleben gezwungen – eine Zeit, in der dieses Königreich bei den Erbfolgekämpfen hellenistischer Monarchen, die viel weiter westlich saßen, weithin übersehen wurde. Die Beinahe-Isolation Baktriens wurde 245 v. Chr. vollständig, als sich das Volk der Parner erhob und ein unabhängiges Königreich mit Zentrum in Mesopotamien gründete, aus dem bald das Partherreich werden sollte.

Ein unabhängiges Königreich

Inzwischen hatten die Menschen in Baktrien das offiziell gemacht, was faktisch bereits der Fall war: Sie erklärten sich zu einem unabhängigen Königreich und der frühere Satrap war nun Diodotos I. von Baktrien und der Sogdiane. Dieses neue Reich war kein bloßer isolierter Ausläufer griechischer Kultur, sondern ein mächtiger, dynamischer Staat für sich. Das bei späteren Geografen als „Königreich der tausend Städte" bekannte Baktrien besaß alle nötigen Zutaten für ein Erfolgsrezept. Geografisch war das Land gegen Invasoren durch die Gebirgskette des Hindukusch im Süden und eine unwirtliche Wüste jenseits der Sogdiane im Westen geschützt. Zwischen beiden lag eine

fruchtbare Gegend, die durch Schmelzwasser aus den Bergen und weiter nördlich vom Oxos (Amu Darja) bewässert wurde. Zwar war das Königreich nun vom Seleukidenreich abgeschnitten, zu dem es vorher gehört hatte, aber jetzt handelte es über Indien mit dem ptolemäischen Ägypten und entwickelte – ebenfalls über Indien – einen ausgedehnten indirekten Handel mit China. Tatsächlich wurden die Chinesen erst durch die Baktrer zum ersten Mal auf die Mittelmeerkultur aufmerksam und begannen Posten entlang jenes Handelswegs einzurichten, der später als Seidenstraße berühmt wurde.

Sehr erleichtert wurde der Handel durch eine heimische Nutztierart: das baktrische Kamel, das in dieser Region immer noch wild vorkommt. Dieses sofort an seinem Doppelhöcker erkennbare Kamel war das ideale Tier für den regionalen Fernhandel. Ein baktrisches Kamel kann über 100 Liter Wasser auf einmal saufen und anschließend ohne Wasser bis zu 50 Kilometer pro Tag beladen zurücklegen. Die Temperaturen der ansonsten anheimelnden Region schwanken von –30 °C im Winter bis 40 °C im Sommer – Bedingungen, die das baktrische Kamel ohne große Probleme auszuhalten scheint.

Eine griechisch-indische Fusion

Es dauerte nicht lange, bis die baktrischen Könige ein aggressives Interesse an ihren Nachbarn zu entwickeln begannen. Die meisten Eroberungen Alexanders in Indien hatten seinen Tod nur kurz überdauert, doch im frühen 2. Jahrhundert v. Chr. startete ein baktrischer König namens Demetrios I. eine Reihe von Feldzügen, deren Folge die Errichtung dessen war, was man normalerweise das Indo-Griechische Reich nennt, das sich in den Nordwesten des indischen Subkontinents hinein erstreckte. Es folgte eine Phase kulturellen Austauschs, die zu einer Teilfusion der griechischen und der indischen Kultur führte, deren Ergebnis viel von beiden hatte, aber etwas einmalig anderes war. Gut belegt ist diese Fusion in Gegenständen der Epoche, die gleichzeitig andere Aspekte der Vermischung von Griechischem und

Demetrios I., der König des griechischen Reiches Baktrien, trägt einen markanten Kopfschmuck. Er und seine Nachfolger nutzten zur Selbstdarstellung häufig ein Elefantenmotiv.

Indischem vor Augen führen. Beispielsweise gibt es nach hellenistischer Art geprägte Münzen mit griechischen Aufschriften, aber in quadratischer Form, wie zeitgenössische indische Münzen sie hatten, und statt der vertrauten hellenischen Gottheiten mit – beispielsweise – Avataren des indischen Gottes Vishnu.

Tatsächlich scheint sicher, dass ein Großteil der Bevölkerung nicht nur dem Zoroastrismus oder dem Hindu-Glauben folgte, sondern sich auch zum Buddhismus bekehrt hatte. Hinzu kam noch ein hohes Maß an Synkretismus – jenem Prozess, in dem eine Religion Elemente einer anderen übernimmt.

Baktrische Dämmerung

Zwei Faktoren kamen zusammen, die die Herrschaft der Griechen im Osten beendeten. In unseren Quellen sind sie schlecht belegt, weil die antiken Historiker – so ähnlich wie vor ihnen die hellenistischen Könige des Westens – sich ganz auf die Ereignisse rund ums Mittelmeer konzentrierten. Klar ist aber, dass die baktrische Monarchie unter derselben bedauerlichen Anfälligkeit für Usurpationen und Bürgerkriege litt wie ihre westlichen Verwandten. Bürgerkrieg in einem Staat, den fremde, räuberische Völker umgeben, ist nie eine gute Idee, und alles wurde noch schlimmer, als eine der regelmäßigen Phasen nomadischer Migration, die in dieser Region auftraten, die Nordgrenze traf.

Baktrische Kamele sind in ihrer Heimat schon lange wichtig gewesen – diese Statuette aus der Region ist mindestens 4000 Jahre alt.

Ganze Städte wurden zerstört, zu anderen brach der Kontakt ab, etwa zu Alexandreia Eschate (wörtlich „Alexandria die Entlegenste") am Jaxartes. Diese Stadt lag mehrere Hundert Kilometer nordöstlich der Hauptstadt Baktra und über 9650 Kilometer von Griechenland entfernt. Ihre letzte Erwähnung zeigt, dass sie 30 v. Chr. noch immer im Geschäft war.

Von ständigen Kriegen geschwächt, konnten die Baktrer den Angriffen von Parthern, Yuezhi-Nomaden aus Nordwestchina und aggressiven indischen Königen nichts entgegensetzen, sodass ihr Königreich im Lauf des 1. Jahrhunderts v. Chr. allmählich zerfiel.

Zuerst wurde Baktrien selbst überwältigt, und zuletzt verschwanden 10 n. Chr. die letzten Überbleibsel des griechischen Königreichs in Indien. Wie genau es dazu kam, wissen wir nicht, und das Wann kennen wir nur dank der Entdeckung

Einer der monumentalen Buddhas aus dem 6. Jh. im afghanischen Bamiyan, gemeißelt im Gandhara-Stil und zerstört 2001.

von Münzen des ansonsten unbekannten Königs Straton III. Philopator.

Nachhall in der Zukunft

Heute sind die baktrischen Griechen bei Menschen im Westen fast völlig vergessen – viele davon sind schon überrascht, wenn sie griechische Ruinen in der Türkei antreffen, weit weg vom Westen Baktriens. Weniger überrascht sind die Kunsthistoriker, dass die Gandhara-Kunst – die Verschmelzung griechischer und indischer Stile – in der Region weitere tausend Jahre bis zur islamischen Eroberung überlebte. Die vielleicht berühmtesten Beispiele dieses indogriechischen Stils waren monumentale, aus dem Fels geschlagene Statuen des Buddha in Bamiyan an der Seidenstraße in Afghanistan; die größte davon war über 50 Meter hoch. Die Statuen überstanden Dschingis Khan und die europäische Besatzungszeit, aber 2001 entschied die damalige Taliban-Regierung Afghanistans, sie seien „gegen den Islam". Trotz weltweiter Proteste, viele davon aus muslimischen Ländern, wurden die Statuen gesprengt. Diese Barbarei vernichtete eine der letzten erhaltenen Spuren griechischer Präsenz in der Region.

Teil 3

Der Aufstieg Roms

753 v. Chr. bis 235 n. Chr.

Die Zivilisation greift über das Mittelmeer hinaus

Das alte Rom – die Worte rufen in unserem Kopf machtvolle Bilder wach. „Die Herrlichkeit, die einst Griechenland war, und die Pracht namens Rom", so sagt es Edgar Allan Poe in seinem Gedicht „To Helen" (geschrieben 1845). Diese „Pracht" haben Dutzende Sandalenfilme auf Leinwand und Bildschirm herausgestrichen und Generationen haben sich an die Vorstellung gewöhnt, dass römische Soldaten in langen roten Mänteln, wenig überzeugenden Lederpanzern und gigantischen Armschienen aus Kupfer herumstolzierten.

In Wirklichkeit trugen die Römer kaum je eins dieser Kleidungsstücke und die Pracht der römischen Architektur wurde durch eine eher schmutzige Realität verdorben, in der diese edlen Marmortempel von einem Gewimmel aus Marktständen umgeben waren. Außerdem gibt es die Vorstellung, dass Rom die Fackel der Kultur in eine schreiende, unzivilisierte Wildnis trug und den Barbaren mit Hilfe von Aquädukten, Straßen und anständigen Abwasserkanälen ihre Misthaufen und Lehmhütten abgewöhnte.

Das traf in gewissem Umfang auf das antike Britannien zu – obwohl selbst diese nördliche Insel um einiges zivilisierter war, als die meisten denken. Und weil britische Historiker lange Zeit starken Einfluss auf das Rombild der angelsächsischen Welt ausgeübt haben, neigt man dazu, sich vorzustellen, dass die Erfahrung der Briten auf eroberte Völker im ganzen wachsenden Reich Roms zutraf.

Auch hier gilt: So stimmt das nicht. Tatsächlich war oft das Gegenteil der Fall – die von Rom eroberten Völker neigten (oft mit sehr guten Gründen) zu der Annahme, dass die Barbaren vielmehr die Römer seien und es ihre eigene ungewollte Aufgabe sei, diesen die Errungenschaften der Zivilisation nahezubringen. Der augusteische Dichter Horaz (65–8 v. Chr.) bemerkte mit Blick auf die Dominanz des Hellenismus in der römischen Kunst, Literatur und Architektur seiner Zeit: „Griechenland hat seinen groben Bezwinger bezwungen."

Zumindest die Griechen konnten von den Römern wenig über Aquädukte, Straßen, Abwasserkanäle und die übrigen Freuden der städtischen Zivilisation lernen. Das hatten sie Jahrhunderte vorher von Mesopotamien und Ägypten gelernt, und Roms bisherige Leistungen beeindruckten sie nicht. Als Pyrrhos, König der **Epiroten** in Westgriechenland, von 280 bis 273 v. Chr. eine erfolglose Reihe von Kriegen gegen die römische Republik führte, bewunderte er die Ordnung in den römischen Militärlagern und kommentierte, in diesem Punkt zumindest „sehen diese Barbaren gar nicht so barbarisch aus".

Vor Griechenland hatten die Römer ihre italischen Landsleute unterworfen. Auch hier gibt es kaum Anzeichen, dass die Völker Italiens sich von der Überlegenheit der römischen Zivilisation überwältigt fühlten. Von der Macht der römischen Legionen, das sicher, und von der

Aggressivität und Disziplin des römischen Durchschnittssoldaten ganz bestimmt, aber von römischer Kunst, Architektur und Dichtung? Nicht im Mindesten. Diese Facetten der Zivilisation waren in ganz Italien mit Ausnahme des gallischen Nordens verbreitet. Die großen Namen der lateinischen Literatur von Plautus (nördliches Mittelitalien) über Horaz (samnitisches Italien) und Vergil (Gallia cisalpina) bis hin zu Martial (Spanien) und Juvenal (Aquinum an der Grenze zu Etrurien) schließen nur ganz wenige echte Römer aus Rom ein. Selbst *der* Römer schlechthin, Marcus Tullius Cicero, stammte aus Arpinum, einer Samnitenstadt, die Rom 200 Jahre vor seiner Geburt eingenommen hatte.

Das Beispiel dieser Autoren zeigt uns, worin Roms wahre Macht bestand: in seiner Fähigkeit, aus in der Schlacht besiegten Feinden Römer zu machen. Aber da die Römer der Republik erkannten, dass die Völker, deren Länder sie überfallen und deren Städte sie geplündert hatten, vielleicht noch Groll gegen sie hegten, enthielten sie ihren neuesten Bürgern mehrere Jahrzehnte lang das Wahlrecht vor, bis diese zumindest teilweise romanisiert waren.

Und romanisiert wurden sie. Die Ersten in einem eroberten Volk, die römische Bürger wurden, waren normalerweise die Aristokraten. Sie mussten sich daran gewöhnen, dass sie nicht länger die dicksten Fische in einem sehr kleinen Teich waren, dafür wurden sie Bewohner einer größeren Welt mit grenzenlosen Möglichkeiten. Exemplarisch für die Art, wie Rom andere Völker integrierte, ist der Lebenslauf eines gewissen Gaius Ventidius Bassus.

Ventidius stammte aus dem Picenum in der norditalischen Poebene. Als er noch ein kleiner Junge war, griffen die Römer im Bundesgenossenkrieg von 90 v. Chr. die Region an, plünderten sie und nahmen Tausende gefangen – darunter auch Ventidius. Er sah Rom das erste Mal, als er zusammen mit seiner mitgefangenen Mutter als Trophäe in einem römischen Triumphzug durch die Stadt getrieben wurde. Aber Rom stand begabten Männern offen und eine der großen Stärken der Stadt war, dass es ihr egal war, woher diese Talente stammten, solange die Leute bereit waren, Römer zu werden. Ventidius wurde in die Armee eingezogen, wurde Römer und machte dank seiner Fähigkeiten rasch Karriere.

Im Jahr 40 war er römischer Feldherr und hatte die Aufgabe, eine Partherinvasion in Roms östlichen Provinzen zurückzuschlagen. Einige Jahre später war Ventidius wieder in Rom, wo er zum zweiten Mal in einem römischen Triumph auftrat – diesmal nicht als elender Gefangener, der mit Pieksern einer Speerspitze angetrieben wurde, sondern als der siegreiche General, für den das ganze Spektakel veranstaltet wurde.

Kurz gesagt: Ventidius wurde so römisch wie die Römer, ebenso die anderen Menschen in seiner Heimat Picenum. Das Schicksal der Picenter war keineswegs einmalig. Viele Stämme und Kulturen in diesem Abschnitt sind tatsächlich verschwunden – nicht durch Auslöschung, sondern durch Integration. Als Eroberer war Rom barbarisch, aber es nahm die Eroberten freundlich auf. Kulturen, die die Anfangsphase der Plünderungen und Massaker durch die römischen Legionen überlebten, waren wehrlos gegenüber einem Prozess, der sie dem römischen Mainstream anpasste.

Die **Sabiner** gingen so früh darin auf, dass einer von ihnen Roms zweiter König nach Romulus wurde, und die Etrusker folgten ihnen bald. Manche italischen Völker hielten sich dagegen jahrhundertelang und Teile Norditaliens widersetzten sich Rom sogar noch, als die **Galater** und **Thraker** bereits ins Reich geholt wurden. Der Gallierstamm der Arverner, den Caesar in den 50er-Jahren v. Chr. unterwarf, wurde fester Bestandteil des römischen Gallien, ebenso die Bataver, ein Germanenstamm aus dem Rheindelta. Ihr militärisches Können schätzten die Römer so sehr, dass Bataver den Großteil der persönlichen Leibgarde der Kaiser von Augustus (27 v. Chr. bis 14 n. Chr.) bis Galba (68–69 n. Chr.) bildeten.

Besonders hartnäckig widersetzten sich die Briten, deshalb sind der Catuvellauner Caratacus und die Icenerfürstin Boudicca noch heute britische Nationalheld:innen. (Und das, obwohl aufgrund mehrerer Wellen späterer Invasoren in Britannien die Franzosen in der Bretagne mit größerer Wahrscheinlichkeit von Caratacus abstammen als der heutige Durchschnittsbrite.) Doch sogar in Britannien war das Muster dasselbe. Erst marschierten gegen heftigen Widerstand die römischen Legionen ein. Dann marschierten die Legionen Jahrzehnte oder Jahrhunderte später wieder ab, nur waren ihre Reihen jetzt mit den Nachkommen der Leute gefüllt, die sie einst so grimmig bekämpft hatten.

Die Archäologie hat gezeigt, dass das Römische Reich kein homogener Kulturmonolith war. Es gab keinen bewussten Plan, „Einheitsrömer“ aus den Menschen zu machen, selbst wenn sie assimiliert wurden.

Nabatäische und keltiberische Römer am Ost- und am Westende des Imperiums waren ganz unterschiedliche Leute, sosehr sie neben ihrer eigenen Kultur eine gemeinsame römische besaßen. Die Samaritaner am Ostende des Mittelmeers bewahrten sich eine Identität, die in bescheidenem Umfang bis heute überlebt.

Nur an den Außengrenzen des Reiches – bei den Garamanten und Numidern in den Wüsten Nordafrikas und den Dakern jenseits der Donau in ihrer transsilvanischen Balkanfestung, während die nomadischen Sarmaten noch weiter draußen in der Steppe des zentralen Eurasien lebten – waren Roms Anziehungskraft und Beständigkeit bestenfalls brüchig und außerdem vorübergehend. Und aus der eurasischen Steppe sollte auch, wie wir im letzten Abschnitt sehen werden, die letzte Herausforderung für die Macht Rom kommen.

ca. 1500–550 v. Chr.

Die Thraker

Meister der Metallverarbeitung

Jeder Mann bei den Thrakern hat mehrere Frauen, und kaum ist ein Mann gestorben, bricht unter ihnen ein Streit aus, welche von ihnen ihren Mann am meisten geliebt hat.

Herodot, *Historien* 5,5,1

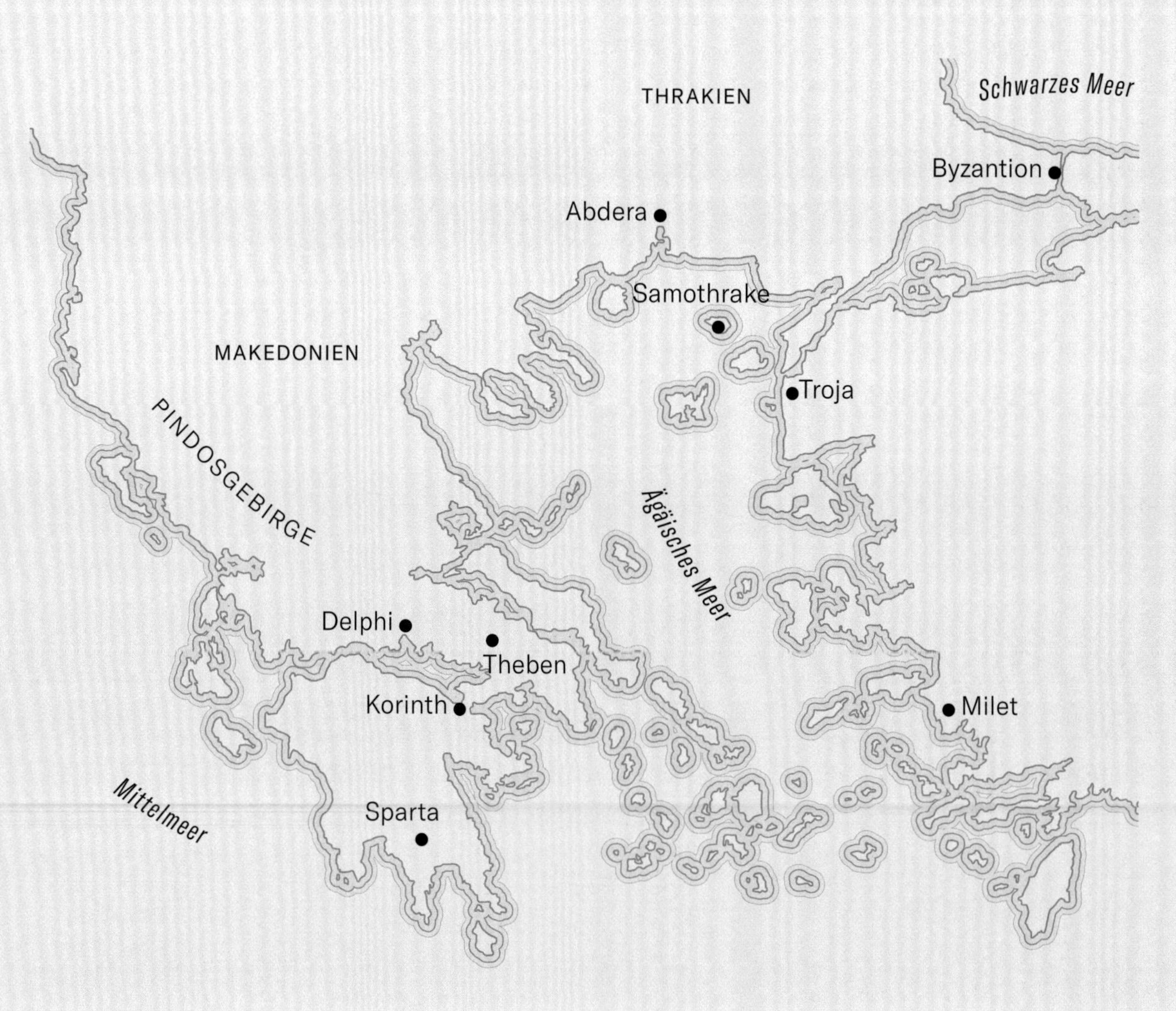

In der Welt der frühen Antike war Thrakien das Pendant zum Wilden Westen. Und wie die Siedler im amerikanischen Westen waren auch die Thraker in der Überzahl und hatten ihren Nachbarn bessere Waffen voraus.

Thrakien bedeckte ein weites Gebiet, das heute die europäische Türkei und den Großteil Bulgariens außer dem Nordwesten umfasst. Viel von diesem Land ist eben und fruchtbar, obwohl thrakische Krieger keine begeisterten Bauern waren – sie spielten lieber Bandit und plünderten ihre Feinde. Auch Pferdezucht war sozial akzeptabel und die Thraker waren begeisterte Reiter. Von der thrakischen Religion wissen wir wenig, weil die Thraker das Schreiben ebenso verachteten wie die meisten Künste der Zivilisation. Ihre Hauptgottheit war aber eindeutig ein Pferdegott. Er wird so häufig auf einem Pferd abgebildet, dass heutige Forscher ihn einfach den „thrakischen Reiter“ nennen.

Außer reichen Äckern besaß Thrakien auch überreiche Vorkommen an Holz, Gold und Edelsteinen. (Tatsächlich kennen wir seine frühen Einwohner hauptsächlich von Goldgegenständen und Schmuckstücken.) Goldschmuck und Kupferwerkzeuge von 3000 v. Chr. zeigen, dass die Protothraker, während die Zivilisation gerade in Mesopotamien Fuß fasste, bereits ausgefeilte Metallarbeiten anfertigten, und ihren hervorragenden Ruf in der Metallverarbeitung behielten sie für den Rest der Antike.

Irgendwann gegen 1500 v. Chr. kamen die Thraker, die die klassische Welt kannte, donnernd ins griechische Blickfeld geritten – große, rothaarige Krieger mit heller Haut und blauen Augen. Sie fegten die Lokalherrscher weg, machten sich selbst zur Herrschaftsschicht und mischten sich mit der ansässigen Bevölkerung. Wohl deswegen hat die Genforschung deutlich mehr Vielfalt für die Thraker nachgewiesen als nur die roten Haare und blauen Augen des antiken Stereotyps.

Diese Goldmaske eines Thrakerkönigs zeigt das Können in der Metallverarbeitung, für das die Thraker bekannt waren.

Ein Kriegervolk

Ihren Namen bekamen die Thraker von den Griechen, die sie nach Thrax benannten, einem Sohn des Kriegsgotts Ares. Weil die Thraker einem guten Kampf nie widerstehen konnten, machten sie beim Krieg zwischen Griechen und Trojanern auf trojanischer Seite mit. In der *Ilias* spricht Homer von den Thrakern, „die ihr Haar in einer Locke auf den Köpfen tragen“, und beschreibt einen ihrer Könige folgendermaßen (*Ilias* 10,436–441):

> Seine Pferde sind die besten und stärksten, die ich je gesehen habe, weißer als Schnee und schneller als jeder Wind, der weht. Sein Streitwagen leuchtet vor Silber und Gold und er hat seinen wundervollen Panzer mitgebracht, den einmalig gearbeiteten – zu prächtig, dass ein Sterblicher ihn tragen könnte, und nur den Göttern angemessen.

Der nächste Autor, der sich näher für die Thraker interessierte, war der Historiker Herodot im mittleren 5. Jahrhundert v. Chr. Man hat schon oft darauf hingewiesen, dass Herodot ebenso sehr Anthropologe wie Historiker war, und einige seiner Beobachtungen aus erster Hand hat die Archäologie bestätigt. Beispielsweise berichtet er, dass beim Tod eines thrakischen Kriegers dessen Frauen sich buchstäblich darum prügelten, wer seine Favoritin gewesen war (wie eingangs zitiert). Der Preis für die Siegerin war, dass sie geopfert und neben ihrem Mann begraben wurde. In dem Grab eines thrakischen Adligen hat man neben spektakulären Beigaben aus Gold die Leiche einer Frau entdeckt, dazu einen weiteren Frauenkörper im Vorraum. Einer Interpretation zufolge wäre diese Frau im Streit um die Zuneigung ihres Mannes über den Tod hinaus auf den zweiten Platz gekommen. Außerdem merkt Herodot an (*Historien* 5,1):

> Neben den Indern sind die Thraker das zahlreichste Volk auf Erden. Ich meine, dass, wenn sie sich je unter einem einzigen Herrscher vereinigen sollten, sie wohl nichts davon abhalten könnte, die ganze Welt zu übernehmen. Doch es ist schlicht unmöglich, dass es dazu kommen könnte.

Den Griechen erschienen die männlichen Thraker als wilde Machotypen voller Lebenshunger, frei von „zivilisierten" Rücksichten. Beispielsweise berichtet ein griechischer Autor des späten 2. Jahrhunderts n. Chr., ein thrakisches Trinkspiel gehe folgendermaßen: Ein Krieger stellt sich auf einen Stein, das Schwert in der Hand und eine Henkersschlinge um seinen Hals. Dann wird der Stein weggetreten und der baumelnde Krieger versucht, sich loszuschneiden – und es war ein Riesenspaß, wenn er es nicht schaffte.

Wenn überhaupt, waren die Thrakerinnen für die Griechen sogar noch erschreckender, denn sie neigten dazu, ihre Gefühle gegenüber jedem Mann, zu dem sie sich hingezogen fühlen, überdeutlich zu machen, und sahen nicht ein, wieso sie bis zur Hochzeit Jungfrauen bleiben sollten. Die Thraker waren polygam und beim Athener Komödienautor Menander bemerkt eine Thrakerin verächtlich, ein Mann mit nur fünf Frauen gelte als „elendes Geschöpf, das sich kaum verheiratet nennen kann".

Etwas Sinn für die feineren Künste müssen die Thraker aber besessen haben, war doch der berühmteste Musiker des Mythos der thrakische Harfner Orpheus, dessen Spiel und Gesang die Vögel aus den Bäumen lockte. Gebrochenen Herzens, wie er nach dem Tod seiner Frau Eurydike und dem erfolglosen Versuch, sie aus der Unterwelt zurückzuholen, schließlich war, wendete sich Orpheus laut Ovid von den Frauen ab und wurde der erste Thraker, der die Homosexualität wählte. Dass er ihren Reizen nicht erlag, erboste die einheimischen Frauen so sehr, dass sie Orpheus buchstäblich in Stücke rissen.

Griechen und Thraker

Im 5. Jahrhundert v. Chr. hatten die Griechen bereits eine ganze Menge Erfahrung mit den Thrakern, weil der Reichtum des Landes im Norden Scharen von Griechen angezogen hatte. Befestigte griechische Kolonien säumten die thrakische Küste von den Grenzen Makedoniens bis zu den Ufern des Schwarzen Meeres. Befestigt mussten diese Kolonien sein, weil die Thraker über die Neuankömmlinge nicht begeistert waren, und es gab einige harte

Die antike Siedlung Perperikon in Thrakien wurde im Lauf der Jahrtausende oft besiedelt und zerstört. In römischer Zeit blühte die Stadt, die heute in Ruinen liegt.

Kämpfe, ehe die beiden Gruppen gelernt hatten, nebeneinander zu leben.

Taktik und Waffen von Griechen und Thrakern waren so verschieden, dass es für sie eigentlich sehr schwer war, gegeneinander zu kämpfen. Wenn der typische Thraker nicht auf einem Pferd saß, war er ein Peltast – bewaffnet mit einem Wurfspieß, einem langen Speer und einer bescheidenen Rüstung, wozu häufig ein markanter Schild in geschwungener Halbmondform kam. Diese Krieger waren unorganisiert, wendig und auf Überraschungsangriffe spezialisiert – das genaue Gegenteil der dichten Formationen schwer bewaffneter, disziplinierter griechischer Hopliten, die ihnen gegenüberstanden. Beim Frontalangriff auf eine griechische Phalanx hätten die Thraker keine Chance gehabt, und dass umgekehrt die Phalanx ihre flinkeren Gegner einholte, war ausgeschlossen. Das Ergebnis war eine Art Unentschieden, bis die Griechen Thraker für ihre Armeen zu rekrutieren und die Thraker griechische Söldner anzuwerben begannen.

Thrakien wurde fester Bestandteil des Römischen Reiches, wie dieser Gladiator vom Thrakertyp zeigt – auf dem Fragment einer römischen Schale, die in London gefunden wurde.

Das führte zu einem gewissen Maß an kulturellem Austausch, anfangs allerdings mit ein paar beiderseitigen Missverständnissen. In seinem Stück *Lysistrate* von 411 v. Chr. beschreibt der Komödiendichter Aristophanes, wie ein thrakischer Händler eine Marktfrau einfach aus ihrem Stand jagt und sich anschließend an ihrer Ware bedient. Der Autor und Historiker Xenophon (ca. 431–354 v. Chr.) stand einmal im Dienst des Thrakerkönigs Seuthes II. Später schrieb der leicht pikierte Xenophon über ein Festmahl, bei dem der König eine spontane Tanzeinlage gab und seinen Gästen Essen servierte, indem er ihnen Brot- und Fleischstücke einfach über den Tisch weg an den Kopf warf.

Fremdherrschaft

Als Erste versuchten die Perser, die Thraker unter einem einzigen Herrscher zu vereinen. 516 v. Chr. unternahmen sie den Versuch, wenigstens den Südosten Thrakiens unter ihre Kontrolle zu bringen, obwohl nicht sicher ist, wie intensiv die persische Herrschaft über ihre Eroberungen genau ausgeprägt war. Im Zuge ihres alten Grolls gegen die Griechen brachten die Perser eine riesige Armee nach Thrakien. Das überzeugte viele beeindruckte Thraker davon, auf die Perser zu setzen, die wegen des Metallreichtums der Region eine dauerhafte Präsenz in Thrakien unterhielten.

Angesichts der Bodenschätze waren im 4. Jahrhundert v. Chr. auch König Philipp II. von Makedonien und sein Sohn Alexander versucht, Thrakien einzunehmen, das sie anschließend als finanzielles Sprungbrett zur Eroberung des Perserreichs nutzten. Die vollständige Unterwerfung der Region musste aber bis zur Ankunft der Römer warten – bis zur stetigen, methodischen Erweiterung von Straßen, Bergwerken und Siedlungen nach römischem Recht.

Es ist schon seltsam, dass Herodot sich jetzt als Prophet erwies, denn unter einem Herrscher geeint regierten die Thraker – oder zumindest *ein* Thraker – tatsächlich die Welt. Das war Maximinus Thrax, ein gigantischer Thraker (sein Partygag bestand darin, ein Pferd mit einem Schlag k.o. gehen zu lassen), der vom einfachen Soldaten 235 n. Chr. zum römischen Kaiser aufstieg.

Einigen Berichten zufolge war er der einzige Kaiser, der außerhalb des Imperiums zur Welt kam. Zwar war Maximinus, als er an die Macht kam, weitgehend romanisiert (obwohl sein Thrakisch immer besser war als sein Latein), aber es dauerte nicht lange, bis sich seine empörten Untertanen verschworen, um ihren „barbarischen" Kaiser durch jemand Passenderen zu ersetzen, und ihn 238 n. Chr. ermordeten. Auch ein späterer römischer Kaiser – Licinius, der von Konstantin dem Großen besiegt und getötet wurde – war Thraker.

Wie so viele Kriegervölker wurden auch die Thraker unter römischer Herrschaft friedlicher, obwohl „Thraker" als Gladiatoren in der römischen Arena immer ein Publikumsmagnet waren. Als Volk kamen die Thraker mit dem Sturz des Weströmischen Reiches unter byzantinische Kontrolle und verschwanden zum Großteil, als slawische Stämme sie im 6. Jahrhundert überwältigten.

Nachhall in der Zukunft

Fast jeder hat schon von Thrakiens berühmtestem Sohn gehört, nur kennt niemand seinen richtigen Namen. Er war ein Deserteur aus der römischen Armee, der zum Banditen wurde. Als die Römer ihn gefangen nahmen, musste er Gladiator werden, und wie viele Gladiatoren legte er sich einen Bühnennamen zu und entschied sich für den seiner Geburtsstadt – Spartacus.

Er war zwar genauso brutal wie die Römer, gegen die er seine Armee entlaufener Sklaven führte, aber heute gilt Spartacus als der ultimative Rebell – der Mann, der einem mächtigen, korrupten Reich die Stirn bot und jahrelang alles besiegte, was es gegen ihn losschicken konnte. Und als er 71 v. Chr. unterging, ging er kämpfend unter.

Spartacus war ein Vorbild für spätere Revolutionäre und auf seiner Geschichte beruhen Bücher, Musikstücke und ein berühmter Film von Stanley Kubrick. Einer der erfolgreichsten Fußballvereine Russlands, der FC Spartak Moskau, heißt ebenso wie viele andere Sportteams nach Spartacus.

ca. 1200–171 v. Chr.

Die Epiroten

Der originale Pyrrhussieg

Während Antiochos [der Herrscher des Seleukidenreichs] *in Chalkis war* [...,] *kam Charops zu ihm als Gesandter für das ganze Volk von Epirus* [...]. *Die Epiroten baten Antiochos, sie nicht in einen Krieg mit Rom hineinzuziehen, weil sie wegen der Lage ihrer Heimat die Hauptlast jedes Krieges tragen würden.*

Livius, *Römische Geschichte* 36,5

Heute haben nur wenige von den Epiroten gehört, ihre Siege aber sind berühmt. Das liegt daran, dass sich die Männer der epirotischen Armee unter König Pyrrhos eine Reihe von Schlachten mit Rom lieferten. Sie gewannen jedes Mal, bezahlten das aber so teuer, dass sie ebenso gut hätten geschlagen sein können. Noch heute heißt ein Erfolg, der mehr kostet als er einbringt, daher „Pyrrhussieg“.

Wer also war dieses Volk, das den Römern die Herrschaft über Italien streitig machte? Sie kamen aus dem Westen des griechischen Festlands über die Adria. Tatsächlich bedeutet der Name ihres Landes, *Epeiros*, im Griechischen schlicht „Festland“ im Unterschied zu den vielen Inseln vor der Küste.

Die antike Landschaft Epirus ist heute zwischen dem Nordwesten Griechenlands und dem Süden Albaniens geteilt. Wegen der vorherrschenden Winde regnet es dort jedes Jahr reichlich und so wäre Epirus eine der fruchtbarsten Gegenden Griechenlands, wenn der Regen nur nicht fast vollständig auf Gebirge fiele. Abgesehen von einem Küstenstreifen, der für die Landwirtschaft taugt, besteht Epirus fast komplett aus dem von Norden nach Süden verlaufenden Pindosgebirge mit einer Reihe von Bergketten, die immer steiler werden, je tiefer man ins Landesinnere kommt. (Die Vikos-Schlucht im Pindos ist die vielleicht tiefste der Welt, da sie stellenweise nur ein paar Meter breit ist und zwischen fast 1000 Meter hohen Felswänden liegt.)

Deshalb war das einzige Ergebnis der üppigen Regenfälle für die Epiroten, dass ihre Schafe nasser wurden als fast alle anderen, denn das Land eignete sich überwiegend nur für Weidetiere, noch dazu für schwindelfreie. Außerdem konnte das Land keine größeren Städte ernähren, weshalb die Epiroten, statt das Modell des Stadtstaats von ihren südlichen Nachbarn zu übernehmen, in verstreuten Berggemeinden lebten.

Krieger und Orakel

Weil der Stadtstaat (die Polis) für die meisten Griechen die einzige menschenwürdige Lebensweise für zivilisierte Leute war, neigten sie dazu, die Epiroten als Barbaren zu verachten. Allerdings stimmt auch, dass die Epiroten nicht viel in Richtung großer Literatur oder epischer Dichtung produzierten und dass der Kampf mit der gebirgigen Natur um jede Mahlzeit ein Volk abgehärteter Krieger hervorbrachte. Tatsächlich wird die Meinung vertreten – durch antike wie moderne Ethnologen –, dass die Dorer, die während des Zusammenbruchs der bronzezeitlichen Hochkulturen in Südgriechenland einfielen, aus Epirus kamen. Wenn das stimmt, wären die berühmtesten Krieger im antiken Griechenland, die Spartaner, Nachfahren der Epiroten.

Gesichert ist, dass Epirus, als nach dem Dunklen Zeitalter, das dem Zusammenbruch gefolgt war, wieder Aufzeichnungen geführt wurden, von griechischsprachigen

Stämmen bewohnt wurde, unter denen die drei großen die Thesproter, Chaonier und Molosser waren – Letztere waren am wichtigsten. Ihre Königsfamilie, die Aiakiden, behauptete, vom griechischen Heros Achilleus abzustammen. Dafür gibt es insofern ein paar dürftige Indizien, als es in Epirus relativ viele Ruinen aus mykenischer Zeit gibt, also kannten die Griechen des Heroenzeitalters die Gegend bestimmt.

Auch die verwunschenen Schluchten des Pindosgebirges besaßen für die Griechen erhebliche religiöse Bedeutung. Regelmäßig empfingen die Epiroten Besucher des Zeusorakels in Dodona, einer Stätte, die alt genug war, um von Homer um etwa 800 v. Chr. erwähnt zu werden, und wo in hellenistischer Zeit eines der größten Theater der antiken Welt gebaut wurde. Vielleicht besagt es etwas, dass Achilleus – der angebliche Ahnherr der epirotischen Könige – zu Zeus „in Dodona“ betete, er möge seinen Gefährten Patroklos beschützen. Nach grundlegenden Neubaumaßnahmen in der Moderne ist Dodona wie seit Jahrtausenden auch weiterhin für Besucher geöffnet.

Das Theater in Dodona wurde zur Unterhaltung der Menschenmassen erbaut, die die Weisheit des Zeusorakels aufsuchen kamen.

Noch ein wichtiges Landschaftsmerkmal in Epirus war der düstere Acheron, der „Fluss des Wehs". Er fließt 50 Kilometer weit durch Südepirus und einer seiner Arme biegt laut den alten Griechen nach unten und fließt durch das Königreich des Hades weiter, das Land der Toten. Da überrascht es vielleicht nicht, dass das Nekromanteion, das „Totenorakel", an den Ufern des Acheron lag. Scharen von Besuchern kamen hierher in der Hoffnung auf Antworten aus dem Jenseits – einfache Leute mit Fragen zum Familienerbe oder griechische Tyrannen, die Rat in Staatsangelegenheiten suchten.

Durch Meer und Gebirge waren die Epiroten weitgehend von den Angelegenheiten Griechenlands abgeschnitten, doch weil die Gebirgsketten in Nordsüdrichtung verliefen, hatten sie außerdem die undankbare Aufgabe, Südgriechenland vor barbarischen Invasoren aus Illyrien abzuschirmen, die die Gebirgstäler als Angriffswege benutzten. Darin ähnelten die Epiroten ihren Nachbarn im Osten, den Makedonen, die ebenfalls unfreiwillige Verteidiger der griechischen Nordgrenze waren und wie die Epiroten von den Griechen weiter südlich zum Dank lässig als „Barbaren" abgetan wurden.

Zweimal Alexander

Für Epiroten und Makedonen kam der Augenblick der Vorherrschaft zur selben Zeit, im 4. Jahrhundert v. Chr., als ein Makedonenkönig, Philipp II., eine epirotische Prinzessin heiratete, Olympias. Der Spross dieser Ehe war Alexander der Große, der Mann, der die Unterwerfung der südlichen Griechen durch seinen Vater festigte und sie anschließend mit seinen Makedonen in sein wildes Abenteuer im Osten führte, das mit der Eroberung des Perserreichs endete.

Inzwischen hatten die Epiroten aus ihren zersplitterten politischen Einheiten einen Bund unter Führung der Molosserkönige gemacht, und während Alexander nach Osten zog, zogen die Epiroten nach Westen – mit viel weniger Erfolg. Alexander der Molosser, der Onkel Alexanders des Großen, führte sein Heer nach Süditalien, angeblich um dort die Tarentiner gegen die römische Aggression zu beschützen. (Da sich die Epiroten als Vorfahren der Spartaner betrachteten und Taras [Tarent] eine spartanische Kolonie war, gab es eine Verwandtschaft.) Am Ende fiel der Epirote Alexander 331 v. Chr. im Kampf, aber die Römer hatten die Epiroten nicht zum letzten Mal gesehen – sie kehrten wieder unter Führung des größten aller epirotischen Könige, Pyrrhos (319–272 v. Chr.).

Die Hybris des Pyrrhos

Pyrrhos war ein Kriegerkönig, der die Grenzen von Epirus so weit wie nie vorschob und sein Volk dabei sehr bereicherte. Viele der eindrucksvollen Bauten in Dodona und anderswo in Epirus entstanden in dieser Zeit. Doch dem Ruhm

Diese Büste des Epirotenkönigs Pyrrhos wurde in einer römischen Villa in Herculaneum gefunden. Pyrrhos' römische Feinde kamen einer Eroberung der bekannten Welt viel näher als er.

folgte bald der Sturz. Pyrrhos versuchte seinen frühen Militärerfolg in eine Weltherrschaft zu verwandeln. Mit der Eroberung Italiens wollte er anfangen, dann das reiche Sizilien und später Karthago besiegen. Wenn der Westen dann unter epirotischer Herrschaft stand, wollte sich Pyrrhos nach Osten wenden und die hellenistischen Königreiche der Antigoniden, Ptolemäer und Seleukiden erobern.

Dieser kühne Plan stieß gleich zu Beginn auf ein Hindernis – die werdende Republik Rom beherrschte bereits einen Großteil Italiens und wollte ihn nicht kampflos hergeben. Da die Römer den Epiroten zahlenmäßig überlegen waren, konnten sie eine Niederlage nach der anderen wegstecken und Pyrrhos in eine Pattsituation bringen. Zuletzt musste er nach Griechenland heimkehren. Er starb in einem unwichtigen Krieg, als er die Stadt Argos einnehmen wollte; seine Weltherrschaftspläne hatte er da schon beträchtlich zurechtgestutzt.

Nach Pyrrhos machten die Epiroten schwere Zeiten durch – sein kriegerischer Ehrgeiz hatte den Staat finanziell ebenso erschöpft, wie er ihn einst bereichert hatte. Die neue Macht des Ätolerbunds weiter südlich in Mittelgriechenland bedeutete, dass Epirus nun durch Griechen aus dieser Richtung ebenso bedroht war wie durch Invasoren aus dem Norden. Außerstande, zwei Gefahren auf einmal abzuwehren, sahen die Epiroten 219 v. Chr. zu, wie die Ätoler ihr Orakel in Dodona plünderten.

Es kam noch schlimmer. Um die Jahrhundertwende hatten die Römer die Gefahr beseitigt, die die Invasion des Karthagers Hannibal in Italien darstellte, und richteten ihre böswillige Aufmerksamkeit nach Osten. Roms Hauptziel war Makedonien, weil sich die Makedonen im letzten Krieg mit Hannibal verbündet hatten. Die Epiroten taten alles, um einen neutralen Kurs zwischen den Großmächten zu steuern, aber die politische Belastung zerriss ihren Bund. Im Dritten Makedonischen Krieg, der 171 v. Chr. begann, hielten die Molosser zu Makedonien, während die übrigen Epirotenstämme die römische Seite wählten.

Rom gewann den Krieg und anschließend riss Aemilius Paullus, der römische Feldherr, Epirus das Herz heraus, indem er das Land plünderte und fast den ganzen Molosserstamm, 150 000 Männer, Frauen und Kinder, als Sklaven nach Italien verschleppte. Danach war Epirus eine gehorsame, friedliche und später auch wohlhabende Provinz des Römischen Reiches. Aber ihre Identität als Volk hatten die Epiroten zum Großteil verloren, und während es das Land noch gibt (es ist einer der letzten ungehobenen Tourismusschätze im modernen Griechenland), sind die Epiroten als Volk aus der Geschichte verschwunden.

Nachhall in der Zukunft

Epirus exportierte Gold, Silber und Sklaven, aber die bei den Römern gefragtesten Einwohner des Landes waren nicht menschlich, sondern hündisch: Molosserhunde – eine Frühform des Rottweilers – wurden von Jägern, Hausbesitzern und Hirten gehalten. Im Schafehüten waren sie zwar relativ schlecht, im Beschützen der Schäfer dagegen sehr gut. „Mit ihnen im Rücken brauchst du niemals Diebe um Mitternacht, Angriffe von Wölfen oder Hinterhalte spanischer Banditen zu fürchten", schrieb der Dichter Vergil (*Georgica* 3,406–408).

Wenn auch nicht auf die Art, wie Pyrrhos es geplant hatte, war Epirus – oder vielmehr die epirotischen Küstengewässer – doch der Schauplatz einer Entscheidungsschlacht um die Weltherrschaft im Jahr 31 v. Chr. Die Szene war das Vorgebirge Aktion (Actium), das Ereignis war der Showdown zwischen den Erben Caesars – einem jungen Mann namens Octavian und den vereinten Kräften von Marcus Antonius und Kleopatra von Ägypten, der Preis war die Kontrolle über das Römische Reich. Nach einem unentschiedenen Anfang schlug Octavians Admiral Agrippa den Feind in die Flucht, aus Octavian wurde der Kaiser Augustus, und der Rest ist, wie man so sagt, Geschichte.

Römische Kopie der hellenistischen Originalstatue eines wilden Molosserhunds – heute im British Museum in London.

ca. 900–290 v. Chr.

Die Sabiner

Roms Mitgründer?

Manche fanden es unerträglich, dass die Sabiner, nachdem sie Anteil an der Stadt und ihrem Gebiet bekommen hatten, darauf bestehen sollten, über jene zu herrschen, die ihnen diese Vorrechte verliehen hatten. Doch die Sabiner [...] *meinten, sie könnten mit Recht verlangen, dass der Herrscher* [Roms] *einer von ihnen sein sollte. Sie* [...] *erklärten, ihr Beitrag habe die Zahl des Volkes so vermehrt, dass* [Rom] *erst jetzt eine Stadt genannt zu werden verdiene.*

Plutarch, *Leben Numas* 2

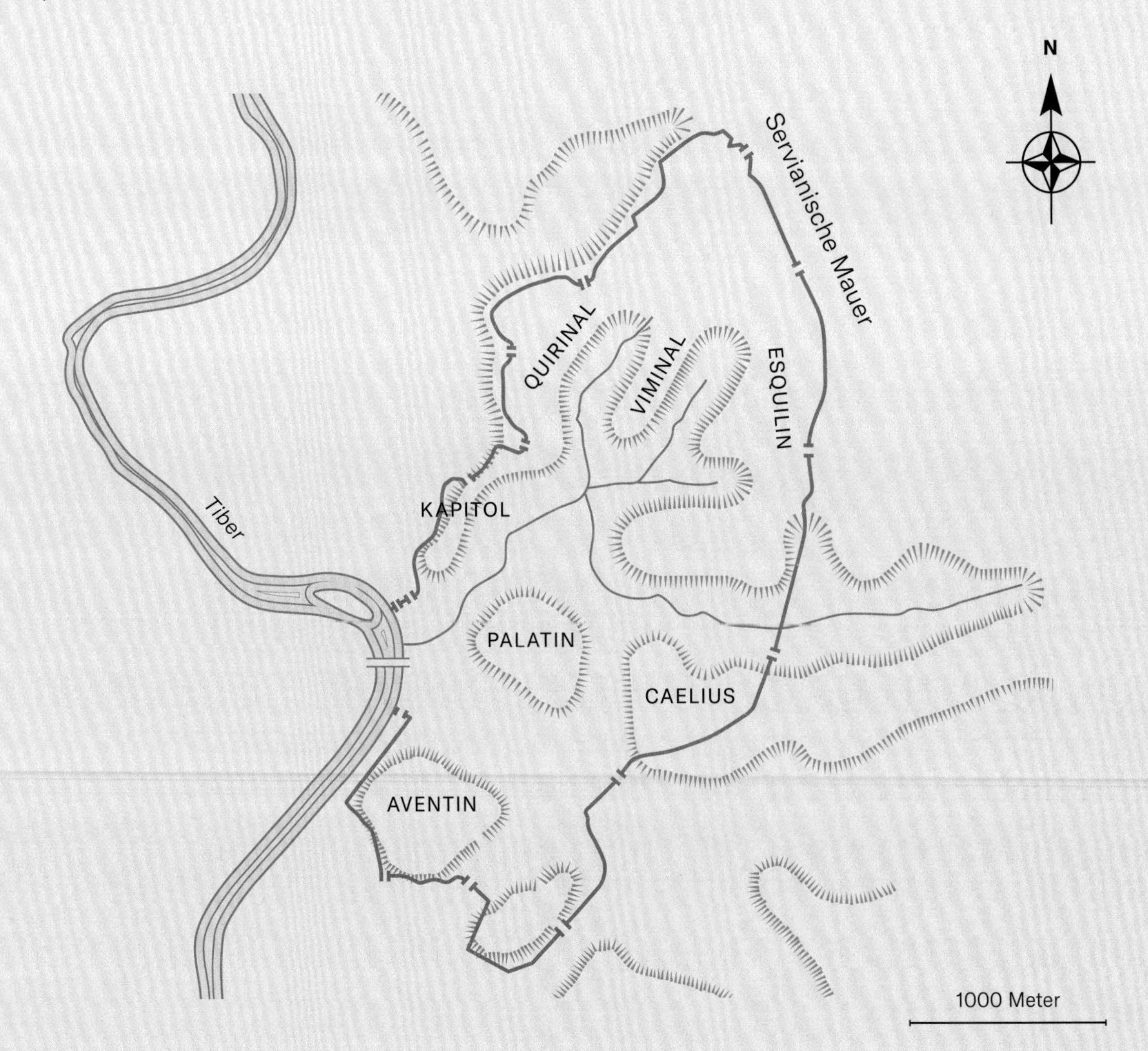

Zweifellos sind die Römer als Volk wie als Kultur am einflussreichsten in der Geschichte Europas gewesen. Doch ohne Zutun eines anderen, fast vergessenen Stammes – der Sabiner – hätte Rom es vielleicht nicht einmal in die Geschichtsbücher geschafft.

Gegründet oder gewachsen?

Was in der Frühzeit der Stadt Rom geschah, ist eine der umstrittensten Fragen in der ganzen Alten Geschichte. Im Grunde gibt es zwei Lager: Das eine behauptet, Rom habe sich organisch als Befestigung einer Hügelkuppe auf dem Palatin entwickelt. Während „Rom" wuchs, seien die Bewohner dieses Dörfchens immer näher an die Dörfler auf dem benachbarten Viminal gerückt, die zum Stamm der Sabiner gehörten. Obwohl die Protorömer ein anderes Volk waren, seien beide Gruppen gut miteinander ausgekommen. (Die Römer waren latinischer Herkunft, während die Sabiner eine andere italische Sprache namens Oskisch verwendeten.) Der Handel zwischen beiden Dörfern lief im dazwischen gelegenen Tal ab, wo später das Forum Romanum entstand.

Ein Stich des 18. Jh.s zeigt schematisch die frühe Stadt Rom. Die Römer saßen auf Palatin (A) und Kapitol (B), die Sabiner auf Viminal (H) und Esquilin (I).

Mit der Zeit wurde Rom immer erfolgreicher, da die Siedlung am Schnittpunkt von gleich zwei Handelswegen lag. Rom war der höchstgelegene noch schiffbare Hafen am Tiber für seetaugliche Schiffe. Und der zweite Weg, die Via Salaria, war eine selbst damals schon uralte Straße, die Salz aus den Salzpfannen von Ostia in die Berge des italischen Landesinneren brachte. Da Rom vom Meer aus gerechnet an der ersten Stelle lag, wo der Tiber überquert werden konnte, gab das der Stadt die Kontrolle über diesen wichtigen Handelsweg.

Mit dem Erfolg kam das Wachstum und mit dem Wachstum wurden die sabinischen Siedler auf dem Viminal allmählich in die neue Stadt einbezogen. Zu der Zeit, als die historischen Quellen glaubwürdig werden, waren Latiner und Sabiner schon ein gemeinsames Volk geworden: die Römer.

Das ist alles Quatsch, sagt die zweite traditionelle Denkschule. Die Idee, in der antiken Welt seien Städte organisch gewachsen, sei ein Märchen, fortgeschrieben von westlichen Historikern, die ihre Theorie darauf gründeten, wie Städte in Großbritannien und den Vereinigten Staaten wuchsen. Die archaische Welt rund ums Mittelmeer aber war ein anderer, gewaltlastigerer Ort. Städte seien dort von Gruppen gut bewaffneter Siedler gegründet worden, die sich in die Landschaft hineindrängten, ob das den Einheimischen passte oder nicht. Jedes organisch wachsende Dorf hätte genauso lange überlebt, bis es durch seine Größe ein lohnendes Ziel für Überfälle wurde. Die etruskischen Einwohner der nahen Stadt Veii beispielsweise hätten Rom mit viel Spaß und Gewinn liebend gern geplündert.

Nach dieser Ansicht überlebte Rom, weil es von Anfang an feste Mauern hatte – genau deswegen war eine Mauer zu bauen das Allererste, was Romulus dem Mythos nach tat, als er die Stadt gründete. Das taten auch die Gründer Tarents und die von Syrakus, Neapel und jeder anderen nennenswerten Stadt der Zeit in Italien. So seien antike Städte gegründet worden. Rom sei da keine Ausnahme.

Der Raub der Sabinerinnen

Falls die zweite Ansicht zutrifft, wären die Sabiner als das ansässige Volk erschrocken und ziemlich aufgebracht gewesen, als eine große Zahl latinischer Siedler ankam und den Palatin in eine befestigte Kleinstadt verwandelte. Zu dieser Version der Ereignisse passt die römische Tradition ganz gut. Die Geschichte liefert die Zusatzinformation, dass die latinischen Siedler nicht gerade aus dem Holz gewesen seien, aus dem man gute Bürger schnitzt, sondern sozialer Bodensatz jeder Art, den die Stadtgründer auf der Suche nach Kolonisten irgendwo aufgetrieben hatten. Dazu gehört hätten Verbrecher auf der Flucht, entlaufene Sklaven und Söldner im Ruhestand.

Es überrascht nicht, dass die meisten von ihnen zu keiner weiblichen Begleitung gekommen waren, also lebte die Stadt Rom mit der Aussicht, binnen einer Ge-

In der Kunst ist der Raub der Sabinerinnen oft dargestellt worden, hier 1496 von Baldassare Peruzzi auf einer Holztafel, die sich heute im Prado in Madrid befindet.

neration unterzugehen – eine Aussicht, die ihre unglücklichen sabinischen Nachbarn mit Fassung trugen und garantiert nicht ändern wollten, indem sie ihre Töchter zu Ehezwecken zur Verfügung stellten. Die römische Lösung bestand darin, ein Fest zu veranstalten, das die Sabiner vorgeblich mit ihrer Anwesenheit aussöhnen sollte. Auf der Freifläche zwischen der sabinischen und der römischen Siedlung fanden Spiele, ein Festmahl und Tänze statt – bis zu dem Moment, als auf ein vereinbartes Zeichen hin die Römer alle anwesenden Frauen im heiratsfähigen Alter packten und ihre Opfer nach Rom verschleppten.

Das war der berüchtigte „Raub der Sabinerinnen“. So wurden die Frauen gegen ihren Willen die Bräute ihrer römischen Entführer, und so scheußlich das ist, Brautraub hatte eine lange Tradition in der antiken Welt. (Tatsächlich liegt einer der Gründe, warum die Braut während moderner Hochzeiten üblicherweise links vom Bräutigam steht, darin, dass der Bräutigam den Schwertarm frei haben soll, um empörte Verwandte abzuwehren, die etwas gegen die Ehe haben.)

Die Eltern der Sabinerinnen waren jedenfalls aufgebracht und die Feindseligkeiten begannen augenblicklich. Dem Mythos zufolge machten schließlich die sabinischen Frauen dem Kampf ein Ende. Sie erklärten, ihre Ehen seien vollendete Tatsachen und inzwischen hätten sie außerdem Kinder. Alles, was ihre Eltern sinnvollerweise noch tun könnten, sei, die Frage der ausstehenden Mitgiftzahlungen an sie zu klären. Widerwillig stimmten die Sabiner zu. Da Rom jetzt hauptsächlich aus ihren Schwiegersöhnen und Enkelkindern bestand, ließ sich eine engere Beziehung unmöglich vermeiden.

Eine Völkerunion

An dieser Stelle sind sich Gradualisten und Traditionalisten – die quellenskeptischen Verfechter einer allmählichen Entstehung Roms und die Verteidiger der römischen Darstellung – einig: Die einheimischen Sabiner und die Römer verschmolzen zu einem einzigen Volk. Das war jedoch nicht das Ende der Sabiner, denn während die Römer nur eine einzige Stadt bewohnten, gehörte den Sabinern als Stamm eine beträchtliche Landfläche östlich der Flüsse Anio und Tiber. Das meiste, was wir von den nichtrömischen Sabinern wissen, stammt aus späterer Überlieferung, die aber nicht restlos glaubwürdig ist.

Beispielsweise spielten manche Römer mit der romantischen Idee, die Sabiner stammten von frühen Spartanern ab, die nach inneren Streitigkeiten Griechenland verlassen hätten. Das ist glatt erfunden, denn die Sabiner scheinen Sprache und Kultur mit anderen italischen Bergvölkern geteilt zu haben. Wahrscheinlicher ist, dass sie mit einem weiteren Volk Italiens, den Samniten, verwandt waren, mit denen die Römer jahrhundertelang erbitterte Fehden austragen sollten. Wie viele andere Bergvölker lebten die Sabiner notgedrungen schlicht und bedürfnislos, was vielleicht den Gedanken einer Verbindung zu Sparta aufgebracht hat.

Rasch wurden die Rom-Sabiner mit den latinischen Siedlern gleichgestellt, eine Tatsache, die sich in der Überlieferung spiegelt, dass der zweite König Roms, Numa Pompilius (traditionell 715–653 v. Chr.), Sabiner war. Während Romulus ein Kriegerkönig war, werden dem Sabiner Numa viele jener Gesetze und Bräuche zugeschrieben, die die späteren Jahrhunderte überdauerten.

Noch ein wichtiger früher Sabiner ist ein Adliger namens Attus Clausus. Ursprünglich gehörte er zu einer der vielen Sabinergruppen, die außerhalb Roms lebten, aber nach einem Streit mit den lokalen Städtern sammelte Clausus seinen gesamten Anhang und Besitz ein und zog nach Rom um. So gründete er die erste der großen römischen Familien – sein Name wurde latinisiert und man kannte ihn nun als Appius Claudius.

Sabinische Ahnen

Das nächste halbe Jahrtausend brachten die Claudii die Römer durch ihre aristokratische Arroganz gegen sich auf und sicherten sich gleichzeitig widerwillige Bewunderung durch ihre Führungsrolle in Roms vielen Kriegen. Die Familie der Claudier schenkte Rom die Kaiser Tiberius, Claudius und Nero, ehe die zum Verwandtenmord neigende Familienpolitik den Clan auslöschte. (Allein Nero wird der Mord an seiner Mutter, seinem Adoptivvater, seiner Frau, seinem ungeborenen Kind und seinem Stiefbruder vorgeworfen.)

Ein weiterer stolzer Sabiner der späten Republik war Quintus Sertorius (ca. 123–72 v. Chr.), ein aufständischer Feldherr, der Spanien fast ein Jahrzehnt lang als eine Art Privatlehen besetzt hielt und eine römische Armee nach der anderen abwehrte. Darin fühlte sich Sertorius wahrscheinlich seinen Ahnen aus der sabinischen Bergstadt Nursia (im heutigen Umbrien) nahe. Diese Sabiner hatten zu den vielen gezählt, die mit ihren römischen Verwandten nicht auskamen. Zwischen 504 und 468 v. Chr. gab es wiederholte Konflikte zwischen Römern und Sabinern, wobei die Sabiner meist gegenüber den zahlreicheren, besser ausgerüsteten Römern den Kürzeren zogen. Der letzte belegte Zusammenstoß zwischen Römern und unabhängigen Sabinern ereignete sich 290 v. Chr, als die Sabiner und ihre samnitischen Verwandten einen letzten Versuch unternahmen, sich der römischen Dampfwalze entgegenzustellen.

Spätere Römer waren stolz darauf, sabinische Vorfahren zu haben. (Was garantiert attraktiver war als die Abstammung von Räubern oder geflohenen Sklaven.) Mehrere römische Familienverbände gingen so weit, den Beinamen (das *cognomen*) „Sabinus“ für einzelne Mitglieder oder Familienzweige zu nutzen. Ein Beispiel aus dem 1. Jahrhundert n. Chr. ist der Steuerbeamte Titus Flavius Sabinus, besser bekannt als der Vater des römischen Kaisers Vespasian.

Nachhall in der Zukunft

Der Raub der Sabinerinnen und die Folgen dieser Untat sind in Skulptur und Malerei oft dargestellt worden, unter anderem von Giambologna, Nicolas Poussin und Jacques-Louis David; eine jüngere Version stammt von Pablo Picasso. Eine denkwürdige Adaption des Vorfalls ist auch der Musicalfilm *Seven Brides for Seven Brothers* von 1954.

Viele heutige Ehepaare haben übrigens, ohne es zu wissen, einen Teil des Raubes nachgespielt. Die Tradition, die Braut über die Schwelle des gemeinsamen Hauses zu tragen, stammt von den Römern, die es laut Plutarch (*Leben des Romulus* 15) deshalb taten, weil die ersten Bräute in ihrer Stadt nicht aus freien Stücken mitgekommen waren.

Eine dramatische Darstellung der Entführung einer Sabinerin durch den flämischen Künstler Giambologna von 1582 ist in Florenz zu besichtigen.

ca. 1100 v. Chr. bis heute

Die Samaritaner

Überlebende der Antike

Ein Mann ging von Jerusalem nach Jericho, da wurde er von Räubern angegriffen. Sie beraubten ihn seiner Kleider, schlugen ihn […] und ließen ihn halbtot liegen. Zufällig ging ein Priester dieselbe Straße entlang, und als er den Mann sah, ging er auf der anderen Straßenseite vorüber. Ebenso ein Levit […].

Doch ein samaritanischer Reisender stieß auf den Mann, und als er ihn sah, hatte er Mitleid mit ihm. Er ging zu ihm, verband seine Wunden und goss Öl und Wein darauf. Dann setzte er den Mann auf seinen Esel, brachte ihn in eine Herberge und sorgte für ihn.

Lukas 10,30

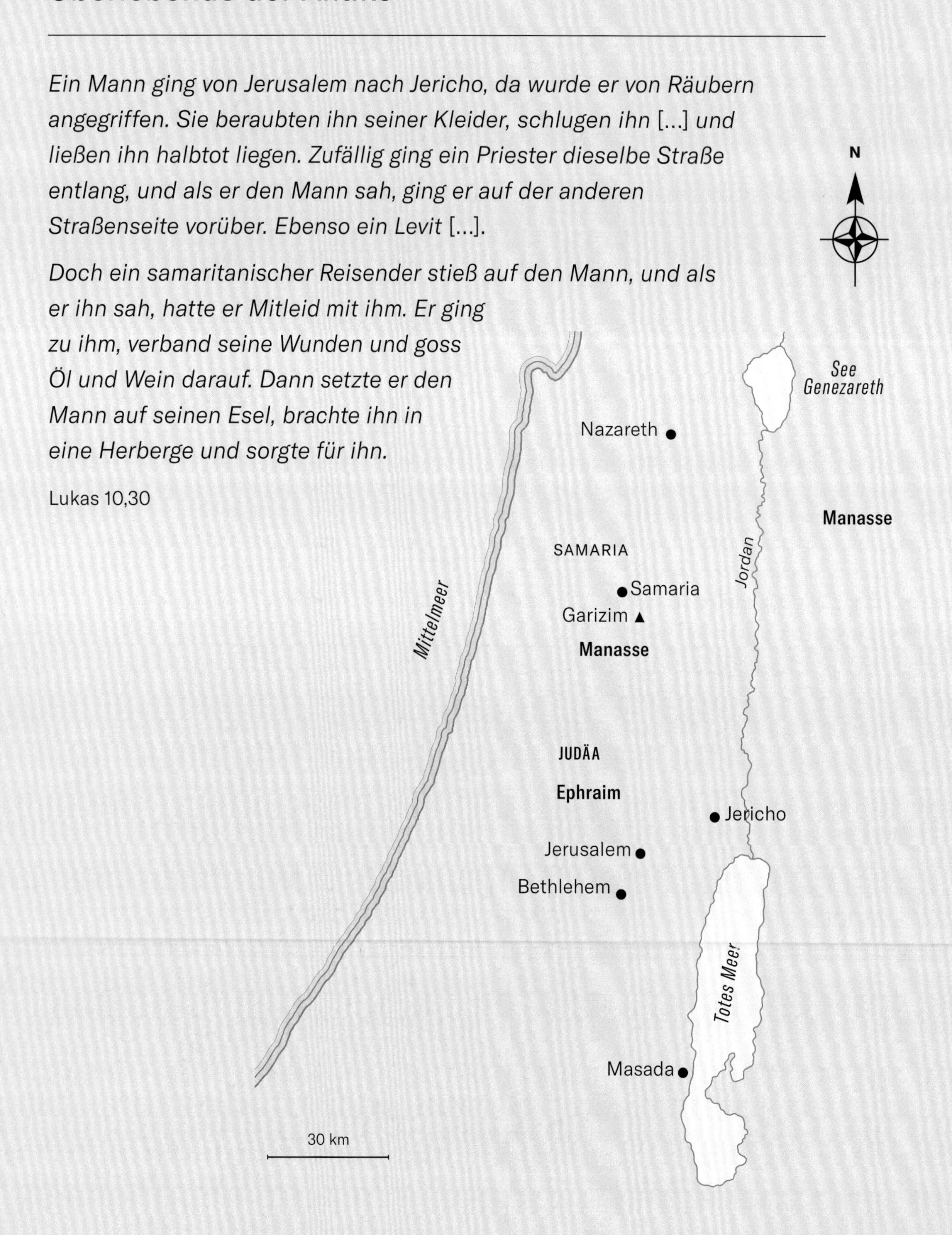

Im Gleichnis, das Jesus erzählt, gingen ein Priester und ein Levit an dem Verletzten vorbei. Die Leviten waren ein Stamm, der vom Hohepriester Aaron abstammte, also schockiert das Meiden des Verletzten durch diesen Mann ebenso sehr wie das Verhalten des Priesters. (Zu ihrer Verteidigung sei gesagt, dass es religiöse Vorschriften gab, wonach diese Personen sich keinem nackten Mann nähern durften.)

Der „barmherzige Samariter" hätte andererseits einfach an dem verwundeten Mann vorbeigehen können und niemand hätte ihn deswegen verurteilt. Tatsächlich kamen Juden und Samaritaner so schlecht miteinander aus, dass Juden, die nach Norden reisten, oft einen sehr großen Umweg nahmen, um die Strecke durch das Gebiet der Samaritaner zu vermeiden. Das das Gleichnis erzählt uns also, dass die tief empfundenen Unterschiede zwischen Juden und Samaritanern von ihrem gemeinsamen Menschsein überbrückt werden sollten.

Aus jüdischer Perspektive war das Problem mit den Samaritanern, dass sie keine Juden waren, aber auch keine Heiden. Sie standen irgendwo dazwischen – sie teilten viele jüdische Glaubensinhalte, aber auf andere Weise, und feierten ähnliche religiöse Feste, aber zu anderen Zeiten.

Beide Völker waren monotheistisch und beteten denselben Gott an. Doch die damaligen Juden dachten, der beste – und vielleicht einzige – Ort dafür sei der Tempel in Jerusalem. Für die Samaritaner war der heiligste Ort der Berg Garizim in ihrem Kernland (wo die Samaritaner heute immer noch beten). Ähnlich folgten die Samaritaner minuziös den fünf Büchern der Torah in der hebräischen Bibel, aber den Rest verwarfen sie, weil er kein authentischer Teil der Heiligen Schrift sei. Kurzum, die Meinungsverschiedenheiten zwischen Samaritanern und Juden waren eine Art Familienstreit – und das sind bekanntlich die bittersten.

Das Problem begann etwa 1000 v. Chr., als sich das Land Israel in das Nordreich mit der Hauptstadt Samaria und das Königreich Juda im Süden gespalten hatte. Die Samaritaner behaupten, sie stammten

Der einzige Samaritaner, von dem die meisten schon einmal gehört haben, ist hier mit seiner guten Tat auf dem Buntglasfenster einer Kirche im englischen Northamptonshire verewigt.

von den israelitischen Stämmen im Norden ab, nämlich von Ephraim und Manasse, und ihre Ahnenreihe lasse sich über den Hohenpriester Aaron bis zurück zum ersten Menschen Adam verfolgen.

Wie man die Assyrer überlebt

Die damaligen Einwohner Judas waren da anderer Meinung. Ihnen zufolge waren ihre Ahnen im Nordreich bei der assyrischen Eroberung im 8. Jahrhundert aufgegriffen und ins Exil gezwungen worden, die Samaritaner dagegen stammten im Prinzip von diversen herumstreunenden Völkern ab, die sich später dorthin verirrt hatten oder dort hingebracht worden waren. Unterstützung für diese Behauptung kam von den Assyrern: Einer ihrer Texte (die sogenannte Nimrud-Platte aus dem Jahr 797 v. Chr.) behauptet, das frühere Volk des Nordreichs sei „unter den Assyrern angesiedelt" worden, während man umgekehrt Völker aus anderen eroberten Ländern in die jetzt unbewohnten Gebiete gebracht habe.

Die Samaritaner (damals wie heute) widersprechen dem und bleiben bei ihrer Behauptung, sie seien die ganze Zeit im Land gewesen. Einige Forscher meinen, es gebe einen Mittelweg. Selbst die gründlichsten Beamten haben es schwer, ein Volk bis zur letzten Person aus einem Land zu entfernen, das es gut kennt und nicht verlassen will. Möglich ist, dass eine größere Zahl von Samaritanern nach den assyrischen Zwangsdeportationen zurückblieb und dass anderen die Rückkehr gelang. Neuankömmlinge, die in das Land zogen, wo eine beachtliche samaritanische Restbevölkerung verblieben war, fanden es wohl am leichtesten, die samaritanische Lebensweise zu übernehmen. Diese Hypothese würde auch die jüdische Überlieferung erklären, wonach die Assyrer Priester ausschickten, die die in samaritanischem Gebiet lebenden Menschen die richtige Verhaltensweise lehren sollten.

Wie man die Perser überlebt

Während der nächsten Jahrhunderte entwickelten Juden und Samaritaner eine Haltung gegenseitiger Verachtung; keine Seite wollte etwas mit der anderen zu tun haben. Und das trotz der Tatsache, dass sie einander viel näherstanden als allen anderen Völkern in ihrer Umgebung.

539 v. Chr. kam die Region unter die Herrschaft der Perser. Ihnen hatten beim Aufstieg entwurzelte Völker geholfen, denen die Perser eine Rückkehr in ihre Heimatländer versprochen hatten, und dieses Versprechen wurde im Fall der Juden, die an die Ufer Babylons verbannt worden waren, auf jeden Fall gehalten. (Die verschollenen Stämme Israels allerdings waren für eine Heimholung inzwischen schon zu lange weg.) Einige Samaritaner kehrten mit Sicherheit zurück. Der Talmud, das rabbinische Kommentarwerk, bezeichnet diese Heimgekehrten als „Kutim" – nach dem Land „Kut", wohin

Die heilige Stätte des Berges Garizim liegt laut der samaritanischen Tradition auf dem ältesten aller Berge und steht in der Mitte der Welt. Die Samaritaner glauben, hier habe Abraham beinahe seinen Sohn Isaak geopfert.

die Samaritaner verbannt worden waren und wo sie bestimmt eine Reihe fremder Eigenheiten aufgeschnappt hatten. Da die Perser insgesamt tolerante Herrscher waren, konnten sich die Samaritaner während ihrer Herrschaft ungestört mit den Juden streiten und beide Völker entfernten sich noch weiter voneinander.

Wie man die Griechen überlebt

Nach der Eroberung durch Alexander den Großen und nach seinem Tod im späten 4. Jahrhundert v. Chr. wurde Samaria Teil des Seleukidenreichs unter seinen hellenistischen Herrschern. Ähnlich wie für ihre jüdischen Verwandten war auch für die Samaritaner das Hauptproblem an der neuen Situation, dass die griechische Kultur für manche sehr attraktiv war. Es bestand die starke Versuchung, die puritanisch strengen Regeln einer zutiefst religiösen Gesellschaft aufzugeben – zugunsten von Gymnasien, Theatern und einer vielfältigen Auswahl möglicher Religionen und Kulte.

Unter den Juden lösten die Lockungen des Hellenismus eine heftige religiöse Gegenreaktion aus. Und die jüdischen Reaktionen auf jene Mitglieder ihrer Gesellschaft, die sie als unmoralisch ansahen, verärgerten wiederum die seleukidischen Herrscher. Als die Seleukidenkönige den harten jüdischen Religionskurs zu bestrafen versuchten, antworteten die Juden mit einem bewaffneten Aufstand unter Führung der Makkabäer. Anscheinend taten die Samaritaner alles, um nicht zwischen die Fronten zu geraten, und wie es bei Leuten üblich ist, die sich aus einem

Kampf herauszuhalten versuchen, warfen ihnen beide Konfliktparteien vor, zur Gegenseite zu halten. In seinen *Jüdischen Altertümern* lässt der Historiker Josephus die Samaritaner in einem Brief an die seleukidischen Behörden schreiben: „Wir bitten euch [...], uns in Frieden zu lassen und nicht für das verantwortlich zu machen, was, wie ihr schreibt, die Juden getan haben. Wir sind ein anderes Volk mit anderen Sitten."

Wie man die Römer überlebt

Unter der Herrschaft des Römischen Reiches bestand das Hauptproblem für die Samaritaner anfangs darin, die Römer davon zu überzeugen, dass sie nicht mit den Juden – die die übliche widerspenstige Haltung gegenüber fremden Eroberern an den Tag legten – verwandt waren. Dennoch wurde Samaria Teil der römischen Provinz Judäa und die Bevölkerung durchlitt die beiden großen jüdischen Aufstände 66–70 und 131–135 n. Chr.

Das Christentum war für Juden wie Samaritaner ein Problem. Die frühe Kirche betrachtete die Bekehrung der Samaritaner als ein Mittelding zwischen Juden- und Heidenmission. Die Apostel Petrus und Johannes statteten laut der Apostelgeschichte (8,14–17) der Region eigens einen Besuch ab. Doch irgendwie schafften Samaria und seine eigenwillige Religion es, unter römischer Herrschaft und bis tief in die byzantinische Zeit zu überleben.

Wie man immer noch überlebt

Anders als das Römische war das Byzantinische Reich, das nach dem Fall (West-) Roms weiterbestand, erstens christlich und zweitens intolerant. Die sonst friedlichen Samaritaner widersetzten sich christlichen Einmischungen in ihre religiösen Bräuche so heftig, dass Kaiser Zenon 484 n. Chr. Unruhen in diesem Gebiet persönlich ersticken musste.

Dann begingen die Samaritaner 529 n. Chr. den fatalen Fehler, zu rebellieren und einen unabhängigen Staat errichten zu wollen. Bis dahin hatten sie einen Teil desselben Schutzes wie die Juden als Gläubige einer Religion genossen, die der Vorläufer des Christentums war. Der Aufstand lieferte der Obrigkeit einen Grund, den Samaritanern diesen Schutz zu entziehen, und bei den folgenden Säuberungen wurde die samaritanische Bevölkerung mehr als nur dezimiert. Zahlen für antike Bevölkerungen anzugeben ist immer schwer, aber wahrscheinlich waren gegen Ende der byzantinischen Zeit weniger als 100 000 Samaritaner übrig geblieben.

Die Samaritaner lebten über die Antike hinaus weiter, wenn auch in sehr geringer Zahl. Als Volk existieren sie noch heute. Dennoch kann man sie als „vergessen" bezeichnen, denn nur sehr wenige wissen, dass die Samaritaner zäh weiterleben. Und das trotz der Zeit unter islamischer Herrschaft, die zwischen Toleranz und grausamen Verfolgungen wechselte, und trotz der Nöte der Gegenwart, in der es politisch

Noch immer beten Samaritaner auf dem Berg Garizim, obwohl von ihnen nur noch rund 700 übrig sind.

garantiert nicht einfacher geworden ist. Es gibt noch rund 700 Samaritaner – eine Steigerung gegenüber den 1920er-Jahren, als es nur 100 waren.

Nachhall in der Zukunft

Wenn die meisten heute an Samarit(an)-er denken, dann nicht an eine kleine Gemeinschaft im Nahen Osten, sondern an eine 1953 in Großbritannien gegründete Organisation, die in vertraulichen Gesprächen Menschen in Not oder mit Suizidgedanken helfen möchte, oder an den 1909 in Deutschland gegründeten Arbeiter-Samariter-Bund. Die Namen beider Organisationen stammen vom „barmherzigen Samariter" der Bibel.

Auch dieses Gleichnis aus dem Neuen Testament hat im Lauf der Jahrhunderte viele Künstler angezogen, darunter Rembrandt und Eugène Delacroix. Letzterer malte zwei Versionen des Themas, von denen Vincent van Gogh 1890 eine kopierte und abänderte (unter anderem spiegelte er das Motiv), als er sich in der Nervenheilanstalt Saint-Rémy in der Provence aufhielt.

1100 v. Chr. bis 700 n. Chr. und 202–40 v. Chr.

Die Garamanten und die Numider

Vergessene Völker Nordafrikas

Der sonnenverbrannte Garamante [...]
und das massylische [Numider-]*Volk,*
sie, deren Pferde frei von Gebiss und Sattel sind,
doch der leichten Gerte in der Hand des Reiters gehorchen.
Auch der afrikanische Jäger, der gewöhnlich seine Hütte leer zurücklässt
und weit umherstreift, und sollte sein Speer nicht das Ziel treffen,
bindet er mit seinem flatternden Gewand den wütenden Löwen.

Lucan, *Pharsalia* 4,679. 682–686

Die Sahara ist nicht immer eine Wüste gewesen. Vor vielen Tausend Jahren war ein Teil von ihr eine Savanne, durch die beachtliche Flüsse zum Atlantik strömten. Dann begann die Sahara aus Gründen, die die Wissenschaft bis heute nicht ganz versteht, auszutrocknen und verwandelte sich allmählich in das dürre Land, das sie inzwischen geworden ist. Doch selbst vor 3000 Jahren war die Wüste nicht annähernd so weit vorgerückt wie heute. An ihrem Nordrand lebten Berbervölker, Bauern, Nomaden und Jäger, die nicht wussten, dass eine Klimaveränderung ihr Land und ihre Kultur bereits langsam zerstörte, noch ehe die Römer aus dem Norden kamen. Das berberische Numidien vernichteten die Römer als organisierten Staat, aber die berberischen Garamanten im Süden und Osten blieben. Sie überlebten das Römische Reich, auch wenn am Ende die Wüste Sieger blieb.

Die Garamanten

Als die ersten griechischen und phönikischen Entdecker die Küste Nordafrikas erreichten, waren die Garamanten schon da. Um 1000 v. Chr. waren sie die vorherrschende Bevölkerung im Fezzan. Heute ist das ein felsiger, kaum bewohnter Landstrich im Süden Libyens, aber als die Garamanten dorthin zogen, war er fruchtbar genug für Landwirtschaft und Viehweiden. Griechische und römische Quellen berichten, der Speisezettel der Einheimischen habe aus Feigen, Trauben, Weizen und Gerste bestanden. Im Norden des Garamantenlands lag ein langer, schmaler Trockenlandstreifen, der einzige Ort der Erde, wo Silphion wuchs, eine Pflanze, die bei den Griechen und später den Römern wegen ihrer medizinischen und kulinarischen Eigenschaften heiß begehrt war (Ende des 1. Jahrhunderts n. Chr. war sie ausgestorben).

Im Schutz von Bergen im Norden und der wachsenden Wüste im Süden führten die frühen Garamanten ein friedliches Landleben. Laut Herodot waren ihre Hauptfeinde ein Volk von Höhlenbewohnern, die Troglodyten, und die Garamanten jagten sie von Streitwagen aus mit Speeren. Die Kolonisation Nordlibyens durch die Griechen machte ihnen bestimmt wenig Kummer. Stattdessen erweiterten sie ihre Aktivitäten um Bergbau (hauptsächlich Amazonit, ein grüner Halbedelstein, der in den südlichen Gebirgen ihres Gebiets vorkommt) und Handel.

Rasch etablierten sich die Garamanten als Mittelsmänner im Warenverkehr zwischen dem transsaharischen Raum und der Mittelmeerwelt; von Völkern im Süden kauften sie Gold, Elfenbein und Sklaven. (Elfenbein lieferte auch der nordafrikanische Elefant, eine kleinere, fügsamere Tierart als der subsaharische Elefant. Wie auch die Garamanten selbst hat ein Klimawandel ihn aussterben lassen.)

Zu ihrer Gesellschaft haben die Garamanten nur wenige literarische Spuren hinterlassen und der Großteil der archäo-

Heute liegen die Ruinen von Garama in Libyen in einer trockenen Einöde, doch in ihrer Glanzzeit war die Stadt von grünem Ackerland umgeben.

logischen Funde ist in einer – bisher unentzifferten – protoberberischen Schrift verfasst. Wenig wissen wir auch von ihrer Religion, nur dass sie laut Silius Italicus, einem römischen Dichter des 1. Jahrhunderts n. Chr., ihre Götter in „prophetischen Hainen" befragten (*Punica* 1,393). Silius bezeichnet die oberste Gottheit der Garamanten als „Ammon" und verwechselt ihn wahrscheinlich mit Amun-Re, dem Hauptgott Ägyptens.

Auch wenn sie nicht besonders kriegerisch waren, machten die Garamanten gern bei den Streitereien ihrer Nachbarn mit und wehrten später die Vorstöße des Römischen Reiches ab. Noch im 1. Jahrhundert n. Chr. bemerkte der Römer Plinius (der Ältere) mit einigem Verdruss, dass es unmöglich sei, ins Garamantenland zu reisen, weil dieses Volk den Zugang versperrt habe, indem es systematisch jene Brunnen zugeschüttet habe, die einst Wasser für Reisende spendeten.

Inzwischen hatten die Garamanten schon Städte zu bauen begonnen; wir wissen von mindestens sechs bedeutenden Siedlungen. Die größte war Garama, das heute verlassen tief in der Wüste Sahara im Süden Libyens liegt. Geschätzte 10 000 Menschen lebten in oder um die Stadt. Die Einheimischen besserten ihr Einkommen auf, indem sie in die dichter besiedelten römischen Provinzen im Norden einfielen, bis 203 n. Chr. der verärgerte römische Kaiser Septimius Severus mit einer Strafexpedition nach Süden kam. Man vermutet, dass er Garama einnahm, aber die Länge der Nachschublinien muss es unmöglich gemacht haben, die Stadt auch zu halten. Am Ende zogen die Römer ab.

Gegen Ende der Römerzeit hatten die Garamanten ein raffiniertes Bewässerungssystem entwickelt, dank dem sie mit den stets abnehmenden Niederschlägen auskommen konnten. Daraus war schließlich ein Tunnelnetz geworden, das Tausende Kilometer weit reichte. Dennoch sank Jahr für Jahr der Wasserspiegel in den Brunnen und Grundwasserhorizonten, bis das Leben in der Heimat zuletzt nicht mehr möglich war und die Garamanten als Volk sich zerstreuten. Um 700 n. Chr. sind sie aus der Überlieferung verschwunden.

Die Numider

> Die jüngere Generation [der Perser in Afrika] nahm unter dem Namen Numider [...] das Gebiet nahe Karthago in Besitz, das Numidien genannt wird. [...] Schließlich fiel der Großteil Nordafrikas in die Hände der Numider und alle Besiegten gingen in dem Volk und im Namen ihrer Herrschaft auf.
>
> Sallust, *Jugurtha* 17,11

Sallust, der römische Autor des 1. Jahrhunderts v. Chr., liegt mit seiner wilden Vermutung zum Ursprung der Numider, die einst ein Gebiet in Nordafrika beherrschten, das größer als Italien war, völlig falsch. Er meinte, sie stammten von den persischen Überlebenden einer Armee ab, die Herakles im Nahen Osten aufgestellt hatte und die in Afrika endete. Ein weiteres Fragezeichen machen heutige Ethnologen hinter die einst gültige Herkunft des Namens „Numidien". Früher glaubte man, er stamme vom griechischen Begriff für „Nomaden", den die Römer bei Beschreibungen dieses nordafrikanischen Volkes dann verdreht hätten. Tatsächlich liegen die Wurzeln des Namens in einer der Sprachen jener Menschen, die sich zusammentaten und das numidische Volk wurden.

Der Katalysator, der die Bildung dieses Volkes vorantrieb, war die Stadt Karthago. Die Menschen selbst waren schon lange da gewesen, das aber als Mischung halbnomadischer Wüstenstämme, die in unabhängigen Gruppen lebten, welche füreinander wenig Loyalität oder Verwandtschaftsgefühl empfanden. Die Karthager jedoch verhandelten mit ihren Nachbarn lieber als einer einheitlichen Gruppe (es ist schwer, mit Dutzenden Stämmen nacheinander zu sprechen), und ihre geduldige Diplomatie trug mindestens so viel wie alles andere dazu bei, dass etwa 200 v. Chr. zwei grob umrissene Stammesverbände entstanden – die Massyler im Osten und die Masaesylier im Westen. Gemeinsam bildeten beide ein Volk, dessen Siedlungsgebiet den Großteil des heutigen Algerien umfasste und nach Mauretanien im Westen und Tunesien im Osten hineinreichte.

Politische „Einigung" bedeutete dabei kaum mehr, als dass Streitigkeiten um Weiderechte und die Ernte in verschiedenen Oasen jetzt eher von einem Häuptling/König als wie vorher durch eine Fehde gelöst wurden. Solche Händel waren der Grund dafür, dass die Numider brillante Reiter wurden. Tatsächlich übernahmen die Römer, deren Kavallerie

Numidische Reiter waren in den Augen der Römer die beste leichte Kavallerie der bekannten Welt.

der hellenistisch-griechische Historiker Polybios sonst verachtete, rasch an numidischen Taktiken, was sie nur konnten; allerdings fehlte es ihnen an der Geschicklichkeit der Numider, der vielleicht besten leichten Kavallerie der ganzen Mittelmeerwelt.

Als Ganze gerieten die Numider ins Kreuzfeuer der Kriege Roms mit Karthago (264–241 und 218–201 v. Chr.). Gegen Ende des 3. Jahrhunderts v. Chr. hatte sich der Zusammenstoß dieser zwei Mächte aufs afrikanische Festland verlagert und Römer wie Karthager warben intensiv um numidische Unterstützung. Anfangs unterstutzten die Numider Karthago, mit dem sie Handel getrieben und für das sie als Söldner gedient hatten. Dann wechselte der junge König der Massylier, ein Mann namens Masinissa, auf die römische Seite.

Das erwies sich als kluger Schachzug. Weil die Masaesylier zu lange an ihrem Bündnis mit Karthago festgehalten hatten, machten die siegreichen Römer Masinissa zum König ganz Numidiens. Fast ein halbes Jahrhundert regierte er als treuer Verbündeter Roms. Unter seiner Führung ließen sich die Numider in Städten nieder, entwickelte der Staat Ansätze einer Währung und florierte der Handel – besonders der Export von Olivenöl – über den römisch-numidischen Hafen Cirta (im heutigen Algerien), das zur De-facto-Hauptstadt des Königreichs wurde.

„Seine größte und göttlichste Leistung war folgende: Numidien war vor seiner Zeit allgemein unfruchtbar gewesen und galt als unfähig, irgendwelche Feldfrüchte hervorzubringen. Er war der Erste und Einzige, der zeigte, dass es genau wie jedes andere Land Feldfrüchte tragen konnte." Das schrieb Polybios (*Historien* 38), der Masinissa vielleicht sogar persönlich getroffen hat.

Selbst nach Masinissas Tod lief alles prächtig, bis 118 v. Chr. Jugurtha auf den numidischen Thron kam. Das erreichte er, indem er die korruptesten Mitglieder des damaligen, sehr korrupten Senats in Rom bestach und umschmeichelte, während er Rivalen ermordete, wo er nur konnte. Tatsächlich wurde Jugurtha nach einem besonders empörenden Bestechungsfall nach Rom gerufen, wo er über seine Aktivitäten aussagen sollte. Das freie Geleit, das man ihm zugesichert hatte, nutzte er, um einen weiteren Rivalen zu ermorden, der bei den Römern Schutz gesucht hatte. Als man ihn anschließend aus Rom hinauswarf, bemerkte Jugurtha verächtlich: „Die ganze Stadt ist verloren, wenn sie nur einen Käufer finden kann."

Doch bei dieser Gelegenheit hatte sich Jugurtha übernommen und die Römer griffen sein Königreich an. Der Jugurthinische Krieg (112–105 v. Chr.) stand anfangs im Zeichen der Unfähigkeit und Korruption der römischen Feldherren, doch am Ende siegte Rom. Jugurtha wurde gefangen genommen und hingerichtet, Numidien verlor einen Großteil seines Gebiets im Westen an Roms Klientelstaat Mauretanien.

Nach dem Bürgerkrieg, der Caesar an die Macht brachte, wurde der numidische Staat zwischen Mauretanien und der römischen Provinz Africa geteilt. 44 v. Chr. versuchte ein König namens Arabio, nach Caesars Ermordung das numidische Königreich wiederzubeleben. Er hielt sich vier Jahre an der Macht, wurde schließlich aber in den Kämpfen zwischen den Prätendenten auf Caesars Nachfolge getötet. Danach hörte Numidien als Reich zu existieren auf, obwohl die Numider es als Angehörige des Römischen Reiches zu beachtlichem Wohlstand brachten.

Nachhall in der Zukunft

Die karthagische Prinzessin Sophonisbe war in einer diplomatischen Ehe mit einem Numiderkönig verheiratet. Als Karthago von Rom besiegt wurde, stand Sophonisbe das Schicksal bevor, in einem römischen Triumph zur Schau gestellt zu werden. Weil sie den Tod der Entwürdigung vorzog, vergiftete sich die Prinzessin. So viel Heldentum weckte die Aufmerksamkeit späterer Zeiten, und so wurde Sophonisbe zum Thema zahlreicher Tragödien, Dramen, Gemälde und Opern. Zu denen, die sie sich als Sujet gewählt haben, zählen der Komponist Henry Purcell und die Künstler Rembrandt, Guercino und Mattia Preti, während Voltaire ein Stück über sie schrieb.

Sophonisbe nimmt den Giftbecher, weil sie den Tod der römischen Gefangenschaft vorzieht – hier in einem Bild von Mattia Preti aus dem Jahr 1670.

ca. 500 v. Chr. bis 529 n. Chr.

Die Sarmaten

Reiter der Steppe

In Europa gibt es ein Sarmaten genanntes Skythenvolk [...], *das sich von allen anderen Völkern unterscheidet. Ihre Frauen reiten auf Pferden, schießen mit dem Bogen und werfen den Speer. Sie können im Krieg kämpfen, solange sie Jungfrauen sind, und Jungfrauen bleiben sie, bis sie drei Feinde getötet haben* [...]. *Jede, die sich einen Mann nimmt, gibt das Reiten auf, es sei denn, sie muss an einem allgemeinen Feldzug teilnehmen.*

Hippokrates, *Über Luft, Gewässer und Orte* 17

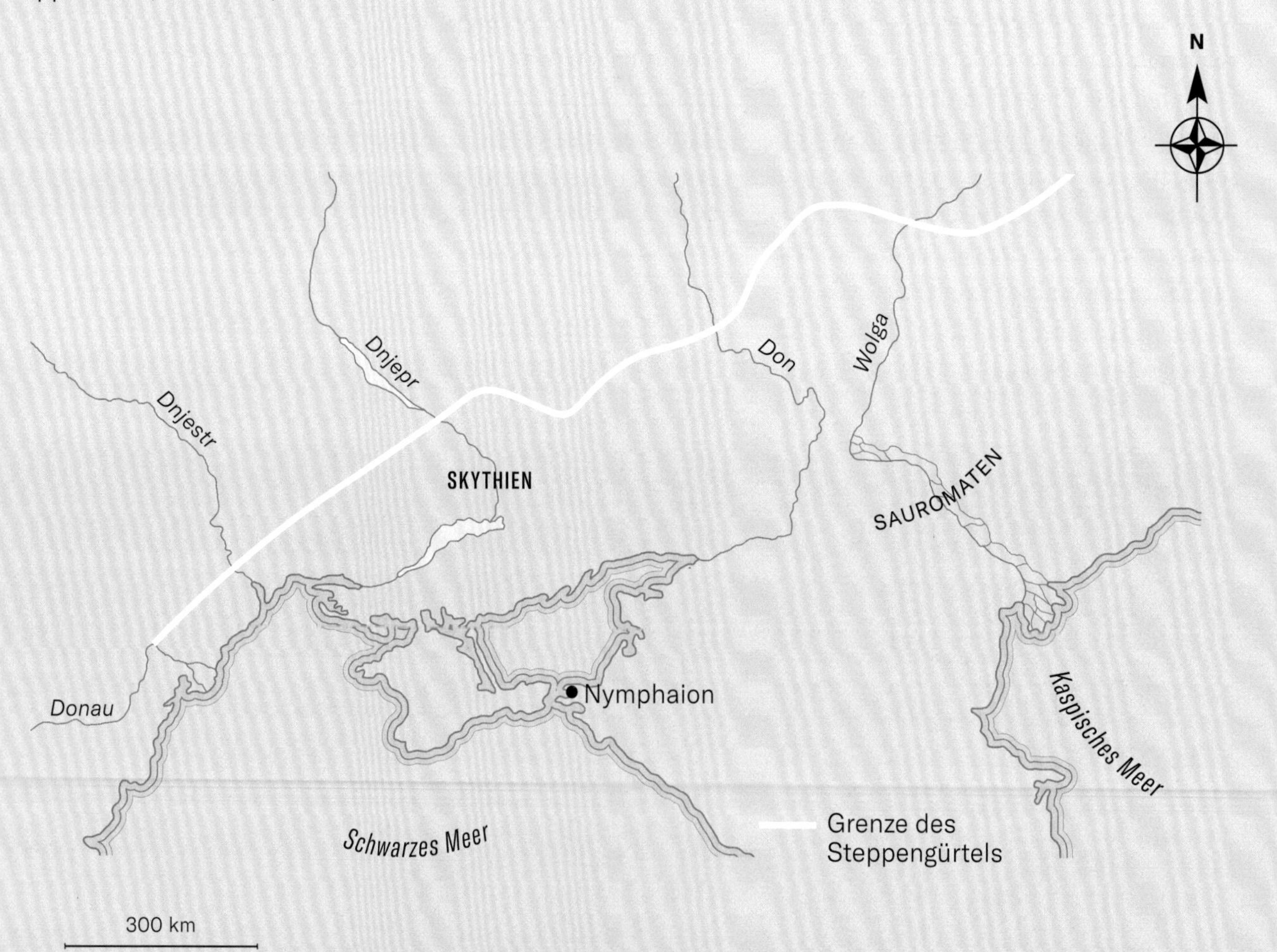

Kriegerinnen gab es nur bei wenigen Völkern der Antike – nicht aus Sexismus, sondern weil das Gebären schon gefährlich genug war. Schon eine Handvoll männlicher Überlebender einer katastrophalen Schlacht konnte genügen, um einen Stamm wieder wachsen zu lassen, doch ein Volk, das zu viele Frauen verlor, war selbst verloren. In der antiken Welt mussten die meisten Völker sich schon genug anstrengen, um zu wachsen, auch ohne Frauen im Kampf zu verlieren.

Daher das Erstaunen über die sarmatischen Kriegerinnen. Nicht wenige Forscher haben darauf verwiesen, dass die Sarmaten im Steppenland nördlich des Schwarzen Meeres lebten – in der heutigen Ukraine und in Südrussland –, das die legendäre Heimat der Amazonen war; deshalb fragten sie sich, ob es Sarmatinnen waren, die zur Entstehung des Mythos führten.

Reiter und Feueranbeter

Irgendwann zwischen 500 und 200 v. Chr. kamen die Sarmaten in dieser Region an. Der Unterschied von drei Jahrhunderten bei diesen Schätzungen ist die Folge einer akademischen Debatte, ob die „Sauromaten“ um 500 v. Chr. dieselben sind wie die späteren Sarmaten. In jedem Fall sind sie iranischer Herkunft, hochgewachsen (in der antiken Welt zählte alles nahe zwei Meter als „groß“) und rothaarig – doch eine Quelle nennt die Mitglieder eines Sarmatenstamms, der Alanen, blonder

Berittene Amazonen kämpfen auf einem Fries des Mausoleums von Halikarnassos gegen Griechen. Selbst die eitlen, chauvinistischen männlichen Griechen respektierten das Kriegerinnenethos der Amazonen.

als die anderen. Neben den Alanen waren die Jazygen und die Roxolanen andere wichtige Sarmatenstämme. Die Männer aller Stämme ließen sich lange, wehende Bärte wachsen.

Die Sarmaten waren hervorragende Reiter. Sie mussten die Skythen verdrängen, mit denen sie verwandt waren, die bereits in der Gegend lebten und selbst sehr gut im Sattel saßen. Die übliche skythische Technik, mit Invasoren fertigzuwerden, nutzte das offene Gelände der Steppe. Im Kampf blieben sie auf ihren Pferden und wichen vor Angreifern zurück, während sie sie mit Pfeilen spickten. Am Ende hatte es der Feind satt, einem Gegner hinterherzujagen, der ihm ständig Verluste zufügte, ohne je nahe genug für einen „echten" Kampf zu kommen. Die Sarmaten lösten das Problem, indem sie ebenfalls zu Pferd kämpften und zur Attacke in den Nahkampf gingen, wo sie mit vier Meter langen Lanzen, die ihre typische Waffe wurden, für Verluste sorgten.

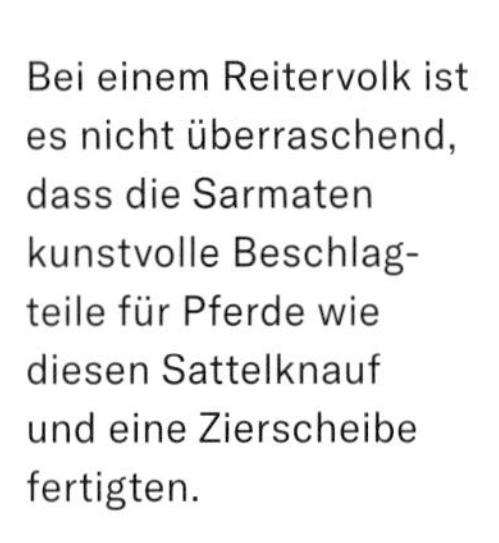

Bei einem Reitervolk ist es nicht überraschend, dass die Sarmaten kunstvolle Beschlagteile für Pferde wie diesen Sattelknauf und eine Zierscheibe fertigten.

Wie viele iranische Völker schei nen auch die Sarmaten Feueranbeter gewesen zu sein. „Scheinen" deshalb, weil sie keinerlei schriftliche Zeugnisse hinterlassen haben und die Form ihrer Religion im Dunkeln liegt. Vielleicht dienten Steinschalen als mobile Altäre, denn ein weiteres Kennzeichen der Sarmaten war, dass sie keine feststehenden Tempel oder Altäre besaßen. Die einfachste Form einer sarmatischen Kultstätte entstand, indem man ein Schwert mit der Spitze in den Boden steckte, wie Ammianus Marcellinus, Offizier und Historiker des späten 4. Jahrhunderts, es beschreibt (31,2).

Da die Sarmaten Leichenverbrennungen wahrscheinlich als Entweihung der reinen Flamme ansahen, bestatteten sie ihre Toten entsprechend ihrem Glauben als Feuerverehrer. Unter die Leichen gestreuter Kalk deutet außerdem auf einen Versuch hin, den Körper von der Erde zu trennen. Pferde, Rinder und auch Menschen (wahrscheinlich Sklaven oder Diener) wurden geopfert und neben einem toten Adligen begraben. Die Gräber hat man in Gruppen

Sarmaten in ihren markanten Schuppenpanzern auf der Trajanssäule in Rom. Ihre eisernen Lanzen hat man später aus den Reliefs gezogen, weil man das Metall brauchte.

gefunden, wobei jede Grabhügelgeneration etwas weiter weg von den ältesten Gräbern in der Mitte lag.

Diese Grabhügel haben Archäologen wie Grabräubern reiche Schätze geliefert. Sarmatische Waffen waren schlichter und zugleich eleganter als die ihrer skythischen Cousins, und die Sarmaten hatten eine Vorliebe für Halbedelsteine, die sie häufig in ihre Waffen einlegten, etwa in Schwertknäufe. Goldschmuck, Becher und Plättchen, die man in Gräbern fand, zeigen, dass sie gute Metallverarbeitung zu schätzen wussten.

Auch reich verzierte Rüstungen hat man gefunden, denn die Sarmaten zählten zu den ersten gepanzerten Reitern der Geschichte. Der Legende zufolge bewahrten ihre Krieger die Hufe aller Pferde auf, die ihnen je gehört hatten. Später wurden diese Hufe gespalten und zur Herstellung von Rüstungen genutzt, wobei „jedes Stück ein anderes glatt auf dem Körper überlappte wie die Schuppen einer Python“.

Feinde der Griechen und Römer

Die Griechen wussten über das militärische Können der Sarmaten genau Bescheid und blieben auf Distanz zu ihnen. (Ein Hoplit zu Fuß kann wenig gegen einen Reiter ausrichten, wenn der nicht erwischt werden möchte, wogegen die Sarmaten die griechische Kavallerie wegputzten, ohne auch nur ihr Tempo zu verringern.) In Fällen, wo Griechen und Sarmaten dennoch in feindlichen Kontakt kamen, waren es die Griechen, die sich zurückzogen, und das führte zum Entstehen einiger fester Sarmatensiedlungen auf ehemals griechischem Territorium im Norden der heutigen Krim.

Die größte je erreichte Ausdehnung des Sarmatengebiets ist noch ungeklärt, denn letztendlich erstreckte sich ihr Land weit über den Horizont der Mittelmeerzivilisationen hinaus, von den Ebenen der heutigen Ukraine bis an die Grenzen des heutigen Polen. Im Süden, besonders im Ostabschnitt der Donau, waren die Sarmaten selbst für Völker im Schutz der Respekt einflößenden Macht der römischen Legionen ein Grund zur Sorge.

Eine dieser Legionen, die Legio XXI Rapax, lernte die Sarmaten auf die harte Tour kennen. 92 n. Chr. wurde sie in die Provinz Pannonien (an der unteren Donau) entsandt, um einem Barbarenangriff zuvorzukommen; stattdessen wurde sie von den Sarmaten ausgelöscht. Das führte dazu, dass Kaiser Domitian persönlich zu Felde zog (und der Dichter Martial Gebete sprach, damit der Brustpanzer des Kaisers auch den Anforderungen gewachsen war, die bald an ihn gestellt werden würden).

Domitians Feldzug lieferte kein klares Ergebnis. Die Sarmaten blieben eine stetig wachsende Bedrohung, die fast ein Jahrhundert später, zur Zeit Kaiser Marc Aurels im Jahr 174 n. Chr., in einer Reihe von Zusammenstößen gipfelte, die heftig genug waren, um als Krieg zu zählen. In diesem Konflikt konnten Römer wie Sarmaten Siege verbuchen, beide erkannten aber auch, dass sie einander im Grunde zugunsten ihrer vielen anderen Feinde schwächten. Darum einigte man sich auf einen Friedensvertrag, der verschiedene neuartige Klauseln enthielt, darunter eine Vereinbarung, keine Seite werde der anderen näher als einen Tagesmarsch kommen. Außerdem ließen die Sarmaten ihre römischen Gefangenen frei – schätzungsweise 100 000 –, was zeigt, dass ihr Krieg nicht erfolglos verlaufen war.

Von gelegentlichen Scharmützeln abgesehen, hielt der Vertrag alles in allem bis zum 4. Jahrhundert n. Chr., als die Sarmaten sich mit Kaiser Konstantin zerstritten. Ein großer Plünderzug über die Donau nach Westen wurde zurückgeschlagen und der Sarmatenkönig getötet. Das ist unser erster Hinweis, dass aus dem Stammesverband der Sarmaten ein einzelnes Königreich geworden war. Die Kontakte zu den Römern hatten die Sarmaten außerdem etwas patriarchaler gemacht. Nicht länger ritten Kriegerinnen mit ihren Brüdern in den Kampf, aber auch weiterhin verhöhnten die Römer die Sarmaten als „von ihren Frauen beherrscht“, was darauf hindeutet, dass die Sarmatinnen immerhin noch mehr Rechte genossen als ihre Schwestern in der römischen Welt.

In der Spätantike sahen sich Römer und Sarmaten gezwungen, in einem vergeblichen Abwehrversuch gegen die Wellen wandernder Stämme aus dem Osten zusammenzuarbeiten, die sie letztendlich überwältigten. Beide Völker halfen bei Bau und Bemannung des *Limes Sarmatiae*, einer Befestigungslinie, die beim Aufhalten der Goten einigermaßen erfolgreich war, aber unter dem Ansturm Attilas und der Hunnen zusammenbrach. Das erforderte einen weiteren Politikwechsel und im Jahr 378 kam es zu einem Bündnis zwischen Goten und Sarmaten, das sich den neuen Eindringlingen mit zeitweiligem Erfolg entgegenstellte.

Am Ende ließ der ständige Druck, Invasionswellen zurückschlagen zu müssen, die Sarmaten als Volk zerbrechen. Sie verschwanden unter einer weiteren wandernden Menschenwelle, den Ostgoten; die Überlebenden wurden nach Westen abgedrängt. Die letzten Reste der Sarmaten werden in der heutigen Lombardei in Italien erwähnt, und nach dem Jahr 529 verschwinden sie vollkommen aus den Aufzeichnungen.

Nachhall in der Zukunft

Im Friedensvertrag zwischen Marc Aurel und den Sarmaten wurde vereinbart, dass beide Seiten einen Tagesmarsch Abstand voneinander halten sollten. Das Land, das zwischen römischem und sarmatischem Gebiet lag, bildete die erste entmilitarisierte Zone der Welt.

Außerdem stellten die Sarmaten den Römern rund 8000 Reiter. Die meisten davon wurden in Britannien als *Ala prima Sarmatarum* stationiert. Als diese Sarmaten ihren Abschied nahmen, kehrten sie nicht in ihre Heimat zurück und hinterließen in ganz Nordbritannien Grabsteine und Nachkommen. Sie waren noch immer in Britannien, als die Insel im späten 5. Jahrhundert an germanische Invasoren fiel. Vielen ist die Verbindung zwischen gepanzerten Sarmaten und den Rittern von König Artus aufgefallen – und Legenden aus dem früheren sarmatischen Kernland haben mit der Artussage vieles gemeinsam.

Dieser Paradehelm aus dem britischen Ribchester stammt wahrscheinlich von der *Ala prima Sarmatarum* (Erstes sarmatisches Kavallerieregiment), die dort in Garnison lag.

ca. 550 v. Chr. bis 600 n. Chr.

Die Nabatäer

Das Volk von Petra

Wie aus dem Fels gezaubert steht sie ja
Berückend, ewig, schweigend, einsam da.
Nicht, wie reinweiß der Dorertempel glänzte,
Wo einst Athene ihre Opfer kränzte, [...]
Nein, jugendfarbig ist die Stirn, die alt
Schon vor zweitausend langen Jahren galt.
Der Osten nur hält solchen Traum bereit:
Die rosenrote Stadt – halb so alt wie die Zeit.

John William Burgon, „Petra" (1845)

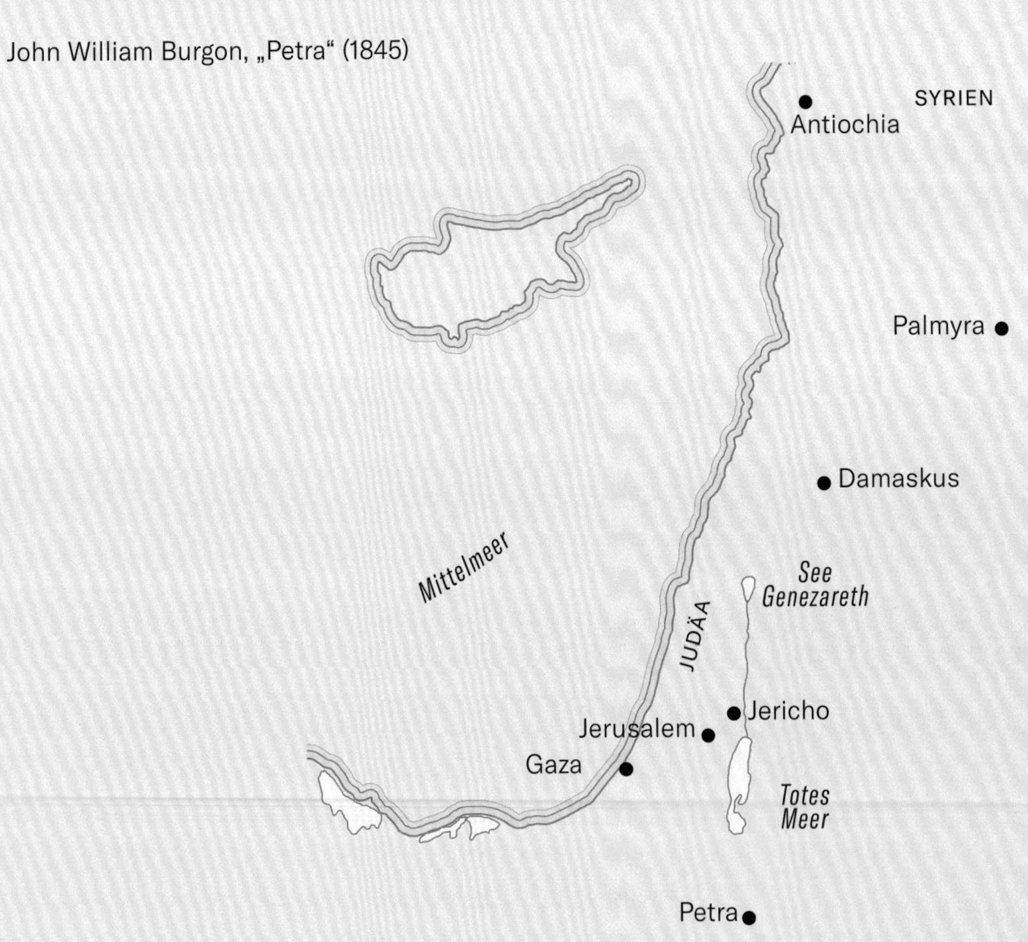

Der letzte Vers des zitierten Gedichts fasst alles zusammen, was die meisten je über die Nabatäer gehört haben. Petra, die wunderschöne, heute verlassene in Stein gehauene Stadt, war nur eine der Siedlungen dieses Volkes in der ungemein lebensfeindlichen Wüste zwischen der arabischen Halbinsel und den Feldern Syriens und Judäas.

„Halb so alt wie die Zeit“ fällt jedoch eindeutig unter die Rubrik „poetische Übertreibung“, da die ersten Nabatäer anscheinend erst um 550 v. Chr. in die Gegend zogen. Das lässt sich vielleicht mit einem assyrischen Bericht verbinden, in dem kurz zuvor davon die Rede ist, dass die Assyrer die Rebellion eines arabischen Stammes namens „Nabatu“ niedergeschlagen haben. Wenn man bedenkt, dass zur assyrischen Antwort auf eine Rebellion normalerweise das Häuten der Anführer bei lebendigem Leib und das Aufspießen eines Großteils der übrigen Bevölkerung auf Pfähle gehörte, kann die tiefe Wüste durchaus als reizvolle Alternative erschienen sein.

Als sich die Nabatäer in jenem Gebiet niedergelassen hatten, das heute den Südteil des Königreichs Jordanien bildet, fingen sie nicht sofort zu bauen an. Mehrere Jahrhunderte lang waren die Nabatäer schlicht ein kleiner Stamm von Wüstennomaden unter vielen, der mit seinen Herden zwischen den wenigen Vegetationsflächen hin und her zog, die sich in der Wildnis finden ließen.

Eine im nabatäischen „Tempel der geflügelten Löwen“ gefundene Skulptur mit der Inschrift „Göttin von Hayyan, Sohn von Nybat“. In Hayyam sieht man das nabatäische Äquivalent von Aphrodite/Venus.

Aufbau eines Königreichs

Doch irgendwann begannen sich die Geschicklichkeit und der Einfallsreichtum zu zeigen, die später ein nabatäisches Markenzeichen werden sollten. Die Nabatäer entwickelten Techniken, die es ihnen erlaubten, Feldfrüchte – normalerweise Obst – in einem Land anzubauen, wo die Regenzeit aus drei Gewittern und einem Wolkenbruch bestehen kann. Ein raffiniertes Bewässerungssystem leitete Wasser, das auf einer großen Fläche fiel, zu einer Baumgruppe oder sogar nur zu einem einzigen Obstbaum. Dank der größeren Bevölkerung, die sich aus mehr verfügbarem Essen ergab, konnten die Nabatäer andere Stämme aus den lokalen Oasen verdrängen.

Zu jener Zeit waren diese Oasen lebenswichtige Rastplätze auf dem Weg durch die Wüste, über die die einzige südliche Landverbindung von Syrien nach Indien und noch weiter verlief. Daher hatten die Nabatäer, sobald sie die Oasen kontrollierten, einen wichtigen und überaus lukrativen Handelsweg in der Hand. Um 400 v. Chr. waren sie als Händler ebenso berühmt wie als Bauern, und ihr Ruf als Bauern war beachtlich. Die wenigen Stücke fruchtbaren Landes im Nabatäergebiet zählten zu den am intensivsten bewirtschafteten in der damals bekannten Welt, und ein Netz aus Dämmen und Kanälen erweiterte dieses Land über die Grenzen dessen hinaus, was möglich erschienen war.

Inzwischen lebten die Nabatäer auch in festen Siedlungen. Die größte davon war den Griechen als Petra bekannt – ein Name, der schlicht „Felsen" bedeutet. Vor dem 3. Jahrhundert v. Chr. war Petra wahrscheinlich eine Fluchtburg, in die sich die ansässigen Nabatäer retten konnten. In der Nähe floss einer der wenigen ganzjährig Wasser führenden Bäche der Region, und mit ihrem gewohnten Können bauten die Nabatäer eine Reihe von Wasserleitungen und Dämmen, die eine künstliche Oase von beträchtlicher Größe schufen.

Jetzt war das Nabatäerreich ein Knotenpunkt zwischen der griechischen, der persischen, der indischen und der ägyptischen Kultur. Auf einem neuen Handelsweg – aus dem später die berühmte Seidenstraße wurde – transportierten Kamelkarawanen exotische Waren aus dem Orient, manche von so fernen Orten, dass ihr Ursprungsort unbekannt war. Zusammen mit Gewürzen, Duftstoffen und Textilien aus dem Osten kamen Weihrauch aus Arabien, Elfenbein und Kupfer aus Ägypten, Zucker aus Indien und weitere besondere Produkte aus einem Dutzend anderer Länder.

Griechen und Nabatäer

Natürlich behielten die Nabatäer einen Anteil von allen Reichtümern, die durch ihr Land flossen, und da sie gewiefte Händler waren, wurde ihr Königreich rasch selbst wohlhabend. Solcher Reichtum weckte den Appetit größerer Raubtiere. Einer von Alexanders früheren Generälen, Antigonos I. (Monophthalmos), griff das Nabatäerreich 312 v. Chr. an. Der griechische Historiker Diodor berichtet, dass eine Streitmacht unter einem Kommandeur namens Athenaios Petra bei Nacht attackierte, als die Kaufleute eifrig bei ihren Handelsgeschäften waren, weil es tagsüber für so etwas zu heiß war.

Den Rest der Nacht verbrachten Athenaios' Männer damit, tonnenweise Silber und Gewürze einzusammeln und so viele Einwohner wie möglich für den Sklavenmarkt zusammenzutreiben. Dann machten sie sich siegessicher auf den Heimweg ... wo sie feststellen mussten, dass die Nabatäer nicht nur ihre Handelswege ausgebaut hatten, sondern inzwischen auch sehr erfahren darin waren, sie vor aus-

Das „Schatzhaus“ in Petra – wozu es ursprünglich erbaut wurde, ist unsicher, aber vielleicht diente es als Grabstätte.

ländischen Banditen zu schützen – sogar vor solchen, die ein ausländischer König geschickt hatte. Ihre große, gut ausgebildete Reiterei, die meisten davon auf Kamelen, holte die schwer beladenen Angreifer schnell ein. Wie Diodor berichtet, wurden alle 4000 Infanteristen, die am Überfall teilgenommen hatten, erschlagen und nur eine Handvoll der 600 Reiter schaffte es nach Hause, „obwohl die meisten verwundet waren“.

Nun schickten die Nabatäer eine Protestnote in scharfem Tonfall an Antigonos, in der sie zweifellos erklärten, wenn der König seine Länder gern vom Handel mit dem Osten abschneiden wolle, sei er auf dem richtigen Weg. Antigonos verstand und verleugnete seinen Kommandeur. Doch statt sein Wort zu halten und die Nabatäer in Ruhe zu lassen, schickte er seinen Sohn Demetrios aus, um einen weiteren Angriff zu starten. Vermutlich hoffte er, dass Demetrios, ein erfahrener Feldherr, besser abschneiden werde als sein glückloser Vorgänger. Aber die Nabatäer, so scheint es, waren geborene Skeptiker und hatten mit einem weiteren Anlauf gerechnet. Dank der ausgezeichneten Führungskunst des Demetrios überlebte ein Großteil seiner Streitmacht die energische nabatäische Verteidigung, fortan aber achtete Antigonos darauf, die Nabatäer in Ruhe zu lassen.

Ein interessantes Detail an den Berichten über Antigonos’ Feldzüge ist, dass das Nabatäerreich inzwischen im Norden bis ans Tote Meer reichte. Die Nabatäer schöpften regelmäßig von Booten aus die Bitumenklumpen ab, die aus Rissen im Seeboden von selbst an die Wasseroberfläche stiegen. Bitumen war in der antiken Welt wegen seiner vielen Eigenschaften ein hochgeschätzter Stoff und wurde für wasserfeste Abdichtungen, als Klebstoff und sogar zum Einbalsamieren von Leichen verwendet; also war der Zugang zu dem begehrten Material wahrscheinlich der Grund, wieso die Nabatäer derart weit nach Norden expandierten.

Während die Seleukiden damals Kriege mit den Ptolemäern in Ägypten führten, blieben die Nabatäer vor einer militärischen Eroberung sicher. Doch immun gegen die Reize der hellenistischen Zivilisation waren sie nicht und so kam es zu einem gewissen Maß an kultureller Eroberung. Architektur und Kunstgegenstände der Nabatäer in späterer Zeit zeigen deutliche Spuren dieses Einflusses. Nabatäische Götter (von denen wir nur sehr wenig wissen, außer dass ihre Hauptgottheit Dušara hieß) wurden ursprünglich durch schlichte Blöcke aus heiligem Gestein repräsentiert, aber nach jahrhundertelangem Kontakt wurden ihnen – wie den griechischen Göttern – menschliche Gesichtszüge verliehen.

Das nabatäische Mosaik zeigt ein Kamel mit giraffenartigem Muster oder eine Giraffe mit Kamelhöcker.

Die Beispiele der nabatäischen Sprache, die wir besitzen, legen nahe, dass die Nabatäer zweisprachig waren und ihre eigene Sprache – aus der arabischen Sprachfamilie – neben dem Aramäischen verwendeten, das die Lingua franca der Region war.

Römer und Nabatäer

Mit der Ankunft der Römer wurden die Nabatäer gegen ihren Willen zu Beteiligten jener Kämpfe, die in dieser Zeit den Nahen Osten prägten; mal kämpften sie mit den Parthern zusammen gegen die Römer, mal half Kleopatra ihnen bei einem Krieg gegen die Juden. Während sie bei ihren Abenteuern in der Fremde meist Pech hatten, waren die Nabatäer bei der Verteidigung ihrer Heimat erfolgreicher. Das lag zum Teil daran, dass sie dort die Wasservorkommen kontrollierten und Experten darin geworden waren, große Wassermengen in tiefen unterirdischen Zisternen aufzubewahren, deren Position ein streng gehütetes Geheimnis war.

Dem Durcheinander zum Trotz erreichten die Nabatäer unter König Aretas IV. (9 v. Chr. bis 40 n. Chr.) ihre Blüte als unabhängiges Reich, und während seiner Herrschaft wurden viele der berühmten Bauten in Petra, darunter das „Schatzhaus", aus den Felsen gemeißelt. Dennoch war klar, dass man sich irgendwie mit der wachsenden Macht Rom einigen musste. König Rabbel II. traf die Vereinbarung, dass sein Königreich bei seinem Tod in römische Hände übergehen werde, solange Rom bis dahin Frieden halte, und etwa im Jahr 105 oder 106 n. Chr. kam es dazu.

Als Bürger der römischen Provinz Arabia Petraea ging es den Nabatäern sehr gut und die archäologischen Untersuchungen der Ruinen von Petra lassen darauf schließen, dass die Einwohnerzahl in dieser Zeit mit rund 30 000 ihren Gipfel erreichte. Damit wäre es überall in der antiken Welt eine ganz ordentliche Stadt gewesen, geschweige denn in einer künstlichen Oase inmitten einer abschreckenden Wüste.

Niedergang

Doch schon in römischer Zeit verlagerte sich der Handel allmählich nordwärts in die Stadt Palmyra und Petra verlor einiges an Glanz. Die Ausbreitung der Wüste, verursacht durch das schrittweise Austrocknen der Region, bedeutete in Verbindung mit landwirtschaftlicher Übernutzung zur Ernährung der großen Bevölkerung, dass die Nabatäer sich in frühbyzantinischer Zeit im langsamen Niedergang befanden. Sie hatten von der aramäischen Sprache zum Griechischen gewechselt und übernahmen gegen 600 n. Chr. das Christentum, doch da war Petra schon verlassen und die Nabatäer längst auf dem Weg, in die nomadische Stammesexistenz zurückzukehren, die sie bei ihrer Ankunft geführt hatten.

An dieser Stelle traf die arabische Invasion, die die Byzantiner aus dem Nahen Osten fegen sollte, die Nabatäer. Die letzten Reste des nabatäischen Volkes verschwinden als Vasallen aus der Geschichte und ihr Land wurde unter einem halben Dutzend kleiner arabischer Staaten verteilt.

Nachhall in der Zukunft

Petra wurde ohne großes Aufheben verlassen, deshalb lag die Stadt fast unversehrt in der Wüste, bis sie für den Westen von Entdeckern des frühen 19. Jahrhunderts wiedergefunden wurde, insbesondere von Johann Ludwig Burckhardt. Danach galt sie fast augenblicklich als Weltwunder (ein Titel, den ihr die UNESCO inzwischen in aller Form verliehen hat). Heute besuchen bis zu dreimal mehr Touristen die Stadt pro Jahr, als sie früher Einwohner hatte, und ihre Straßen sind so randvoll wie in Petras Glanzzeit.

Die „rosenrote Stadt" hatte ihren Auftritt im Film *Indiana Jones und der letzte Kreuzzug*, in dem Indiana Jones' unverwechselbarer Archäologiestil zum Einsturz des Tempels des Heiligen Grals führt. Zum Glück überstand das Gebäude, bei dem es sich tatsächlich um das markante nabatäische Al-Khazne, „das Schatzhaus" handelte (eher hatte es vielleicht mit dem Totenkult zu tun), die Dreharbeiten und ist bis heute eine große Attraktion.

ca. 650–133 v. Chr.

Die Keltiberer

Spaniens Kelten

Wenn in Keltiberien ein Mann morgens pinkelt,
reibt er sich das immer auf die Zähne und sein rotes Zahnfleisch.
Also [, Egnatius,] *je glänzender deine Zähne sind,*
desto deutlicher zeigen sie, was du an Urin verschluckt hast.

Catull, *Carmen* 39

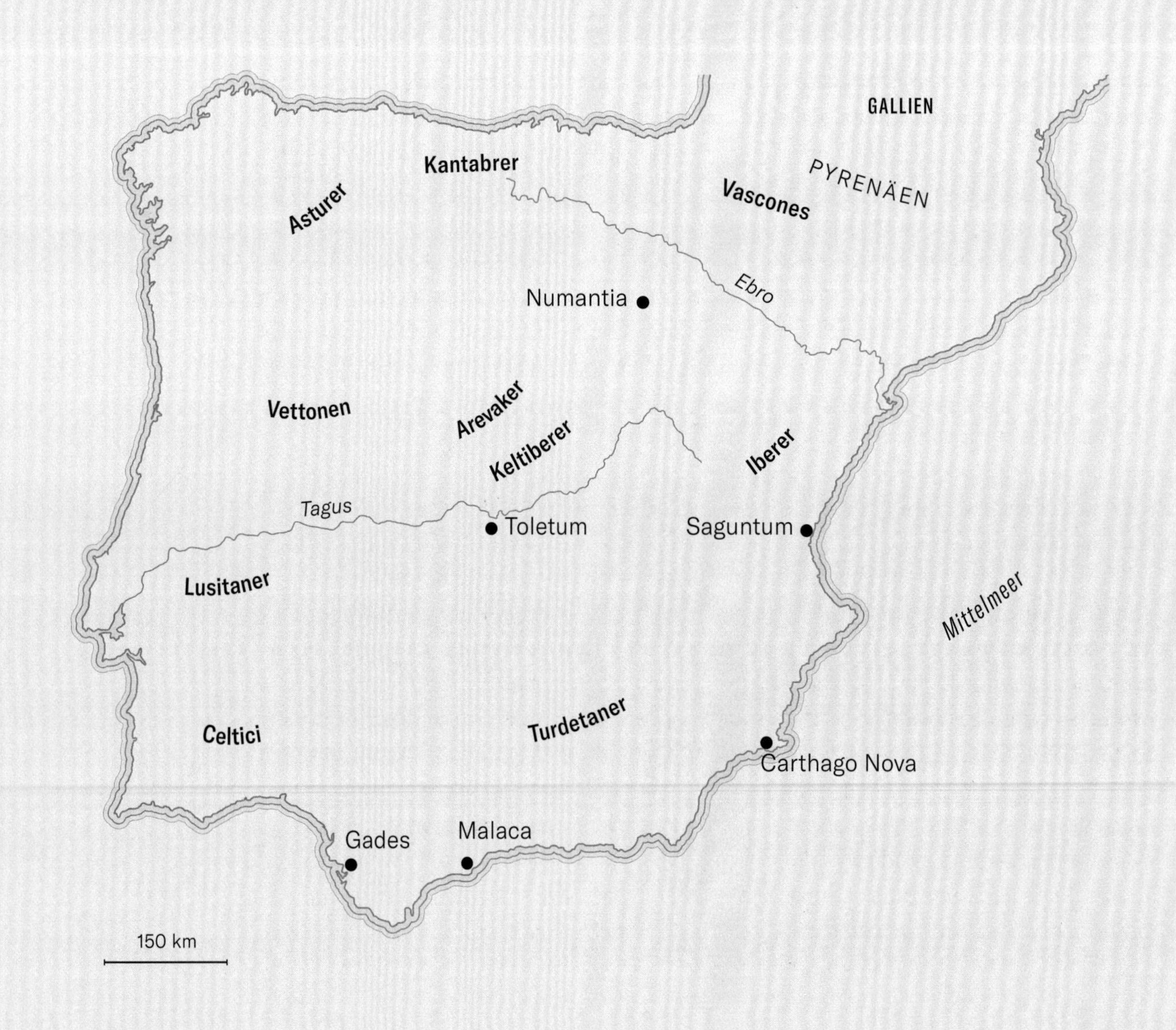

Die Mehrheit der wichtigsten Eroberungen der römischen Republik betraf Völker, die mindestens so zivilisiert wie die Römer waren. Wo die Römer es mit „Barbaren" zu tun bekamen, taten sie sich schwer, und nirgends taten sie sich so furchtbar schwer wie gegen die Keltiberer auf der Iberischen Halbinsel.

Umstrittener Ursprung

Woher die Keltiberer ursprünglich stammten, ist heute das Thema vieler gelehrter Diskussionen, für die Römer aber war die Sache glasklar. Sie erkannten an dieser speziellen Gruppe iberischer Völker (die Keltiberer waren nie eine politische Gemeinschaft im engeren Sinn) Elemente der keltischen Kultur und folgerten, dass es sich um einen Keltenstamm handelte, der sich irgendwie bis ins Herz der Iberischen Halbinsel vorgekämpft hatte und dort geblieben war. So abwegig ist diese Theorie gar nicht, denn Gallien lag gleich neben Iberien und ein Keltenstamm (die Galater) hatte – was weit unwahrscheinlicher war – etwas Ähnliches getan und war inmitten Kleinasiens gelandet.

Die heutige Forschung sieht die Sache viel differenzierter. Beispielsweise kann man beim Studium keltiberischer Inschriften nicht einmal mit Sicherheit sagen, dass die keltiberische Sprache keltische Wurzeln hatte. Wo wir schon dabei sind: Die heutige Ethnografie hat beträchtliche Probleme bei der Frage, was es überhaupt hieß, keltisch zu sein, geschweige denn ein iberischer Ableger davon. Noch dazu scheinen einige typisch „keltiberische" Merkmale schon vor 650 v. Chr. vorhanden gewesen zu sein – und das ist das früheste Datum, zu dem Elemente der keltischen, westeuropäischen Hallstatt-Kultur Keltiberien erreicht haben könnten. Alles in allem ist es wohl am besten, sich aus der Kontroverse herauszuhalten und damit zufriedenzugeben, dass zu der Zeit, als die Schriftquellen einsetzen, die Berge des nördlichen Zentralspanien von einem robusten Kriegervolk bewohnt waren, das keineswegs den Wunsch hatte, sich Möchtegern-Eroberern zu unterwerfen.

Gesellschaft

Die Keltiberer waren ein vorwiegend von der Landwirtschaft lebendes Volk, dessen Handel sich auf Geschäfte mit in der Nähe wohnenden iberischen Stämmen beschränkte. Da überrascht es nicht, dass ein Großteil ihrer Habseligkeiten vom selben Typ war wie bei ihren Nachbarn. Beispielsweise bevorzugten die Keltiberer wie auch andere Ibererstämme ein Stichschwert mit kurzer Klinge, das sie im Nahkampf gegen den Feind

Ein keltiberisches Schwert. Solche Schwerter waren der Prototyp für das furchtbare Stichschwert der römischen Legionen, den *gladius Hispaniensis*.

Ein Grabstein aus dem 1. Jh. v. oder n. Chr. aus dem spanischen Clunia zeigt einen berittenen keltiberischen Krieger mit Schild und Speer.

mit tödlicher Wirkung handhabten. Diese Angriffsweise beeindruckte die Römer am anderen Ende der Schwerter dermaßen, dass sie prompt eine eigene Version entwickelten. Fortan wurde der *gladius Hispaniensis* das Standardschwert der römischen Legion.

In dem Gebiet, das die Römer Hispania nannten, waren Kämpfe bis zur (endgültigen) römischen Eroberung Ende des 1. Jahrhunderts v. Chr. an der Tagesordnung, also lebten die Keltiberer meist in gut befestigten Höhenfestungen, die die heutige Forschung *castros* nennt und die die Römer *oppida* nannten. Dank Ausgrabungen und der gründlichen Untersuchung der Hinweise in römischen Schriftquellen scheint es möglich, eine allmähliche Entwicklung der keltiberischen Gesellschaft zu verfolgen – von einem Zustand, in dem Adlige ihren jeweiligen Clan beherrschten und mit den anderen in Fehde lagen, hin zu einer späteren, eher bürgerlichen Gesellschaft, die von einer Art Stadtrat regiert wurde.

Die Hauptstämme der Keltiberer waren die Titier, die Lusonen, die Beller und die mächtigsten von ihnen, die Arevacer. Nur gegen eine große, lebensgefährliche Bedrohung (wie die Römer), manchmal aber selbst dann nicht, hielten die Stämme zusammen. Sie scheinen ebenso gern gemeinsame Sache gemacht zu haben, um ihre iberischen Nachbarn zu bekriegen, wie sie sich mit einem dieser Nachbarstämme verbündeten, um einen anderen Keltibererstamm anzugreifen, mit dem sie gerade in Fehde lagen.

Das Land der Keltiberer begann weit südlich der Pyrenäen. In den Ebenen zwischen ihrem eigenen Bergterritorium und jener Gebirgskette lebte eine Vielzahl anderer Ibererstämme, darunter die Vasconen. Wieder andere Stämme standen zwischen den Keltiberern und der Mittelmeerküste, aber ohnehin scheinen sie ihre Bergheimat vorgezogen zu haben, auch wenn diese eine der unzugänglichsten Gegenden des Landes war.

Treffen mit der „Zivilisation"

Die Unzugänglichkeit erwies sich 241 v. Chr. als Vorteil, als die Karthager, die nach ihrer Niederlage im Ersten Punischen Krieg gegen Rom ihre Wunden leckten, den entschlossenen Versuch unternahmen, durch die Eroberung Iberiens wieder an ein Reich zu kommen. Vom wütenden Widerstand, den die Keltiberer und andere iberische Bergvölker leisteten, waren die Karthager völlig überrascht; den Widerstand umgingen sie hauptsächlich, indem sie die Keltiberer als Problem für später links liegen ließen. Inzwischen waren die Keltiberer mehr als bereit, als Söldner für die Karthager zu kämpfen und ihnen bei der Unterwerfung anderer iberischer Stämme zu helfen.

All das hörte 201 v. Chr. auf, als Karthago den römischen Legionen unterlag. Die Römer fanden, dass Iberien jetzt ihnen als den Siegern gehörte, und so wurde Hispania daraus und das Land entsprechend in Provinzen unterteilt. Blieb also das Problem, die Keltiberer davon zu überzeugen, dass sie jetzt römische Untertanen waren. Das erwies sich als schwierig. Wie schon erwähnt, waren die keltiberischen Siedlungen schwer erreichbar und der feindliche Empfang bei der Ankunft machte die Tour nur selten lohnend. Außerdem war das zerklüftete Gelände, das die Keltiberer in- und auswendig kannten, ideal für plötzliche Hinterhalte und rasche Rückzüge.

Teils wegen der Schwierigkeiten, so einen Feind auf dem unebenen Boden Spaniens zu bekämpfen, gaben die Römer ihre bisherige Militärtaktik und die alten Formationen auf und kämpften nun in kleineren Einheiten zu je „einer Handvoll" Männer (lateinisch: Manipel).

Die Keltibererkriege

Um 185 v. Chr. erkannten die Römer, dass sie ein echtes Problem hatten, und machten sich an die Eroberung der Keltiberer. Das war der Anfang von 50 Jahren beinahe kontinuierlicher Kriegführung. Die Römer hatten dabei beachtliche Erfolge, erlitten aber auch einige herbe Niederlagen. In der Frühphase des Krieges hatten die Römer das Glück, mit Tiberius Gracchus einen Anführer zu haben, der die römische Seite des Krieges feinfühlig und verständnisvoll genug zu führen verstand, dass er das Vertrauen vieler Stämme unter denen gewann, die er bekämpfte.

Eine zweite Runde des Konflikts brach 150 v. Chr. los. Die Keltiberer trieben eine

Dieser reich verzierte Goldhelm gehörte wahrscheinlich zur Herrschertracht eines keltiberischen Häuptlings. Insgesamt besaßen die Keltiberer aber nur wenige Schätze, die die enttäuschten römischen Eroberer rauben konnten.

Der Stich zeigt die Belagerung von Numantia. Viele Keltibererfamilien töteten sich lieber, als vor den Römern zu kapitulieren, die die Stadt 133 v. Chr. schließlich einnahmen.

römische Armee auseinander und töteten beinahe 6000 Mann, ehe sich die römische Übermacht bemerkbar zu machen begann. Am Ende waren die Keltiberer gezwungen, Gesandte nach Rom zu schicken und um Frieden zu bitten. Der hielt dann weniger als sieben Jahre, teils deshalb, weil römische Vertragsbrüche und Massaker in anderen Gegenden Spaniens das Vertrauen der Keltiberer untergruben. Danach erlitt eine Serie unfähiger römischer Oberbefehlshaber eine Kette von Niederlagen. Einer von ihnen handelte einen Frieden aus, den der römische Senat prompt für ungültig erklärte, was die keltiberische Überzeugung noch bestärkte, die Römer seien doppelzüngig.

Dennoch versuchten sie 136 v. Chr. ein weiteres Mal, Frieden zu schließen. Sie hatten eine römische Armee besiegt und in ihrer Gewalt, da bot ein Sohn des Tiberius Gracchus (der, wie es in Rom üblich war, ebenfalls Tiberius Gracchus hieß) Verhandlungen an. In Erinnerung an das ehrenhafte Verhalten des älteren Gracchus willigten die Keltiberer in seine Bedingungen ein und die römische Armee kam unversehrt davon. Da trat der römische Senat von der Abmachung zurück und der Krieg begann von Neuem.

Am Ende die Niederlage

Inzwischen wollten kaum noch Römer gegen die Keltiberer kämpfen. Solche Feldzüge versprachen wenig Beute, viel Ungemach und die sehr konkrete Möglichkeit eines plötzlichen Todes. Es brauchte eine letzte Kraftanstrengung unter Scipio Aemilianus, um den Krieg zu beenden. Er drängte die letzten Reste der keltiberischen Armee in ihre Festungsstadt Numantia und belagerte es dann. Die Numantiner hielten sogar noch durch, als ihre Lebensmittelvorräte erschöpft waren, und am Ende nahmen sich die meisten, die nicht verhungert waren, das Leben. Diese Niederlage im Jahr 133 v. Chr. bedeutete das Ende des keltiberischen Volkes.

Aber noch waren die Keltiberer nicht ausgestorben. Belegt ist, dass eine Keltiberer-Kohorte später in der römischen Armee in Britannien diente. Außerdem baute ein Mann, „geboren von den Kelten und Iberern, ein Mann vom Tagus (Tajo)", seine Karriere darauf, die Römer auf viele einfallsreiche Arten zu beleidigen, sosehr er selbst inzwischen ein Römer war. Das war Martial, der Dichter des 1. Jahrhunderts n. Chr., dessen „Epigramme" sich immer noch urkomisch – und häufig frappierend obszön – lesen. Doch schon zu Martials Zeit mischten sich die Keltiberer mit den anderen Völkern Hispaniens. Heute überleben sie nur in Form sonderbarer keltisch klingender Ortsnamen in der spanischen Landschaft – wie es sie auch im heutigen Galicien gibt, was so viel heißt wie „Land der Gallaeci", eines anderen keltisch beeinflussten Stammes.

Nachhall in der Zukunft

Dass der letzte Monat unseres heutigen Jahres die Nummer 10 trägt (Dezember kommt von *decem* wie in „Dezimalsystem") und nicht die Nummer 12, liegt daran, dass das römische Jahr lange Zeit im März gleichzeitig mit dem Amtsantritt der neuen Konsuln begann. Das änderte sich 153 v. Chr. wegen der Kriegsgefahr, die von den Keltiberern ausging. Weil die Römer erkannten, dass die Feldzugssaison schon halb vorbei wäre, wenn ein neuer Konsul seine Armee erst im März ausgehoben und nach Spanien geführt hätte, verlegten sie das Datum des Amtsbeginns der Konsuln auf den Januar vor, während der 1. März der Neujahrstag blieb. Erst ab Caesars Kalenderreform in den 40er-Jahren v. Chr. begannen Konsularjahr und Kalenderjahr dann wieder gemeinsam am 1. Januar.

Das ist in Europa und einem Großteil der Welt auch heute so, obwohl zwei der originalen römischen Monate, Quintilis und Sextilis, seit der ersten Reform von 153 v. Chr. noch nach zwei führenden Römern umbenannt wurden – in Iulius und Augustus.

279 v. Chr. bis ca. 500 n. Chr.

Die Galater

Kelten in Kleinasien

Ihr unvernünftigen Galater, wer hat euch verblendet?

Paulus, *Brief an die Galater* 3,1

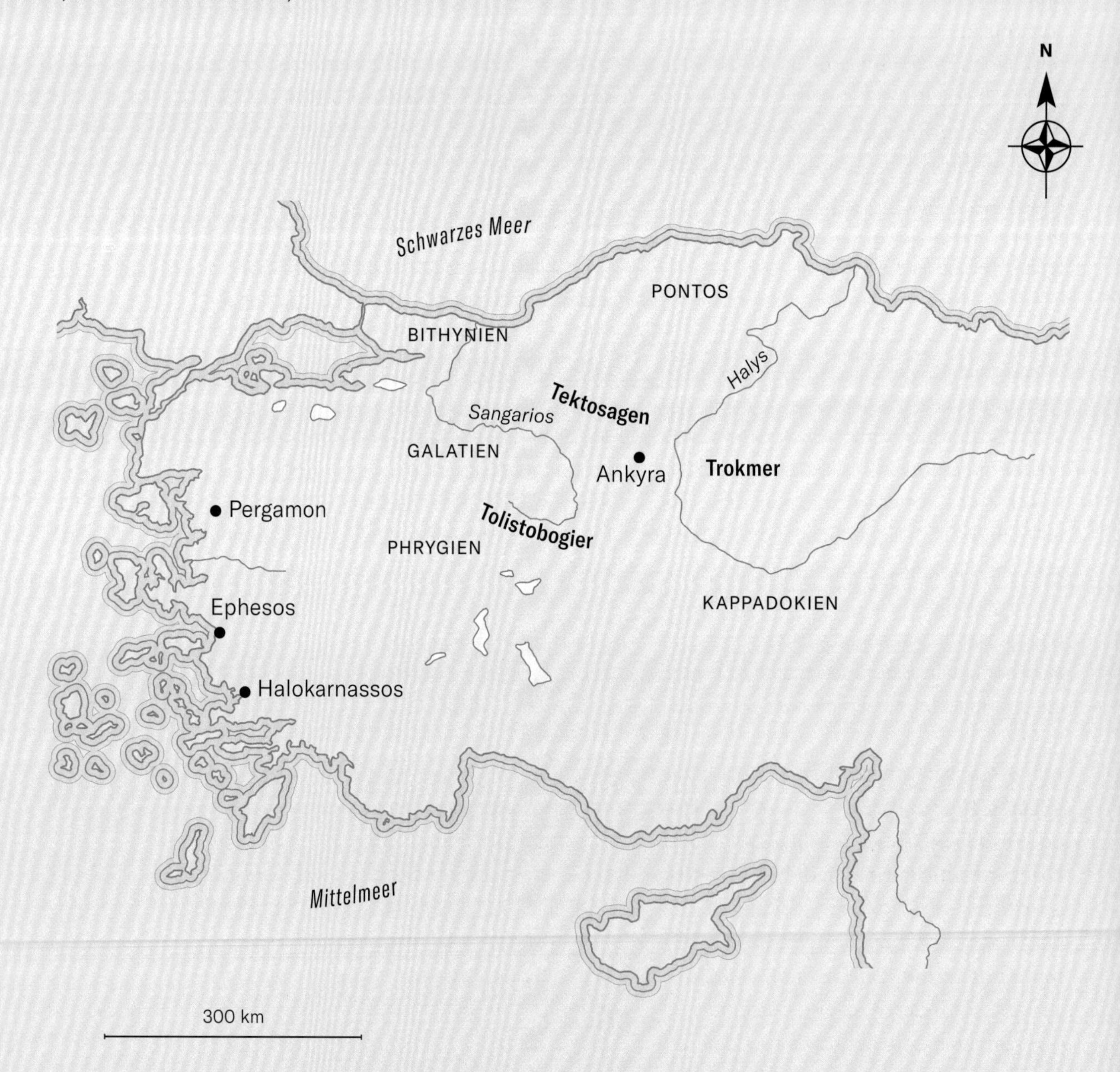

Wer mit dem Hang der antiken Kelten zum Expansionismus nicht vertraut ist, wundert sich sehr, dass Mailand in Italien einst eine keltische Stadt war (bis die Römer sie 222 v. Chr. eroberten). Noch überraschender ist, dass auch Ankara, die Hauptstadt der heutigen Türkei, einmal keltisch war. Tatsächlich bildeten die Hochebenen in Zentralanatolien das Kernland des galatischen Staates – eines Vorpostens keltischer Krieger fern ihrer gallischen Heimat.

Eine unerwartete Reise

Wie die Galater (was im Ortsdialekt einfach „Gallier“ bedeutet) in Zentralanatolien landeten, ist eine verwickelte Geschichte, die damit begann, dass ein gallischer Herrscher namens Brennus fand, es sei schon eine Weile her, dass irgendwelche Barbarenzüge tief ins Innere Griechenlands vorgestoßen waren. Inzwischen musste an Orten wie Delphi eine große Menge Schätze untergebracht worden sein, an denen sich unternehmungslustige Krieger bedienen konnten.

Also führte Brennus 281 v. Chr. eine ansehnliche Armee nach Osten. Viele Krieger nahmen für den Fall, dass sie unterwegs einen netten Ort fanden, an dem man sich niederlassen konnte, ihre Frauen und ihr Vieh mit. „Siedler“ und „Plünderer“ konnten sich über ihre unterschiedlichen Ziele nicht einig werden, und so spaltete sich 279 v. Chr. das Heer; die „Siedler“ bewegten sich durch Thrakien nach Osten. Brennus zog weiter nach Delphi, wo sein Raubzug krachend scheiterte, weil die Griechen sich unerwartet entschlossen zeigten, ihre Schätze für sich zu behalten.

Denen, die nach Osten unterwegs waren, erging es etwas besser, weil die verblüfften Makedonen nicht mit dem Masseneinfall eines Volkes gerechnet hatten, das einen halben Kontinent weit weg wohnte. Doch wenn es eines gab, woran sie gewohnt waren, dann war es das Zurückschlagen von Barbareninvasionen. Als Nachbarn der Illyrer im Westen, der Skythen im Osten und germanischer Stämme an der Donau im Norden waren die Makedonen im Verteidigen ihrer Heimat hervorragend in Übung. Die Gallier wurden samt und sonders aus Makedonien hinausgeworfen und waren ziemlich ratlos, was sie jetzt machen sollten.

Marmorkopf eines galatischen Kriegers. Die Griechen in Kleinasien waren stolz auf ihre Siege über diese wilden Krieger und hielten sie oft in Stein fest.

Die Suche nach einem neuen Zuhause

Die Rettung kam in Gestalt des Nikomedes von Bithynien, der über ein neu gegründetes Königreich herrschte, das sich im Nordwesten Kleinasiens abgespalten hatte. Nikomedes hatte gerade eine heftige Auseinandersetzung mit seinem Bruder, wer von beiden König sein sollte, und lud die Gallier nach Kleinasien ein, damit sie ihm im Kampf halfen. Selbst unter den gallischen „Siedlern" befanden sich etwa 10 000 wilde Krieger – mit Abstand genug, um Nikomedes 278 v. Chr. auf den Thron zu helfen. Damit lautete das Problem ab jetzt, was mit den Galliern passieren sollte, da sie ja nun nicht mehr gebraucht wurden.

Eine Weile pendelten die Gallier wie eine riesige Abrissbirne quer durch Anatolien, plünderten Regionen und erpressten Schutzgelder von größeren Städten. Am Ende wurden sie so lästig, dass der Seleukidenkönig Antiochos I. – der damals zumindest dem Namen nach der Oberherr in Kleinasien war – entschied, er müsse mit ihnen fertigwerden (obwohl das Seleukidenreich damals anderswo in Schwierigkeiten war). Und das gelang ihm auch, teilweise deshalb, weil zu seiner Armee Elefanten gehörten. Nie zuvor hatten die Gallier diese riesigen Tiere gesehen, also hatten sie überhaupt keine Ahnung, wie man sie in den Griff bekommen sollte. Nachdem die Elefanten ein-, zweimal durch die dichten Reihen entsetzter Krieger getrampelt waren, rannten die Gallier in heilloser Flucht davon.

Nie zuvor waren die Galater vor 275 v. Chr. im Kampf auf Elefanten getroffen. Als es dann geschah, war es ein solcher Schock, dass sie eine schwere Niederlage erlitten.

Sie retteten sich ins anatolische Hochland, aus dem sie zu vertreiben für Antiochos zu lästig war. Daher blieben sich die gallischen Stammesmitglieder nach ihrem Dämpfer selbst überlassen, konnten ohne viel Aufsehen die einheimischen Phryger unterwerfen und sich dort niederlassen, wo am Ende ihr langersehntes Zuhause Galatien entstand. Alles in allem ließen die Galater die einfachen Phryger in Ruhe, deren Grundherren sie vertrieben, und die größeren Städte durften weitermachen wie vorher, jedoch unter neuer Verwaltung. Die Eroberer selbst siedelten sich auf Höfen und in Dörfern in ländlichen Gebieten an, wobei sie ein erstaunliches Geschick darin bewiesen, die Böden des trockenen, unwirtlichen anatolischen Landesinneren zu bestellen.

Das Leben in Kleinasien

Die Galater bestanden aus drei Stämmen, den Tolistobogiern, den Trokmern und den Tektosagen, von denen der letzte der größte und mächtigste war. Jeder Stamm wurde von seinem eigenen Herrscher regiert, den die Griechen Tetrarch nannten (was normalerweise „ein Herrscher unter vieren" heißt). Bald nahmen die Galater ihre alten Gewohnheiten, Überfälle zu machen und Kriege zu führen, wieder auf. Rasch wurde ihnen klar, dass sich Scharmützel zwischen den Stämmen viel weniger auszahlten als der Kampf gegen ihre Nachbarn. Kleinasien war im Begriff, die seleukidische Einflusssphäre zu verlassen, und die Lokalpolitik war schmutzig und brutal.

Als Söldner hielten die Galater gern zum Meistbietenden, und wenn das schlechtere Angebot hoch genug war, hatten sie gar nichts dagegen, in einer Schlacht auf beiden Seiten zu kämpfen. Weil die Armeen in Phrygien und Kappadokien zu sehr mit dem Kampf gegeneinander beschäftigt waren, um ihr eigenes Gebiet richtig zu verteidigen, unternahmen die Galater wiederholte, profitable Einfälle dorthin.

Zum Showdown um Kleinasien kam es zwischen einer Allianz unter Führung des Königs des Splitterreichs Pergamon, Attalos I. (241–197 v. Chr.), und den Seleukiden, die immer noch der Ansicht waren, dass Anatolien ihnen gehören sollte. Die Galater kämpften auf der Seite der Seleukiden, was sich als die falsche Wahl erwies. 241 v. Chr. errang Attalos einen entscheidenden Sieg und damit die Unabhängigkeit für sein Königreich, während die Seleukiden und ihre galatischen Verbündeten gründlich geschlagen wurden. (Um diese Zeit entstand die berühmte, als „Sterbender Gallier“ bekannte Statue, die ein oft kopierter Klassiker der Antike wurde.)

Galater und Römer

189 v. Chr. wurden die Galater abermals in die Regionalpolitik verwickelt, als ein neuer Mitspieler auf dem Feld erschien. Es handelte sich um die aufstrebende Macht Rom, die sich mit Pergamon gegen die Seleukiden verbündete. Wieder entschieden sich die Galater für die seleukidische Seite und wieder hatten sie auf den Falschen gesetzt. Die

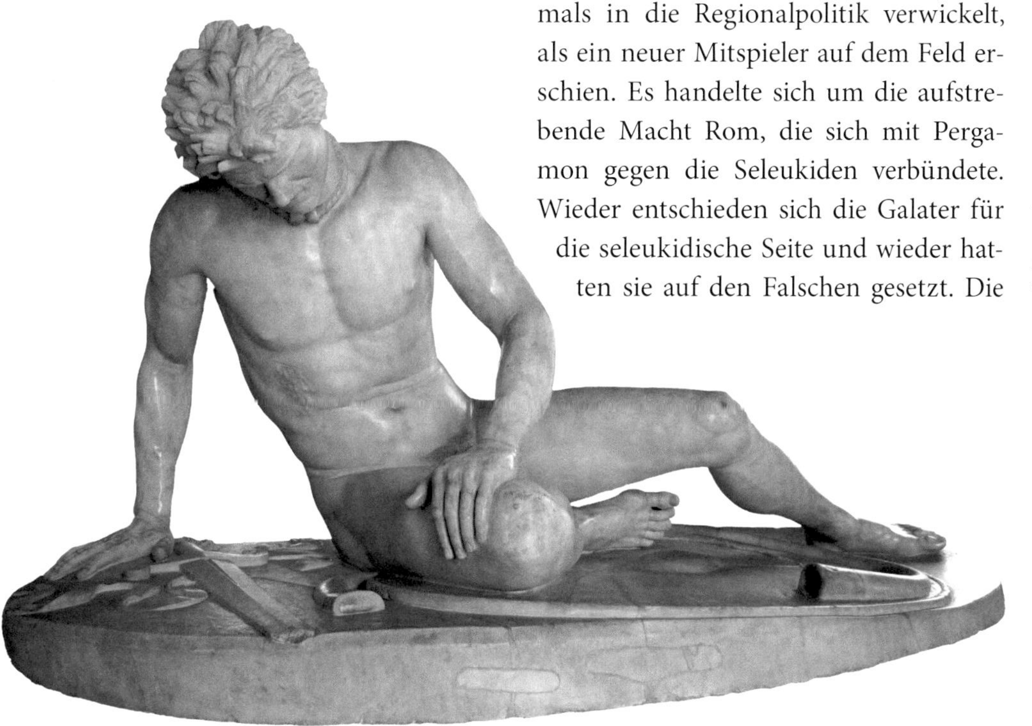

Diese berühmte Statue, bekannt als „Sterbender Gallier“, zeigt tatsächlich einen Galater und wurde geschaffen, um die Siege des pergamenischen Anführers Attalos I. über die Galater in den 220er-Jahren v. Chr. zu feiern.

Hundertjahrfeier ihrer Ankunft in Kleinasien begingen sie, indem sie sich von den römischen Legionen in zwei Schlachten besiegen ließen, die zweite davon vor den Toren von Ankyra (Ankara). Die Zahl der galatischen Krieger vor der Schlacht wird mit 50 000 angegeben (eine Zahl, die an diesem Nachmittag jäh sank), was zeigt, dass sich die Streitmacht seit der Ankunft des Stammes in Kleinasien verfünffacht hatte.

Die Niederlage gegen Rom zwang die Galater, um Frieden zu bitten, und seitdem waren sie überwiegend Vasallen Roms. Im folgenden Jahrhundert, während des Aufstiegs von Mithridates VI. von Pontos (120–63 v. Chr.), zeigte sich, dass das gar nicht so schlecht war. Mithridates war einer der begabtesten, ehrgeizigsten Charaktere, die jemals die Bühne Kleinasiens betreten hatten, und schon bald machte er sich daran, Bithynien und Kappadokien unter seine politische Kontrolle zu bringen. Natürlich hatten die Römer etwas dagegen, und dies eine Mal waren ihre galatischen Verbündeten in den folgenden Kriegen auf der richtigen Seite. Nachdem Pontos 64 v. Chr. unterlegen und erobert war, blieb Galatien zumindest dem Namen nach weiter ein unabhängiger Staat.

An dieser Stelle griff der Anführer der Tolistobogier, Deiotaros, erfolgreich nach der Macht, verdrängte seine Mitherrscher und wurde der König aller Galater. Unter ihm kehrten sie zur alten Gewohnheit zurück und standen im römischen Bürgerkrieg zwischen Pompeius und Caesar prompt auf der falschen Seite. 47 v. Chr. musste Deiotaros sein Handeln vor dem siegreichen Caesar rechtfertigen. Zu seiner Verteidigung schrieb Cicero eine Rede, die anscheinend geholfen hat, denn Deiotaros blieb am Leben und behielt sein Königreich. Nach Caesars Ermordung 44 v. Chr. gewährte er den Mördern umgehend galatische Hilfe. Zum Glück erkannte der König in letzter Sekunde, dass er wieder einmal auf der falschen Seite war, und wechselte geschickt das Lager. Ein paar Jahre später starb Deiotaros um 40 v. Chr. in hohem Alter; sein Königreich hatte er bis zuletzt unversehrt erhalten.

Der letzte König Galatiens war ein Mann namens Amyntas, der 36 v. Chr. die Macht übernahm. Er war auf eine Erweiterung seines Reiches aus und tötete im Zuge dieser Absichten den Fürsten eines benachbarten Kleinstaats. Die rachsüchtige Witwe des Fürsten bereitete mit Erfolg einen Hinterhalt vor. Nach dem Tod des Amyntas im Jahr 25 v. Chr. machte Augustus, inzwischen Kaiser in Rom, Galatien bald zur römischen Provinz.

Bereitwillig richteten sich die Galater als römische Untertanen ein. Ihren Hang zum Kriegführen verwendeten sie als Legionssoldaten für etwas Nützliches – die Legio XXII bestand überwiegend aus Galatern und trug nach dem früheren König den Beinamen „Deiotariana“. Insgesamt wurden die Galater schrittweise hellenisiert und gingen in der einheimischen Bevölkerung auf. Noch 420 n. Chr. sprachen sie angeblich eine Variante des

Gallischen, die man in Gallien verstand, aber bald darauf verschwinden sie aus den Quellen.

Nachhall in der Zukunft

Als der Apostel Paulus das Evangelium von Christus unter den Heiden verbreitete, führte ihn eine seiner frühesten Missionsreisen ins Galatien des 1. Jahrhunderts. Dort gründete Paulus eine Reihe von Gemeinden und schrieb eine strenge Warnung an die Galater, nicht von der Lehre abzuweichen, die er ihnen vermittelt hatte.

Der Galaterbrief ist eines der wichtigsten Dokumente des Christentums, da er die Regeln festlegt, nach denen Heiden Christen werden konnten. Wer sich bekehrte, brauchte dafür nicht den Großteil des mosaischen Gesetzes zu übernehmen und damit praktisch Jude zu werden. Daraus wurde ein Schema der Bekehrung, das im übrigen Römischen Reich und später für einen erheblichen Teil der Weltbevölkerung übernommen wurde.

Paulus schreibt seine Briefe auf einem Valentin de Boulogne zugeschriebenen Bild (ca. 1618–1620).

ca. 300 v. Chr. bis 475 n. Chr.

Die Arverner

Für Vercingetorix und den Sieg

In ganz Gallien gab es zwei Machtgruppen. Die Haeduer führten eine davon an und die Arverner die andere.

Caesar, *Gallischer Krieg* 1,31

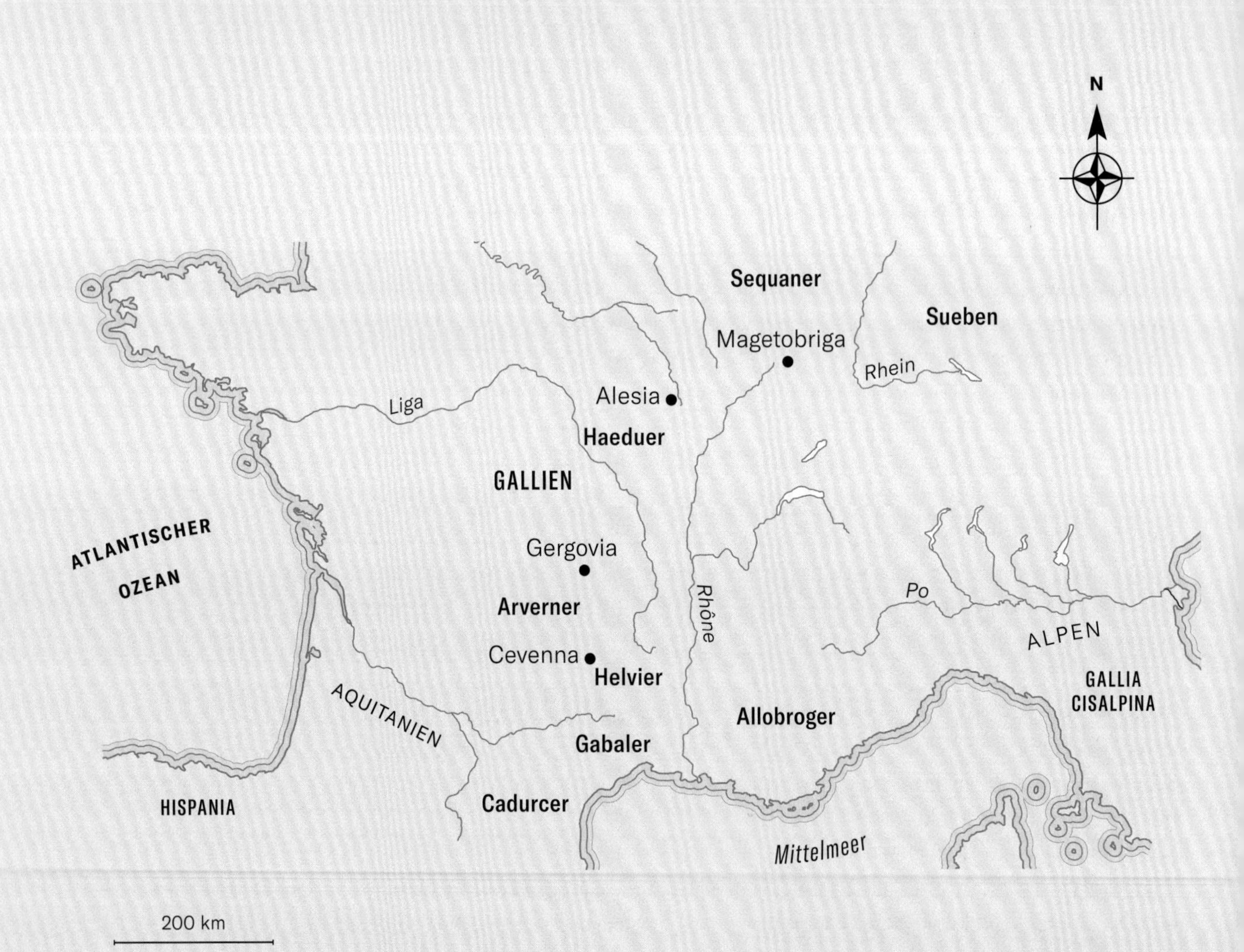

Sich der furchtbaren Dampfwalze der römischen Legionen entgegenzustellen war gefährlich. Doch einige wenige Jahre lang unternahmen die Arverner einen entschlossenen Versuch, der römischen Herrschaft über Gallien die Stirn zu bieten. Bis zur Ankunft der Römer war „Gallien" eine geografische Beschreibung für das Land zwischen den westlichen Alpen und der Nordsee gewesen. Die verschiedenen keltischen Völker, die die Region bewohnten, sahen sich nicht als Teil eines Volkes, sie betrachteten einander vielmehr normalerweise als Feinde. Unter den vielen Stämmen in Gallien fand einer mehr als alle anderen, dass er ein göttergegebenes Recht auf die Vorherrschaft hatte: die Arverner.

Gaben der Natur

Die Arverner waren vom Schicksal in mehrfacher Hinsicht begünstigt. Zunächst einmal wohnten sie an strategisch günstiger Stelle im südlichen Zentralgallien. Ihr Gebiet aus Berg- und Hügelland besaß Wasser im Überfluss und fruchtbaren Vulkanboden. Große Rinder- und Schafherden weideten im Hochland, das mit Bergwerken gespickt war, die Gold, Silber und Kupfer lieferten. Außerdem kontrollierte der Stamm das fruchtbare Ackerland am größten Fluss der Region, der Liga, was auf gallisch „Schlamm" heißt – ein Verweis auf die Ablagerungen im Schwemmland, die überreiche Ernten hervorbrachten. Die Römer nannten diesen Fluss Liger, heute hat sein Name sich zu „Loire" verändert.

Der Reichtum der Region an Bodenschätzen und Agrarprodukten genügte, um mehrere große Städte zu unterhalten, darunter die Festungsstadt Gergovia und Cevenna an der Grenze zu den Helviern. Als mächtiges Volk, gut ernährt und reich mit einer Gesamtzahl, die man auf 175 000 bis 200 000 Menschen schätzt, waren die Arverner des 3. Jahrhunderts v. Chr. auf einem guten Weg zur Vorherrschaft über Gallien. Eine Reihe kleinerer Stämme wie die Gabaler und die Cadurcer waren von ihnen so eingeschüchtert, dass sie ein Mittelding aus Untertanen und Verbündeten waren, Steuern zahlten und auf Anfrage ihrer Herren Krieger stellten. Wegen solcher Angliederungen reichte die Macht der Arverner tief nach Aquitanien hinein. Außerdem hatten sie Verbindungen nach Norditalien, denn Mitglieder ihres Stammes hatten sich mit einem gallischen Stammesverband zusammengetan, der im mittleren 6. Jahrhundert v. Chr. über die Alpen geströmt war und neben anderen Städten auch das heutige Mailand gegründet hatte.

Der Feind aus dem Süden

Das 2. Jahrhundert v. Chr. war in Gallien eine aufregende Zeit. Neue Ideen strömten aus den gallischen Siedlungen in Italien und aus Ländern weiter östlich, zu denen die Gallier Handelsbeziehungen unterhielten, nach Norden. Niemand konnte den Galliern viel in Sachen Metallverarbeitung oder Waffenschmieden beibringen – sie waren anerkannte Meister auf diesem Feld. Doch Münzgeld, Verträge und weitere Errungenschaften der Zivilisation begannen die Lebensweise der Arverner rasch zu verändern.

Zu ihrem Unglück kamen aus Italien aber nicht nur neue Ideen nach Norden. Es kamen auch die Römer. Bis dahin waren die Hauptrivalen der Arverner die Haeduer gewesen, die in den Neuankömmlingen nun potenzielle Verbündete sahen. Ihre Diplomaten wurden mit den Römern einig, deren Hauptinteresse darin bestand, die Landverbindung nach Iberien offen zu halten, die entlang der gallischen Mittelmeerküste verlief.

Die Arverner hatten in dieser Gegend eigene Verbündete, das Volk der Allobroger. 121 v. Chr. eskalierte die Lage, als Haeduer und Römer gegen Arverner und Allobroger kämpften. Der Krieg gegen Rom erwies sich als etwas völlig anderes, als die Arverner es je erlebt hatten. Zunächst vertrauten sie auf ihre bisher nie übertroffene Zahlenstärke, ihre Tapferkeit und ausgezeichnete Bewaffnung, doch bald mussten sie feststellen, dass Mut allein der verbissenen Disziplin der römischen Legionen nicht gewachsen war. Und selbst gallische Willenskraft geriet beim vorher nie gekannten Anblick der Kriegselefanten ins Wanken, die die Römer aus Nordafrika herübergebracht hatten.

Die Arverner wurden vernichtend geschlagen und zogen sich zurück, um sich auf einen letzten Kampf vorzubereiten. Die Entscheidungsschlacht fand nahe der Rhône in Südgallien statt. Über 75 000 Arverner kamen um, ihr König Bituitus und sein Sohn gerieten in Gefangenschaft. Zum Glück für die Arverner waren die Römer an der Eroberung ihres Landes nicht interessiert. Was sie wollten – und bekamen – war das Land der Allobroger, durch das die Straße nach Spanien verlief.

Der Verlust Zehntausender Krieger war ein Schlag, von dem sich selbst ein großer Stamm wie die Arverner erst nach Generationen erholen konnte. Aber ihr Königshaus bekamen sie nie zurück. König Bituitus wurde in einem römischen Triumphzug vorgeführt und anschließend nach Alba Fucens verbannt, einer italischen Stadt, die häufig als Internierungsort für hochrangige Gefangene diente, während sein Sohn woandershin geschickt wurde. Dezimiert und ohne König verbrachten die Arverner die nächsten 60 Jahre im Schatten der aufstrebenden Haeduer.

Gefährliche Freunde

Fremde zur Teilnahme an gallischen Stammesfehden einzuladen war ein gefährliches Spiel, das nicht nur die Haeduer spielen konnten. Als ein Nachbarstamm, die Sequaner, später im Jahr 63 v. Chr. mit den Haeduern aneinandergeriet, wandten sie sich daher in der Überzeugung an die Arverner, dieser Stamm werde ihnen gegen ihre alten Feinde helfen. Die Arverner wiederum forderten den germanischen Suebenkönig Ariovistus auf, sein Heer über den Rhein zu bringen und am Krieg teilzunehmen.

Ariovist und seine Männer gaben den Ausschlag in der Schlacht bei Magetobriga, die der Vorherrschaft der Haeduer ein für allemal ein Ende machte. Leider hatte es Ariovist offensichtlich nicht eilig, in sein germanisches Gebiet heimzukehren. Stattdessen ließen er und sein Volk sich auf Sequanerland nieder, ungeachtet wütender Proteste seiner bisherigen Verbündeten.

Diese Krise war eine Chance für den ehrgeizigen römischen Statthalter des Landes, das Rom von den Allobrogern beschlagnahmt hatte, einen Mann namens Gaius Iulius Caesar. Gemeinsam mit den Sequanern baten ihn die Haeduer um Hilfe beim Vertreiben der Germanen. Der Feldzug gegen die Sueben war ein ganzes Stück schwerer, als es Caesar lieb war, doch am Ende wurde Ariovist geschlagen und floh. So knapp entkam er den Römern, dass der Germanenkönig durch den Rhein schwimmen musste und seine Frauen zurückließ, die in Gefangenschaft gerieten.

Nach der schweren Niederlage der Haeduer fiel die Führungsrolle über die gallischen Völker wieder an die Arverner. Aber das Sagen hatten nicht wirklich sie, sondern Caesar. Jetzt entdeckten die Gallier, dass die Vertreibung Ariovists aus dem Sequanerland lediglich bewirkt hatte,

Auf diesem stimmungsvollen Gemälde von 1886 zeigt der Künstler Henri-Paul Motte, wie Vercingetorix vor römischen Legionären kapituliert, die anachronistische Rüstungen aus dem nächsten Jahrhundert tragen.

Die Belagerung von Alesia. Wie im Fall der früheren Belagerung Numantias in Iberien handelte es sich auch hier um den letzten Widerstand eines verzweifelten Volkes vor der Einverleibung in Roms wachsendes Reich.

dass sich im übrigen Gallien die Römer festgesetzt hatten. Und wie Ariovist dachten die Römer nicht ans Abziehen.

Vercingetorix und Caesar

Ein junger adliger Arverner namens Vercingetorix (ca. 82–46 v. Chr.) entschied sich, die unwillkommenen Römer mit Gewalt hinauszubefördern. Caesar war in Rom in politische Schwierigkeiten geraten und hob gerade neue Truppen in der Gallia Cisalpina aus, dem gallischen Teil Italiens. Seit dem Ende der Dynastie des Bituitus hatten die Stammesältesten der Arverner regiert, und sie waren entschieden gegen die Brandreden des Vercingetorix. Am Ende musste dieser einen Putsch inszenieren, um 52 v. Chr. die Führung des Stammes zu übernehmen.

Sobald er an der Macht war, nutzte Vercingetorix eine Mischung aus gewandter Diplomatie und brutalem Terror, um seine Rivalen auszuschalten und Verbündete zu gewinnen. Dabei weckte er bei den Galliern zum ersten Mal das Gefühl, sie seien ein Volk. Deshalb lässt sich mit Recht sagen, dass Vercingetorix eine Art nationalistischen Aufstand gegen die Römer führte.

Anfangs lief es gut. Eilig kehrte Caesar nach Gallien zurück, erlitt aber einen Rückschlag und schwere Verluste, als er die arvernische Festungsstadt Gergovia einnehmen wollte. Wie Vercingetorix wusste, konnten die Gallier die Römer nicht auf dem Schlachtfeld besiegen. Stattdessen attackierte er mit der gallischen Kavallerie die Nachschubkolonnen, die die römische Armee ernährten, und versuchte das Ackerland zu verwüsten, damit die Legionen sich nicht aus dem Land versorgen konnten.

Als seine Kavallerie jedoch geschlagen wurde, war Vercingetorix gezwungen, sich in die Hügelfestung Alesia zurückzuziehen, wo Caesar ihn prompt belagerte. Eine Zeit lang war unsicher, wer jetzt wen belagerte, denn große gallische Verstärkungen trafen ein und umzingelten ihrerseits die römische Armee. Es schien so, als könnte Vercingetorix ausbrechen und zur Entsatzarmee stoßen, aber Caesars mitreißende Führungskunst entschied den Tag. (Zumindest versichert das Caesar in seinen Memoiren.) Vercingetorix wurde ausgehungert, bis er sich ausliefern musste, und mit seiner Kapitulation wurde Gallien römischer Besitz. Caesar mochte Leute nicht, die ihn in einer Schlacht besiegt hatten, und bei seinem Triumph in Rom wurde Vercingetorix sechs Jahre später öffentlich zur Schau gestellt, in den Kerker geworfen und hingerichtet.

Nachspiel

Als Herrscher waren die Römer milder denn als Eroberer, und wie viele andere Gallierstämme waren auch die Arverner ziemlich überrascht, dass ihr Land unter ihrer Kontrolle blieb und ihr Ältestenrat wieder eingesetzt wurde. Tatsächlich ging das Leben überwiegend weiter wie bisher, nur dass die Römer energisch von den Stammeskriegen abrieten, in denen die Arverner bisher Meister gewesen waren, und die Steuern von jetzt an in die römische Schatzkammer flossen.

Zum letzten Mal hören wir von den Arvernern 500 Jahre später, als sie gegen die Besetzung ihrer Hauptstadt (des heutigen Clermont-Ferrand) durch westgotische Stämme ankämpften. Die Einzelheiten berichtet der letzte berühmte Angehörige des Arvernerstamms, Gregor von Tours – der seinem Namen zum Trotz in der arvernischen Hauptstadt geboren war.

Ein Holzschnitt der Statue auf dem 1865 errichteten Vercingetorix-Denkmal. Heute wird der Gallierführer in Frankreich dafür verehrt, dass er sein Volk gegen einen Feind von außen einigte.

Nachhall in der Zukunft

Der Name der Arverner überlebt in der französischen Landschaft Auvergne, Gergovia allerdings ist verschwunden – vielleicht weil die Römer nicht versessen darauf waren, die Stätte ihrer historischen Niederlage zu erhalten.

Vercingetorix bleibt als Vater des gallischen Nationalgefühls in Erinnerung. Ein Denkmal für ihn steht nahe Alesia und zeigt den Krieger in heroischer Pose. Vielleicht wäre Vercingetorix aber stärker davon beeindruckt, dass der Asteroid 52963 im Minor Planet Catalogue offiziell seinen Namen trägt.

ca. 100 v. Chr. bis ca. 500 n. Chr.

Die Catuvellauner

Der Stamm des Caratacus

Augustus wird als Gott unter uns gelten, wenn die Briten [...] erst dem Imperium hinzugefügt sind.

Horaz, *Ode* 3,5

Britannien, jene ferne Insel, „gegen deren Küsten der Ozean voller Ungeheuer andonnert“, wie der Dichter Horaz schrieb (*Ode* 4,14), war für die Römer ursprünglich ein faszinierender, geheimnisvoller Ort. Schließlich dachten sie, dass der Meergott Oceanus die gesamte Welt umschloss und das wilde Britannien jenseits der Grenzen dieser Welt lag. Darum war es sowohl für Caesar in den Jahren 55 und 54 v. Chr. als auch für Kaiser Claudius 43 n. Chr. eine Prestigefrage und eine triumphale Geste, sich auf diese beinahe mystische Insel zu wagen und ihren Einwohnern zu begegnen.

Aber wie sah das vorrömische Britannien wirklich aus? Ein moderner Autor behauptete, die Briten seien eine friedliebende, matriarchale Gesellschaft gewesen, regiert von weisen Druiden in Harmonie mit den Kräften der Natur – und diese Kultur hätten die imperialistischen römischen Legionen zerstört. In Wahrheit zeigen Archäologie und zeitgenössische Quellen, dass die Briten ebenso patriarchal, kriegerisch und blutgierig waren wie die meisten anderen „Barbaren“-Stämme.

Hunderte Wallburgen – die Hillforts – sprenkeln die Landschaft im südlichen Britannien, darunter Danebury nahe Winchester (Venta Belgarum). Hier wurden die Wälle immer höher gegen Feinde aufgetürmt, bis gegen 100 v. Chr. schließlich ein Tor im Wall niedergebrannt wurde. Zurück blieb ein Vorrat mit Tausenden Schleudersteinen, die man auf Angreifer hätte niedergehen lassen können. Weiter westlich fiel das kolossale Hillfort Maiden Castle, das größte Britanniens, am Ende nach 43 v. Chr. an die Römer.

In jedem Fall gab es damals kein „britisches“ Identitätsgefühl. Britannien existierte nicht als Einheit, sondern war eine Insel, die sich rivalisierende Stämme teilten, darunter die Catuvellauner, die Trinovanten und die Icener.

Caesars Expeditionen

Bei der Beschreibung seiner beiden Britannienfeldzüge erwähnt Caesar den Stamm der Catuvellauner nicht. Er kann ihm jedoch sehr wohl begegnet sein, denn das Gebiet eines Königs namens Cassivellaunus kommt dem nahe, das später die Catuvellauner besiedelten. Sollte Cassivellaunus wirklich König der Catuvellauner gewesen sein, dann war dieser Stamm in Britannien bereits sehr angesehen, denn Cassivellaunus führte den Widerstand gegen Caesars zweiten Einfall im Jahr 54 v. Chr. an.

In der Allianz gegen die römischen Invasoren kam Britannien zum ersten Mal als ein Volk zusammen, und selbst dann war es alles andere als einig. Für jeden Stamm, der sich Caesars Legionen entgegenstellte, gab es mehrere, die sie begeistert willkommen hießen – und die Römer dann umgehend einluden, sich bei Lokalfehden mit den Nachbarn auf ihre Seite zu schlagen.

Insgesamt sollte man Caesars Britannienexpeditionen eher als gewaltsame

Erkundungsunternehmen denn als ernsthafte Invasionsversuche werten. Er stellte fest, dass die Insel so etwas wie ein Hornissennest voller gut bewaffneter, wütender Stämme war, deren Land wenig zu bieten hatte, worauf es die Römer abgesehen hatten. Da überrascht es nicht, dass die Catuvellauner und die anderen britischen Stämme nach Caesars unerbetenem Besuch für das nächste Jahrhundert sich selbst überlassen blieben.

Im 1. Jh. v. Chr. begannen die Briten, Goldmünzen zu verwenden – aus Prestigegründen und um den Handel mit römischen Kaufleuten jenseits des Kanals zu erleichtern.

Das Königreich der Catuvellauner

Römer und Briten vergaßen einander aber nicht. Durch Handel und Diplomatie kamen sie in regelmäßigen Kontakt und spätestens 20 v. Chr. prägten die Könige der Catuvellauner ihre eigenen Münzen in römischem Stil. Interessant an ihnen ist, dass einige davon in Camulodunum (dem heutigen Colchester) geschlagen wurden. Früher war Camulodunum die Hauptstadt des Nachbarstamms der Trinovanten gewesen, also hatten die Nachfolger des Cassivellaunus es anscheinend geschafft, ihr Stammesgebiet beträchtlich zu erweitern.

Die Blütezeit der Catuvellauner kam mit der Herrschaft des Königs Cunobelinus (9–40 n. Chr.), aus dem später Shakespeares Cymbeline wurde. Laut den wenigen Nachrichten, die wir noch haben, scheint die wahre Geschichte von Cunobelinus bestimmt einer Tragödie wert zu sein. Cunobelinus hatte drei Söhne und einen Bruder namens Epaticcus. Bis zu seinem Tod, ungefähr 32 n. Chr., war Epaticcus die rechte Hand seines Bruders und führte Krieg gegen einen weiteren Nachbarn, die Atrebaten.

Inzwischen hatte sich das Königreich der Catuvellauner von seinem Kernland rund um Verlamion (heute St Albans) auf einen Großteil des modernen Kent ausgedehnt. Verwaltet wurde dieses Gebiet von einem Sohn, der später nach einem Zerwürfnis mit seinem Vater verbannt wurde. Dieser Sohn floh nach Rom und bot im Tausch gegen das Reich seines Vaters den Römern die eigene Unterwerfung an. Damals wurde Rom vom überaus exzentrischen Kaiser Caligula regiert. Caligula stellte eine Invasionsarmee auf, doch es war zu spät im Jahr für eine Überquerung des stürmischen Ärmelkanals, und so reagierte er seinen Frust ab, indem er Katapulte auf das Meer abfeuern und seine Soldaten anschließend Muschelschalen als Beute seines „Triumphes über Neptun" einsammeln ließ.

Die tatsächliche Invasion Britanniens musste warten, bis der vernünftigere, wenn auch körperlich schwächere Kaiser Claudius (der vielleicht an Zerebralparese litt) den Purpur übernommen hatte. Inzwischen war Cunobelinus gestorben und sein Nachfolger Caratacus (oder Caractacus, ca. 42–51 n. Chr.) hatte die Atrebaten bereits mit Erfolg besiegt. Der unterlegene Atrebatenkönig rief die Römer zu Hilfe, die den Vorwand nutzten, einen freundlichen, loyalen Stamm gegen Angreifer zu verteidigen, um 43 n. Chr. eine Invasion Britanniens zu unternehmen.

Als die römischen Legionen landeinwärts marschierten, führten abermals die Catuvellauner das Bündnis der Stämme, das ihr Vorrücken vergeblich aufzuhalten versuchte. Erst am Medway, dann an der Themse wollten die Briten die Römer am Flussübergang hindern, und jedes Mal wurden sie geschlagen. Schierer Mut war nicht genug gegen überlegene römische Taktik, Bewaffnung und Erfahrung. Das Gebiet der Catuvellauner war das erste Hauptziel der Römer und zu Propagandazwecken reiste Claudius selbst aus Rom an, um die Einnahme von Camulodunum zu beobachten.

Die Abbildung des 19. Jh.s zeigt, wie Cassivellaunus, Häuptling der Catuvellauner, Frieden mit Caesar schließt.

Guerillataktik und Niederlage

Caratacus und die Catuvellauner waren auf der Flucht, aber noch nicht erledigt. Als der König und seine Männer erkannten, dass sie die Römer nicht in offener Feldschlacht besiegen konnten, begannen sie einen erbitterten Guerillakrieg. Er sollte es den Römern unmöglich machen, sich in ihren neuen Eroberungen häuslich einzurichten. Beide Seiten setzten einander jahrelang zu, wobei Caratacus weit von seiner Heimat abgedrängt wurde und am Ende gegen den römischen Statthalter Publius Ostorius Scapula in den Waliser Bergen kämpfte.

Schließlich war Caratacus 51 n. Chr. gezwungen, sich zu einem letzten Kampf zu stellen. Der römische Historiker Tacitus (*Annalen* 12,34) schildert, wie Caratacus

> [...] sich zu einem weiteren Kräftemessen entschied [...]. Er eilte hierhin und dorthin und erklärte, diese Schlacht werde der Anfang zur Wiederherstellung der Freiheit sein. Er nannte jene, deren Vorfahren den Dictator Caesar vertrieben hatten, und rief sie auf, seinem Beispiel zu folgen und ihr Zuhause, ihre Familien zu beschützen.

Die Römer griffen an und liefen in einen Geschosshagel, bildeten dann aber ihre berühmte *testudo*-Formation, bei der die Schilde einander „nach Schildkrötenart“ überlappten. Sobald sie in die feindliche Linie eindrangen, wurden „deren Reihen durchbrochen, denn sie verfügten nicht über den Schutz von Brustpanzern oder Helmen“, berichtet Tacitus. Nach der Schlacht geriet Caratacus’ Familie in Gefangenschaft, er selbst floh nach Norden ins Gebiet der Briganten. Doch wie schon gesagt waren nicht alle britischen Stämme antirömisch. Cartimandua, Königin der Briganten, legte den Flüchtling mit Vergnügen in Ketten und übergab ihn den Römern.

Als Gefangener in Rom rechtfertigte sich Caratacus vor Claudius (Tacitus, *Annalen* 12,37):

Ich war ein König, der Nachkomme ruhmreicher Ahnen und selbst ein großer Herrscher. Ich hatte Gefolgsleute, Pferde, Schätze und Waffen. Was ist seltsam daran, dass ich das nicht hergeben wollte? Ihr wollt die Welt beherrschen, aber das heißt nicht, dass die Welt bereitwillig in die Sklaverei gehen wird.

Beeindruckt von Caratacus’ mutiger Verteidigung erlaubte Claudius dem gefangenen König, im römischen Exil weiterzuleben. Ähnlich wie ihr König scheinen

Caratacus verteidigt sich vor dem Kaiser in Rom. Normalerweise wurden Gefangene nach einem römischen Triumphzug hingerichtet, aber Kaiser Claudius beschloss, Caratacus zu verschonen, der anscheinend in hohem Alter eines natürlichen Todes starb.

sich auch die Catuvellauner selbst in die römische Herrschaft gefügt zu haben. Der Stamm wurde zu einer *civitas*, einer anerkannten Rechtseinheit mit Bürgerrecht und eigenen Beamten. Die bisherige Hauptstadt Verlamion wurde ein *municipium*, eine Gemeinde mit römischem Stadtrecht namens Verulamium und bekam das erste römische Theater Britanniens.

Ihre Identität als Volk scheinen die Catuvellauner weit in die römische Besatzungszeit hinein bewahrt zu haben, denn Ptolemaios, ein Geograf des 2. Jahrhunderts n. Chr., beschreibt sie als eigenständige Gruppe. Ironischerweise ist eine der letzten Nachrichten über sie eine Inschrift, die stolz erklärt, der Stamm habe Reparaturen am Hadrianswall mit bezahlt. Das Volk, das einst in der ersten Reihe gegen die römische Besetzung Britanniens gekämpft hatte, stand nun Seite an Seite mit seinen Eroberern im Kampf, die „Barbaren" draußen zu halten.

Nachhall in der Zukunft

Kindern von heute ist Caratacus wohl am besten durch seinen Beinahe-Namensvetter Caractacus Pott bekannt, der erfunden wurde, als Ian Fleming eine Pause beim Schreiben von James Bond Romanen ein legte und eine Kindergeschichte namens *Tschitti Tschitti Bäng Bäng* schrieb.

Der britische Komponist Edward Elgar machte Caratacus zum Thema einer Kantate (sein Opus 35), die 1898 aufgeführt wurde und Königin Victoria gewidmet war. Das Libretto erlaubt sich zwar ein paar Freiheiten mit den historischen Quellen, folgt aber eindeutig Tacitus und Cassius Dio.

Grabstein der Catuvellaunerin Regina, ca. 200 n. Chr. Ihr Name und ihre Kleidung zeigen, wie stark der Stamm nun romanisiert war; verheiratet war sie mir einem römischen Soldaten aus Palmyra im Nahen Osten.

ca. 100 v. Chr. bis 63 n. Chr.

Die Icener

Von Boudicca in den Kampf geführt

Sie war sehr groß und abweisend, ihr Blick war bohrend, ihre Stimme herb; eine rotbraune Haarpracht fiel ihr bis auf die Hüften und um ihren Hals lag ein schwerer Reifen. Sie trug ein gemustertes Kleid, darüber einen dicken Umhang, der mit einer Fibel geschlossen war.

Boudicca nach der Beschreibung bei Cassius Dio 62,2

Wären da nicht die römische Gier und Misswirtschaft gewesen, wären die Icener ein ebenso unbekannter britischer Stamm wie beispielsweise die reicheren, zahlenstärkeren Trinovanten. Noch heute bleibt die schlechte Behandlung der Icener durch die Römer ein Lehrstück, wie sich freundliche Untertanen in grimmige, hasserfüllt Feinde verwandeln ließen, die bereit waren, sich selbst zu vernichten, solange sie nur die Römer mitnehmen konnten.

Land und Leben

Falls heute noch Nachkommen der Icener leben, arbeiten sie womöglich an der Universität Cambridge, denn die antiken Grenzen des Stammesgebiets schlossen Teile der heutigen Grafschaft Cambridgeshire und von Suffolk ein, wobei das Kernland in Norfolk lag. Südlich von den Icenern wohnten die kriegerischen Catuvellauner, und weil vorrömische Britenstämme tendenziell Gegner waren, führte die Tatsache, dass die Catuvellauner antirömisch waren, die Icener automatisch auf die Seite der Invasoren.

Der erste Hinweis auf die Icener stammt vielleicht von Caesar, vielleicht auch nicht. Bei seinem zweiten Einfall in Britannien 54 v. Chr. erwähnt er ein Cenimagner genanntes Volk, das nördlich der Themse lebte. Da *magnus* auf Latein „groß" heißt, waren diese Leute die „großen Cener", vielleicht weil ein Ableger des Stammes die kleineren (I)cener bildete.

Die Archäologie hat gezeigt, dass die Icener ein wohlhabendes Volk waren. Ihre Heimatgegend war eben und fruchtbar; man hat mehrere geräumige Häuser freigelegt. Wie viele Stämme im damaligen Britannien durchliefen auch die Icener eine Reihe heftiger sozialer Veränderungen. Die Kriege zwischen Stämmen waren ein regelmäßiger Bestandteil im Leben der Briten, und wenn die Unterschiede zwischen Caesars Expeditionen der 50er v. Chr. und Claudius' Invasion 43 n. Chr. etwas zu sagen haben, konnten sich die Stammesgrenzen dramatisch verschieben, neue Völker entstehen und ältere Stämme unterworfen werden oder sogar ganz verschwinden.

Zur gleichen Zeit brachte der Handel mit dem römisch besetzten Gallien nicht nur neue Produkte wie Wein und Leinen ins Land, sondern auch neue Ideen von der Sozialstruktur bis zu Architektur und Wirtschaftsbeziehungen. Beispielsweise begannen die Icener irgendwann gegen 10 v. Chr. mit der Prägung von Münzen zu experimentieren, wie sie die Händler von jenseits des Kanals gern verwendeten. Die abgekürzten Aufschriften auf den Münzen legen nahe, dass die Icener ihren Stammesnamen vorn mit einem E schrieben. Das hat in der Etymologie zu einer Menge Spekulationen geführt – man hat den Namen auf alles Mögliche von einem örtlichen Fluss bis hin zu Kiefernzapfen zurückgeführt.

Die römische Eroberung

Als die Römer unter Claudius 43 n. Chr. erneut an der britischen Küste erschienen, waren die Icener wohlwollend neutral. Das war ein Glück für die Römer, die alle Hände voll zu hatten mit jenen britischen Stämmen, die ihr Bestes taten, um sie wieder ins Meer zu treiben. Daher waren die Beziehungen zwischen Römern und Icenern anfangs freundschaftlich.

Doch so sollte es nicht bleiben. Die Icener betrachteten die Römer als Verbündete, die ihre lästigen Nachbarn unterworfen hatten, während die Römer die Icener als Untertanenvolk innerhalb ihres Reiches ansahen. Diese verschiedenen Perspektiven drifteten noch mehr auseinander, als der römische Statthalter Publius Ostorius Scapula beschloss, einen schwierigen Feldzug im westlichen Hügelland des heutigen Wales anzufangen. Um zu verhindern, dass es in seinem Rücken Ärger gab, befahl Ostorius den Icenern, ihre Waffen abzugeben.

Goldreif eines britischen Kriegers, gefunden in Snettisham in Norfolk auf dem Gebiet der Icener. Solche Reife waren eine Möglichkeit, Reichtum und Status zur Schau zu stellen.

Als stolzes, unabhängiges Volk waren die Icener empört und rebellierten. Das war eine schlechte Idee, denn Ostorius hatte bereits eine große Armee beisammen, die den Icenern prompt eine schwere Niederlage beibrachte. Wohl in diesem Moment bestanden die Römer auf einem Wechsel an der Spitze und installierten einen fügsameren Herrscher, den König Prasutagus.

Ein Dutzend Jahre lang lief das Leben der Icener ungefähr so weiter wie zuvor. Der große Unterschied lag darin, dass sie wesentlich friedlicher lebten, weil die Pax Romana Stammeskonflikte verhinderte und die Icener deshalb wesentlich wohlhabender wurden. Doch zur gleichen Zeit wuchs auch die Unzufriedenheit mit den Römern.

Viel zu viele Römer betrachteten die frisch eroberten Gebiete in Britannien als persönliche Schatztruhe, die sie nach Belieben plündern konnten. Diese Ansicht reichte vom Senat in Rom bis zum Legionär vor Ort. Beispielsweise hatte Seneca, ein wichtiger Senator und der Berater des damaligen Kaisers Nero, die Angewohnheit, erst den Briten große Darlehen aufzuzwingen, die sie gar nicht brauchten, und dann unerhörte Zinsen zu fordern. Legionäre, die ihre Dienstzeit in Britannien beendeten, entschieden sich manch-

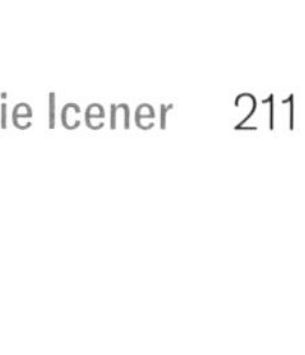

Der in Saxmundham in Suffolk gefundene Kopf aus einer Kupferlegierung zeigt die typische Physiognomie der julisch-claudischen Dynastie: abstehende Ohren und kräftiges Kinn. Möglicherweise handelt es sich um ein Jugendporträt des späteren Kaisers Claudius, der Britannien erfolgreich eroberte.

mal dafür, sich dort zur Ruhe zu setzen und anzusiedeln, indem sie ganz einfach die Briten von jedem Bauernhof verjagten, den sie haben wollten. Nach und nach wandelten sich die Völker Ostbritanniens aus römischen Untertanen wider Willen in potenzielle Rebellen mit einer tiefsitzenden Antipathie gegen Rom. So gut wie sicher wurden die Waffen, deren Vernichtung Ostorius Scapula angeordnet hatte, stattdessen auf Heuböden und im Dachstroh versteckt, wo sie auf den Moment warteten, in dem sie sich am besten einsetzen ließen.

Dieser Augenblick kam 61 n. Chr., als zwei Ereignisse zusammentrafen: Eins war der Tod des prorömischen Königs Prasutagus, das andere die unerklärliche Entscheidung des damaligen Statthalters Gaius Suetonius Paulinus, gerade in diesem kritischen Moment auf einen Feldzug im Westen zu gehen und in Ostbritannien nur kleine Garnisonen zu lassen.

Prasutagus hatte sein Königreich seinen Töchtern und Kaiser Nero gemeinsam hinterlassen. Durch die Einbeziehung des Kaisers hoffte er vermutlich, die Erbschaft seiner Töchter zu sichern. So sollte es aber nicht kommen, und das lag hauptsächlich an einem Mann namens Catus Decianus. Er war der kaiserliche Prokurator, dessen Aufgabe das Regeln der Finanzangelegenheiten des Kaisers in Britannien war. Anscheinend entschied Decianus auf eigene Faust, dass der gesamte Besitz im Königreich von nun an Nero gehörte, und tauchte im Königspalast auf, um ihn umgehend einzuziehen.

Wie zu erwarten, widersetzte sich Prasutagus' Witwe dem. Decianus reagierte auf ihre „Frechheit", indem er sie auspeitschen ließ. Als wäre das noch nicht kriminell dumm und brutal genug gewesen, vergewaltigten seine Männer auch noch die Töchter der Königin. Beide Verbrechen hatten noch schwerere Folgen, als man hätte erwarten können. Die Witwe war nämlich nicht nur Königin der Icener. Ihr Titel – Boudicca – weist darauf hin, dass sie zugleich eine hochrangige Priesterin war. Und die Widerwärtigkeit der Vergewaltigungen wurde noch dadurch verschärft, dass nach den Regeln der damaligen Kultur die Töchter nun nicht mehr heiratsfähig waren, womit die Königsdynastie dem Untergang geweiht war.

Der Boudicca-Aufstand

Der Osten Britanniens war ohnehin schon ein Unruheherd. Es ist ziemlich sicher, dass manche nur darauf warteten, dass Paulinus seine Armee nach Westen führte, ehe sie Ärger machten. Die Nachricht, dass die Römer der Königin und ihren Töchtern Gewalt angetan hatten, verbreitete sich wie ein Lauffeuer, und binnen Tagen waren die Icener aus einem Stamm römischer Verbündeter zu einer voll ausgerüsteten feindlichen Armee geworden. Die meisten ihrer Nachbarn hassten die Römer genauso innig und machten rasch beim Aufstand mit.

Die römische Präsenz in dieser Gegend bestand aus einem Kavalleriekontingent der Neunten Legion und einer römischen Veteranensiedlung in Camulodunum (dem heutigen Colchester). Beide hatten keine Chance gegen eine Sturzflut wohlbewaffneter, hoch motivierter Briten. Rom hatte den Osten Britanniens komplett verloren und stand kurz davor, die gesamte Provinz zu verlieren.

Am Ende musste Paulinus, der von Westen zurückeilte, sich entscheiden – sollte er haltmachen und vor der römischen Stadt Londinium (London) gegen Boudiccas weitaus stärkere Armee kämpfen oder sollte er sich auf eine günstigere Position zurückziehen und die Stadt ihrem Schicksal überlassen? Paulinus entschied sich für die zweite Option. Damit rettete er wahrscheinlich Britannien als Provinz, jedoch zu einem furchtbaren Preis, den die ersten Londoner zahlten.

Die Icener und ihre Verbündeten hatten bereits Colchester und Verulamium (St Albans) geplündert, und in London entfesselten sie eine Orgie von Zerstörung, Raub, Vergewaltigung und Folter. Zurück blieben rauchende Trümmer und die Leichen aufgespießter Männer und Frauen – und Paulinus mit seinen Legionen war das nächste Ziel.

Wir wissen heute nicht, wo die Entscheidungsschlacht geschlagen wurde. Was wir aber wissen, ist, dass die Römer sich an einem Berghang mit nicht umgehbaren Flanken postierten, sodass die Briten auf relativ schmaler Front bergauf vorrücken mussten. Mut und Leidenschaft waren dem Training und der Disziplin der römischen Legionen nicht gewachsen. Als die Briten geschlagen waren, jagte Paulinus sie mit verbissener Wut.

Boudicca verschwand. Wahrscheinlich tötete sie sich und anschließend verbargen ihre Anhänger, die sich auch selbst verstecken mussten, die Leiche. Der rachsüchtige Paulinus schien entschlossen, die Icener als Stamm auszulöschen, und als er abgelöst wurde (die römische Regierung wollte Steuerzahler, keine Leichen), waren die Icener so gut wie ausgerottet.

Spätere römische Geografen führen eine Stadt in Ostbritannien (in Norfolk) namens Venta Icenorum auf. Falls die Einwohner Nachkommen der Icener Boudiccas waren, handelte es sich um einen enorm zusammengeschmolzenen Stamm, dessen Land insgesamt an die 14 Hektar umfasste. Dennoch sind die Icener heute unter den größten Rebellen in Erinnerung, die sich je der Macht Roms entgegengestellt haben, und sie sind außerdem eine Warnung für Tyrannen in aller Welt, dass jedes noch so duldsame Volk am Ende einen Punkt erreicht, wo Schluss ist.

Nachhall in der Zukunft

Die Geschichte von Boudicca blieb bis ins 19. Jahrhundert relativ unbekannt. Dann fiel britischen Historikern auf, dass der Name der Icenerkönigin (den sie Boadicea schrieben) mit dem keltischen Wort für „Sieg“ verwandt ist. Da die Briten damals eine Königin namens Victoria hatten, wurde die Sache der rebellischen Herrscherin als Kampf freier Briten gegen Tyrannei gefeiert.

Heute steht eine Statue Boudiccas am Themseufer, ein stolzer Tribut der Stadt, die sie niedergebrannt hat. (Unter London liegt immer noch eine Brandschicht aus Lehm, den die Feuer der plündernden Krieger Boudiccas gehärtet haben.)

Eine Erinnerung an Boudicca in einem modernen Glasfenster in Colchester, jener Stadt, die sie dem Erdboden gleichmachte, nachdem sie die Einwohner während ihres Aufstands gegen die Römer massakriert hatte.

ca. 12 v. Chr. bis 350 n. Chr.

Die Bataver

Freunde und Feinde Roms

Agricola befahl vier Bataver- und zwei Tungrerkohorten, auf Nahkampfdistanz für den Kampf Mann gegen Mann vorzurücken [...]. *Die Bataver begannen mit ihren Schildbuckeln loszuschlagen und* [den Feinden] *ins Gesicht zu stechen. Sobald sie ihre Gegner auf ebenem Gelände niedergemacht hatten, begannen sie sie bergauf zurückzudrängen. Anderen Einheiten machte ihr Angriff Mut.*

Tacitus, *Agricola* 36,1–2

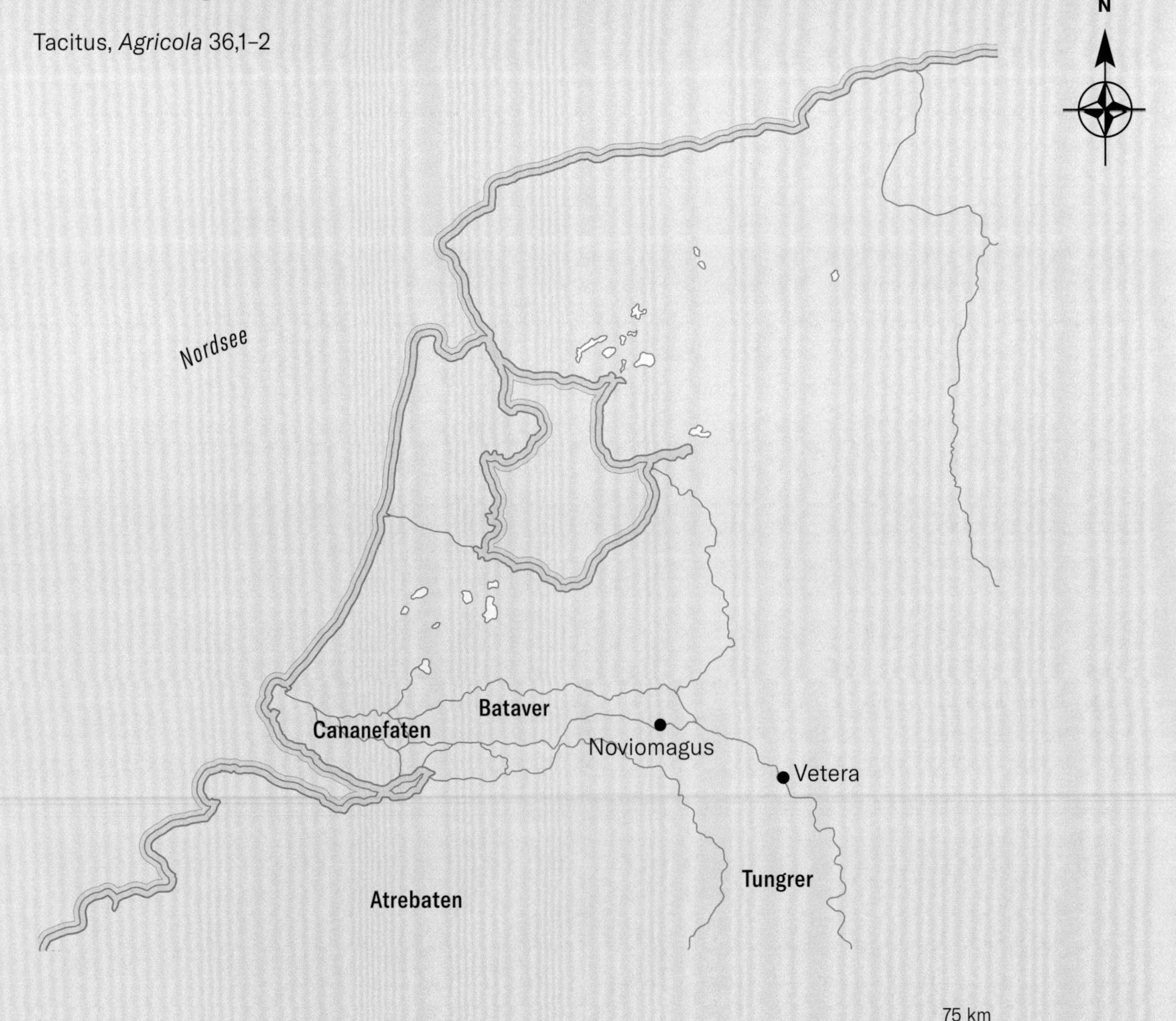

Was die Römer an den Batavern am meisten beeindruckte, war, dass sie kämpfen konnten. Der römische Historiker Tacitus nannte sie „den offensichtlich heldenhaftesten aller Germanenstämme in Gallien“, und so war es, ob die Bataver nun für die Römer kämpften oder gegen sie. Besonders gut waren sie darin, über Flüsse hinweg anzugreifen – ein Talent, das in einer Zeit, als Flüsse häufig die Grenze zwischen Völkern markierten, hochgeschätzt war. Mit den Icenern verbindet die Bataver eine Geschichte des Verrats durch römische Beamte. Für die Bataver nahm ihr Aufstand ein glücklicheres Ende – auch wenn man das nicht von vielen der römischen Legionäre behaupten kann, die gegen sie kämpften.

Germanischer Ursprung

Als die Bataver zum ersten Mal in den Quellen erscheinen, wohnten sie schon auf der *insula Batavorum*, der Insel, die ihren Namen trug. Sie liegt in den heutigen Niederlanden nahe der deutschen Grenze. Entstanden ist die „Insel“ durch eine Gabelung des Rheins, dessen zweiten Arm die Waal bildet. Ein Teil der Insel war durch sumpfiges Marschland geschützt, während die fruchtbaren Flussufer sich hervorragend für den Ackerbau eigneten.

Laut den Römern, die die einzigen uns verfügbaren Schriftquellen liefern, kamen die Bataver nicht lange vor den Römern selbst hier an. Tacitus hielt sie für einen Teil des Germanenstamms der Chatten, den man nach einem Bürgerkrieg zum Auswandern gezwungen habe. Angesichts des reizbaren Charakters der germanischen Stammespolitik ist das nicht unwahrscheinlich, nur irrt sich Tacitus auf jeden Fall mit der Behauptung, dass die Insel bis zur Ankunft der Bataver unbewohnt war. Die Archäologie zeigt, dass dort schon eine ganze Weile länger Menschen lebten, und angesichts ihrer sicheren Lage und des hervorragenden Landwirtschaftspotenzials wäre es verblüffend, wenn das nicht so gewesen wäre.

Eine plausible Vermutung wäre, dass die Bataver tatsächlich Germanen waren, die sich von ihrem Ursprungsstamm abgespalten hatten und nach Westen gezogen waren. Weil sie die Insel als großartigen Ort für ein neues Zuhause ansahen, vertrieben sie die ursprünglichen Bewohner und töteten die, die unbedingt bleiben wollten. Vielleicht lässt sich das Ereignis sogar grob datieren. Im 1. Jahrhundert n. Chr. waren die Bataver auf jeden Fall schon da. Doch Caesar, der die Gegend ein halbes Jahrhundert davor besuchte, erwähnt kein derartiges Volk. Ein gründlicher Feldherr wie Caesar hätte einen gut bewaffneten und organisierten Stamm bemerkt, wenn es dort einen gegeben hätte.

Die Bataver sind nie ein kopfstarkes Volk gewesen – zu ihren besten Zeiten konnten sie wahrscheinlich an die 5000 Krieger zusammenbringen. Anfangs hatten sie keine Hauptstadt oder Fluchtburg, sondern lebten an einem Ende der Insel in Dörfern verstreut, von denen einige nur etwa ein Dutzend Hütten zählten. Die gesamte Insel besetzten sie nicht, denn am Westende wohnte ein verwandter Stamm, die Cananefaten. Der Name bedeutet so etwas wie „Porreekönige", ein gutmütiger Spottname, den ihre Nachbarn ihnen wegen des Talents des Stammes gegeben hatten, diese Pflanze in den leichten Sandböden anzubauen, die den Großteil ihres Ackerlands ausmachten. Beide Stämme züchteten Rinder und Pferde.

Verbündete Roms

Alles in allem wären die Bataver ein absoluter Durchschnittsstamm gewesen, der den Alltagsgeschäften eines Germanenstamms am Rand des Römischen Reiches nachging, hätten nicht die Römer – die Meister in militärischen Fragen – ihr Potenzial erkannt. Ein Aspekt dabei war, dass die Insel an strategisch wichtiger Stelle lag: Die beiden Flussarme erleichterten eine Rheinüberquerung in relativ bequemen Etappen. Tatsächlich hatten die Römer dort ihr Nachschublager Noviomagus (Nimwegen) angelegt, das als Sprungbrett für Operationen jenseits des Rheins dienen sollte. Als die Bataver später stärker romanisiert waren, wurde Nimwegen ihr Hauptort. (Den strategischen Vorteil bemerkten auch die Alliierten im Zweiten Weltkrieg, als sie den Deutschen 1944 in harten Kämpfen Nimwegen zu entreißen versuchten.)

Helm eines römischen Reiters aus dem 2. Jh. n. Chr., gefunden im Fluss bei Nimwegen. Auf der Innenseite ist der Name „Marcianus" eingeritzt.

Die Kampfstärke der Bataver war es, weswegen die Römer ihnen das seltene Kompliment erwiesen, dass sie ihre Steuern in Kampfkraft statt in Geld zahlen durften. Die Bataver dienten in eigenen Einheiten unter ihren eigenen Anführern – so konnten sie ihre Stammesidentität behalten und wurden gleichzeitig gründlich vertraut mit den Stärken und Schwächen der römischen Armee im Krieg.

Der Historiker Cassius Dio gibt uns ein Beispiel, wie die Römer das militärische Können der Bataver zu nutzen wussten. In der Schlacht am Medway bei Claudius' Eroberung Britanniens hatten die Briten im Jahr 43 n. Chr.Position auf dem Nordufer dieses ansehnlichen Flusses bezogen und dafür gesorgt, dass die Römer keine Brücke zum Überqueren fanden. Dennoch konnte der römische Feldherr einen Brückenkopf am anderen Ufer errichten, indem er eine Abteilung Bataver hinüberschickte. „Diese Männer können auch die schnellsten Flüsse in voller Rüstung durchqueren", erklärt Dio.

Als die Briten auf diese Art in der Flanke angegriffen waren, zogen sie sich an die Themse zurück und stellten sich abermals am Ufer auf. Den Römern gelang der Übergang nicht, bis die Bataver es ein weiteres Mal hinüberschafften und die Wachen an einer flussaufwärts gelegenen Brücke überwältigten. Dann

Der Sieg der Bataver über die Römer, gemalt von Otto van Veen. Als das Bild im frühen 17. Jh. entstand, setzten sich die Niederländer gerade gegen die spanische Besatzung zur Wehr und sahen in der einstigen Tapferkeit der Bataver ein Vorbild.

stürzten sich die römischen Legionen auf die Briten, noch ehe diese erkannten, dass ihre Feinde einen Weg über den Fluss gefunden hatten.

Diese und andere derartige Aktionen machten aus den Batavern geschätzte Truppen. (Als Boudicca im östlichen Britannien rebellierte, war der römische Oberbefehlshaber Suetonius Paulinus gerade im Westen und setzte Bataver als Angriffsspitze bei seinem Sturm auf die Insel Anglesey ein.) Wie es bei den Römern üblich war, erhielten batavische Anführer das römische Bürgerrecht und ihre Kinder wurden zu Aufenthalten in Rom eingeladen. Kaiser Augustus war von Größe und Körperbau der Bataver schon so beeindruckt, dass er sie als seine persönliche Leibgarde in Dienst nahm, eine Tradition, die seine Nachfolger beibehielten. Wie die Archäologie zeigt, lernten mindestens einige Bataver auf Latein schreiben. Kurzum, der Stamm war auf einem guten Weg, zu vollständig assimilierten Römern zu werden.

Die Bataver als Rebellen

Trotz ihrer kleinen Gesamtzahl waren die Bataver in der römischen Armee gut vertreten. Im Jahr 69 n. Chr. gab es acht aktive Bataverkohorten, die direkt oder indirekt unter dem Kommando von Gaius Iulius Civilis standen. Civilis war zwar ein batavischer Adliger, aber wie sein Name verrät, gleichzeitig auch römischer

Bürger. In seinen letzten Herrschaftsjahren war Kaiser Nero bei Senat und Armee äußerst unbeliebt, und das machte den Kommandeur einer Elitetruppe wie der Bataver zu jemandem, den das bröckelnde Regime fürchten musste.

Folglich beschuldigte man Civilis des Verrats. Sein Bruder wurde hingerichtet, Civilis selbst aus Germanien nach Rom geschickt, wo man ihm den Prozess machen wollte. Aber andere Intriganten sorgten auch so für Neros Sturz, der neue Herrscher vergab Civilis alle Sünden, die er vielleicht begangen hatte, und schickte ihn wieder nach Hause. Zusammen mit Civilis kehrte die batavische Leibwache Neros zurück, denn Kaiser Galba hatte die Einheit aufgelöst – was die Bataver kollektiv als eine persönliche Beleidigung auffassten.

Das Chaos in Rom eskalierte zu einem stetig weiter ausgreifenden Bürgerkrieg und mit ihm kam ein neuer Hunger nach Truppen. Korrupte Werbeoffiziere fielen über die Bataver her, hoben aber nicht nur die Männer im besten Alter aus, sondern auch betagte Veteranen und Gebrechliche, von denen sie riesige Gelder erpressten, um sich vom Dienst freizukaufen. Schlimmer noch, sie zogen außerdem hübsche minderjährige Jungen ein – als persönliche Lustknaben.

Das Ergebnis war ein Aufstand, der die römische Geschichte tiefgreifend beeinflusste. Die Bataver griffen zwei Legionen in Castra Vetera (nahe dem heutigen Xanten) an und vernichteten sie, dann überzeugten sie zwei andere Legionen – die XIV Gallica und die I Germanica – zu ihnen überzulaufen. Indem sie gleich vier Legionen im Rheinland banden, schwächten Civilis und die Bataver entscheidend die Mittel, die die bedrängte Regierung in Rom gegen jenen Usurpator in der Hand hatte, der 69 n. Chr. zum Kaiser Vespasian werden sollte.

Dem Namen nach hatte Civilis zwar Partei für den neuen Kaiser ergriffen, doch er kämpfte auch dann weiter, als Vespasian schon an der Macht war. Die Rebellion war zum Scheitern verurteilt. Als Vespasian das Reich fester in den Griff bekam, konnte er wachsenden Druck auf die Bataver ausüben und zwang Civilis schließlich zur Kapitulation.

Die Spätzeit

Vespasian war kein Nero. Er scheint Verständnis dafür gehabt zu haben, welche Umstände den Bataveraufstand ausgelöst hatten – nicht zuletzt, weil er seiner eigenen Sache geholfen hatte. Die Festung in Nimwegen wurde abgerissen und die Bataver verlegten ihren Hauptort an eine weniger geschützte Position. Danach verlief der Romanisierungsprozess, der mit dem Bataveraufstand 69–70 n. Chr.ins Stocken geraten war, glatt und aus den Batavern wurden anscheinend zufriedene Untertanen und Soldaten des Imperiums. Sie verabschiedeten sich etwa zur selben Zeit aus der Geschichte wie das Weströmische Reich. Die salischen Franken übernahmen ihre Insel und wie das Volk, dem sie sie einst abgenommen hatten, verschwanden die Bataver spurlos.

Nachhall in der Zukunft

Als Rebellen gegen Rom hatten die Bataver für die späteren Niederländern des 17. Jahrhunderts große Anziehungskraft, eingezwängt zwischen Deutschen und Franzosen, wie sie selbst es waren. Civilis' Aufstand war 1661–1662 das Thema eines Riesengemäldes von Rembrandt, in Auftrag gegeben durch die Stadtoberen von Amsterdam.

Die Niederländer identifizierten sich so sehr mit jenem Volk, das sie „die ersten Niederländer" nannten, dass sie als Kolonialmacht die wichtigste Stadt in Niederländisch-Ostindien auf Java Batavia nannten. Diese Stadt blieb jahrhundertelang ein bedeutendes Handelszentrum, bis der gerade unabhängig gewordene Staat Indonesien ihr wieder den alten Namen Jakarta gab.

Auf diesem berühmten Gemälde Rembrandts verschwören sich der einäugige Civilis und seine Kameraden gegen die Römer. Das Bild war ursprünglich für das Amsterdamer Rathaus bestimmt.

ca. 300 v. Chr. bis 275 n. Chr.

Die Daker

Am Rand des Imperiums

Domitian unternahm zwei Feldzüge gegen die Daker […]. *Er erlitt jedoch viele schwere Niederlagen* […], *denn die Daker erschlugen den Konsular Oppius Sabinus und den Prätorianerpräfekten Cornelius Fuscus, dazu mehrere Heere.*

Eutrop, *Abriss der römischen Geschichte* 7,23

Dakien, heute die nördliche Mitte und der Westen Rumäniens, wurde 106 n. Chr. römische Provinz. Ungewöhnlich ist, dass diese Eroberung nicht durch den Wunsch ausgelöst wurde, Roms Grenzen zu erweitern oder den Ruhm des Imperiums zu mehren. Der Hauptgrund war schlicht ein gerissener Geduldsfaden. Fast von der ersten Begegnung von Römern und Dakern an war ihre Beziehung von Gewalt geprägt – hauptsächlich, wie man sagen muss, von dakischer Gewalt gegen die Römer. Schließlich, nachdem wieder einmal ein Friedensabkommen gebrochen worden war, entschieden sich die Römer, abziehende dakische Plünderer bis in ihre Bergheimat zu verfolgen und die Beute aus einem Jahrhundert zurückzuholen. Die Daker kamen auf seltsame Art ins Imperium, aber die Auswirkungen kann man heute noch sehen.

Ein unzugängliches Land

Die Daker waren im Grunde Westthraker und hatten viele Eigenschaften mit ihren östlichen Verwandten gemeinsam. Am nächsten standen sie einer Stammesgruppe namens Geten, und weil nur wenige Menschen in der antiken Welt die Daker tatsächlich getroffen hatten, wurden die Namen „Daker" und „Geten" von antiken Autoren synonym verwendet, was für spätere Althistoriker eine Spur der Verwirrung legte.

Der Grund, warum es damals so schwer war, auf echte Daker zu stoßen, bestand in der Lage ihrer Heimat. Das Land südlich Dakiens war gebirgig und von Wallburgen durchzogen, die wenig gastfreundliche Barbarenstämme bewohnten. Der weite Gebirgsbogen der Karpaten bildete eine fast undurchdringliche Barriere nach Nordwesten, also verlief der einzige relativ leichte Zugang über Thrakien zum Pontus Euxinus, dem Schwarzen Meer.

Wahrscheinlich wurden auf diesem Weg die ersten erwähnten Daker als Sklaven durch griechische Stadtstaaten an der Schwarzmeerküste nach Athen gebracht. Wegen der Wortgeschichte ist es nicht einmal sicher, dass diese Sklaven echte Daker waren – obwohl das Vordringen zeitgenössischer griechischer Münzen ins dakische Landesinnere zeigt, dass spätestens im 3. Jahrhundert v. Chr. mit jemandem oder etwas gehandelt wurde.

Die frühen Daker waren genauso wenig eine politische Einheit wie der Rest der spaltungsfreudigen Thraker. Das große, zahlreiche Volk war (laut dem Geografen Ptolemäus) in 15 Stämme unterteilt. Der Großteil der kriegerischen Energie dieser Stämme wurde bei Fehden untereinander, mit ihren thrakischen Verwandten und den ebenso kriegerischen Völkern, die das Land entlang der Donau bewohnten, aufgebraucht. Nur wenn sich die Daker zusammentaten und ein einziges Königreich wurden, entwickelten sie sich zu einer Gefahr für die ganze Umgebung.

Wie dieser kunstvolle geto-dakische Helm aus dem 5. Jh. v. Chr. zeigt, waren die vorrömischen Daker bei Weitem keine Wilden aus dem Gebirge.

Das frühe Dakien

Das erste derartige Königreich gründete angeblich ein gewisser Rubobostes im 2. Jahrhundert v. Chr. Anscheinend taten sich die Daker damals schwer mit der Abwehr keltischer Stämme wie der Bojer, hauptsächlich, weil sie sich gleichzeitig gegenseitig bekämpften. Sobald Rubobostes die Daker geeint hatte, wurde die Keltengefahr wirksam beseitigt.

So sagt es zumindest Pompeius Trogus, ein Historiker des 1. Jahrhunderts v. Chr., der über den späteren Autor Justin erhalten ist. Andere weisen darauf hin, die Geschichte von Rubobostes könnte einfach eine Neufassung der Taten des Burebista sein, eines späteren Königs im 1. Jahrhundert v. Chr., der ziemlich genau das Gleiche machte und den es eindeutig gegeben hat (siehe unten). Verwirrung herrscht auch um einen weiteren Kriegerkönig namens Oroles, der angeblich die Daker einte, um den Stamm der Bastarner zu besiegen.

Alles, was sich über diese etwas wirren Berichte sagen lässt, ist wohl, dass die Daker einander zwar normalerweise in traditionellen Stammesfehden bekriegten, aber erwiesenermaßen die Fähigkeit besaßen, als ein geschlossenes Volk zusammenzufinden, wenn eine hinreichend große Gefahr oder Gelegenheit eintrat. Im späten 1. Jahrhundert v. Chr. glaubten die Daker eine solche Chance zu sehen und stellten sich den Römern mit einem groß angelegten Raubzug in deren neue Provinz Macedonia vor. Da Rom außerdem auf die Gebiete entlang der Donau ausgriff, war ein solcher Zusammenstoß vielleicht auf die Dauer unausweichlich.

Wegen ihrer ausgezeichneten Rüstungen und einer langen Waffe mit sichelförmiger Klinge namens *falx* waren die Daker es gewohnt, auf dem Schlachtfeld unüberwindbar zu sein, besonders weil man annimmt, dass sie um die 40 000 Krieger aufbieten konnten und damit gegen die meisten Feinde in der Überzahl waren. Diese gewohnte Überlegenheit machte das Zusammentreffen der Daker mit den disziplinierten, noch besser bewaffneten Römern äußerst entmutigend, und nach dem Scheitern ihres Raubzugs ließen die Daker Makedonien eine Generation lang in Ruhe, während sie sich darauf konzentrierten, die keltischen Bojer und Skordisker zu bekämpfen und vernichtend zu schlagen.

Der damalige Dakerkönig war der schon erwähnte Burebista (der weitaus wahrscheinlicher die Kelten vernichtet hat als der sagenumwobene Rubobostes). Er war ein Zeitgenosse Caesars und ist unter den frühen Dakerkönigen der am besten bezeugte. Während Caesar die

Gallier im Westen bezwang, konzentrierte sich Burebista hauptsächlich auf die keltischen Stämme und die Völker zwischen seinem und dem Schwarzen Meer. Nach mehreren energischen Feldzügen hatten die Daker nicht nur diese potenzielle Gefahr beseitigt, sondern gleich auch noch einige Griechenstädte entlang der Küste unterjocht.

Im Lauf dieser gewaltsamen Kontakte lernten die Daker, die vorher anscheinend Subsistenzwirtschaft betrieben, viel von den fortschrittlicheren Kelten. Etwa zu dieser Zeit übernahmen sie die Töpferscheibe und entwickelten ein Handelssystem, ja, sie begannen aus ihren überreichen Silbervorräten sogar versuchsweise ein paar Münzen zu prägen.

Daker und Römer

Sobald Burebista seine Macht im Osten gefestigt hatte, wandten er und die Daker sich nach Süden, was den Römern keinen geringen Schrecken einjagte. (Caesar überlegte, gegen sie ins Feld zu ziehen.) Doch während die Daker bis ins heutige Serbien nach Süden vordrangen, verschwand die Gefahr für Rom mit der Ermordung Burebistas – möglicherweise angeregt durch den klugen Einsatz römischen Goldes. Ohne die starke Persönlichkeit des Königs, die die Stämme zusammengehalten hatte, fielen sie in Bruderkriege zurück.

Die Römer dachten daran, diesen Vorteil zu nutzen, doch nachdem 44 v. Chr. auch Caesar ermordet worden war, hatte Rom eigene Sorgen. Als Augustus Kaiser wurde, dachte er über einen Feldzug gegen die Daker nach, begnügte sich dann aber damit, sie aus ihren Eroberungen im Süden zu vertreiben. In den folgenden Jahren waren die römisch-dakischen Beziehungen von Vorsicht geprägt, aber überwiegend friedlich. Dennoch unternahmen die Daker häufig kleine Plünderzüge, und im Jahr 69 n. Chr. nutzten sie das Chaos des Vierkaiserjahrs für eine große Raubexpedition. In Ausgrabungen von Fundschichten dieser Zeit ist eine Reihe römi-

Leider sind alle längeren Schriftquellen zu Trajans Dakerkriegen verloren gegangen, daher muss die Geschichtswissenschaft den Ablauf der Ereignisse aus den „Comic"-artigen Bildern auf der Ehrensäule Trajans rekonstruieren.

scher Gegenstände aufgetaucht, aber ob sie als Handels- oder Raubgut kamen, bleibt unsicher. Jedenfalls waren die Römer allmählich mit ihrer Geduld am Ende.

Die Dakerkriege

Spätestens jetzt hatte sich die dakische Gesellschaft in einen Kriegeradel mit einer Priesterschaft (über die dakische Religion ist bisher nicht viel bekannt) und eine Bauernschicht gegliedert, die einen ordentlichen Überschuss an Agrarprodukten erzeugte und außerdem nach Silber, Eisen und Gold grub. Um wieder eine große Gefahr zu werden, fehlte den Dakern nur noch ein neuer König wie Burebista. Ihn fanden sie in Decebalus.

Weil er erkannte, dass der beste Weg zur Einigung der Dakerstämme im Krieg gegen einen äußeren Feind bestand, begann Decebalus seine Herrschaft mit einem Angriff auf die römische Provinz Moesia im Jahr 85 n. Chr. Der römische Statthalter wurde getötet und in den folgenden Kämpfen verlor Rom eine Legion. Jetzt nahm man die Dakergefahr ernst – die Römer schlugen die Daker zurück und fügten ihnen schwere Verluste zu. Decebalus wäre es schlecht ergangen, hätte der damalige römische Kaiser Domitian nicht eigene politische Schwierigkeiten gehabt und seine Armee anderswo gebraucht. Am Ende akzeptierte Decebalus eine nominelle römische Oberherrschaft gegen eine große Geldsumme, für die alle sorgfältig den Begriff „Tribut" vermieden.

Das konnten die Römer unmöglich lange hinnehmen, doch Decebalus nutzte die Gelegenheit und den römischen Geldsegen, um seine Hauptstadt Sarmizegetusa (die Burebista einst gegründet hatte) zu befestigen. Dann stürmten 102 n. Chr. unter einem neuen Kaiser, Trajan, römische Legionen über die Donau, besiegten die Daker im Kampf und zwangen ihnen für Rom vorteilhafte Friedensbedingungen auf. Angeblich nutzte Decebalus den Waffenstillstand zum Wiederaufbau seiner Armee und zu Intrigen gegen Rom, also kehrte Trajan 105 n. Chr. mit 100 000 Mann zurück, diesmal mit dem Ziel einer Invasion. (Die Brücke, die er für seine Truppen über die Donau schlug, bestand bis in die Neuzeit, als sie gesprengt wurde, weil sie die Schifffahrt gefährdete.) Die Einzelheiten des Feldzugs sind nicht mehr bekannt, aber man weiß, dass Sarmizegetusa nach mühsamer Belagerung fiel. Decebalus floh und nahm sich später das Leben, um der Gefangennahme zu entgehen. Seinen Sieg feierte Trajan mit einem viermonatigen Fest in Rom, das er mit dem Gold der Daker finanzierte. Rund 10 000 Gladiatoren kämpften gegeneinander. Später errichtete Trajan die berühmte Säule in Rom, deren prächtige Reliefplatten seine Dakerfeldzüge feierten.

Das spätere Dakien

Von 106 bis 273 n. Chr. waren die Daker römische Untertanen. Ihre wiederaufgebaute Hauptstadt lag rund 40 Kilometer

von den geschleiften Ruinen ihrer Vorgängerin entfernt. Aber Trajan eroberte nur einen Teil Dakiens. Viele Daker blieben außerhalb des Imperiums und bildeten eine Gruppe, die man später als die Karpen kannte. Häufig gerieten sie mit den Römern aneinander – umso mehr, als die römische Macht im 3. Jahrhundert nachließ. Um 273 war klar, dass Dakien gegen Karpen, Westgoten, Vandalen und Sarmaten verteidigt werden musste, und dafür hatten die Römer nicht die nötige Truppenstärke. Kaiser Aurelian entschied sich, die Provinz aufzugeben.

Der archäologische Befund zeigt, dass Dakien überwiegend friedlich geräumt wurde. Der Großteil des einheimischen dakischen Adels war evakuiert und auf römischem Gebiet neu angesiedelt worden, während die dakischen Bauern allmählich mit den Neuankömmlingen verschmolzen und ihre eigene Identität verloren.

Nachhall in der Zukunft

So vollkommen wie Britannien nach 400 n. Chr. wurde Dakien niemals entromanisiert. Auch ohne den römischen Regierungsapparat hielt sich viel an römischer Sprache und Kultur. Heute noch ist die rumänische Sprache erkennbar lateinisch geprägt und Rumänien selbst hat seinen Namen von den Römern, obwohl das hauptsächlich an späteren Eroberungen in byzantinischer Zeit liegt.

In den letzten Jahrzehnten haben sich die Rumänen auch mehr für ihr dakisches Erbe interessiert, und wer sich gern in Dakien aufhalten will, kann das tun, indem er einen Wagen kauft. Automobile Dacia ist seit 1966 im Geschäft und gehört derzeit Renault. Leider stehen auf den Nummernschildern keine römischen Ziffern.

Decebalus ist nicht ganz vergessen: Auf einer modernen Felsskulptur starrt er streng über die Wasser der Donau.

Teil 4

Der Fall Roms im Westen 235–550 n. Chr.

Barbarische Invasoren und Siedler

Etwa im zweiten Viertel des 3. Jahrhunderts n. Chr. wurde das Römische Reich vom Jäger zur Beute. Ganze Völker waren in Bewegung, überwanden große Entfernungen und ließen sich fern ihrer früheren Heimat nieder. Die Ursache für diese Migrationsbewegungen ist unter Wissenschaftlern seit zwei Jahrhunderten heiß umstritten.

Vielleicht hatte eine Epidemie damit zu tun. Zur Zeit des Kaisers Septimius Severus (193–211) brachten Soldaten, die aus dem Osten zurückkehrten, eine neue, verheerende Seuche mit (die gleichzeitig auch in China Millionen tötete). Sie folgte unmittelbar auf eine andere Epidemie, die die Historiker heute die „Antoninische Pest" nennen. Spezialisten für die Spätantike sind der Ansicht, dass sich Rom um 400 n. Chr. überwiegend von dieser Krise erholt hatte, andere denken jedoch, dass das Reich, das 70 Jahre später zusammenbrach, entvölkert war.

Andere Historiker verweisen auf Schwachstellen im Apparat des Imperiums. Obwohl die Römer über 150 Jahre Zeit dafür gehabt hatten, war man sich doch nie einig geworden, wie genau ein Kaiser gewählt werden sollte. Die faktische Lösung sah so aus, dass die Armee entschied, welcher ihrer Kommandeure Kaiser sein sollte, und anschließend auf die (zunehmend bedeutungslose) Bestätigung durch den Senat wartete. Das Problem bei dieser Methode war nur, dass, falls sich zwei verschiedene Provinzheere nicht einigen konnten, ein schmutziger Bürgerkrieg die Folge war.

Wer Kaiser wurde, war ohnehin beinahe unwichtig, denn fast alle verfolgten letztendlich dieselben politischen Ziele auf beinahe die gleiche Weise. Nur waren einige Provinzen, besonders die im Westen, der Meinung, dass die Zentralregierung für ihre Verteidigung nicht genug tat. Wenn das so war, bestand die hohe Wahrscheinlichkeit, dass sich die Armeen in diesen Provinzen einen Kaiser aussuchten, der ihnen passte.

Wieder andere Historiker behaupten, dass es sinnlos sei, über die Ursachen der Zerstörung des Römischen Reiches im Westen zu diskutieren, weil dieses Reich sowieso nicht dauernd hätte bestehen können. Der Westen des Römischen Reiches hatte Grenzen, die sich von der Rheinmündung an der ganzen Donau entlang bis zur Küste des Schwarzen Meeres zogen. Damit galt es, beinahe 4000 Kilometer Grenze zu verteidigen, und dabei sind Afrika und Ägypten noch gar nicht mit eingerechnet. Für die Aufgabe, diese lange Grenze aufrechtzuerhalten, hatte Rom etwas mehr als 200 000 Mann – eine Streitmacht, die etwa so groß war wie die belgische Armee zu Beginn des Ersten Weltkriegs.

Doch sogar diese relativ kleine Armee war mehr, als sich das Imperium leisten konnte. Beinahe von Anfang an konnte Rom seine Soldaten nicht bezahlen. So lange man andere Länder eroberte, war das nicht so wichtig, denn Eroberungen trugen sich selbst und Roms Armeen wurden aus der Beute gewonnener Länder bezahlt. Als Rom aber vom Jäger zum

Gejagten wurde, was nun? Die einzige Methode, den Sold weiterzuzahlen, bestand in der Verschlechterung der Währung. Darum wurde der Denar im Lauf der Geschichte des Imperiums von fast purem Silber zu wertlosem unedlem Metall.

Nach dieser Ansicht lautet die Frage nicht, wieso das Römische Reich im Westen am Ende fiel, sondern vielmehr: Wie schaffte es das nur, so lange zu überleben?

Worüber sich beinahe alle einig sind, ist, dass nicht die Barbaren Rom zerstört haben. Sie brachten lediglich eine Struktur zum Zusammenbruch, die bereits ins Wanken geraten war. Allerdings gab es wiederholte Barbareninvasionen, die Chaos und massenhaftes Leid verursachten. Wieso kam es dann überhaupt zu ihnen?

Während es den Römern des 3. und 4. Jahrhunderts n. Chr. so vorkam, als rollten die Barbaren unaufhaltsam in einer Welle nach der anderen über sie hinweg, ist es tatsächlich so, dass die Barbaren schon oft gegen die Römer angetreten waren und die Römer bis zum Fall des Imperiums sehr gut darin gewesen waren, jeden Einfall im Keim zu ersticken. 58 v. Chr. berichtete Caesar, eine Welle von etwa 300 000 migrierenden Helvetiern habe die Grenze Galliens getroffen. Sogar nach den niedrigsten modernen Schätzungen wehrte Caesar damals rund 50 000 Barbaren ab, ohne um Verstärkung zu bitten. Eine Generation davor hatte Rom sich einer mindestens dreimal größeren Invasion durch die wandernden Cimbern gegenübergesehen. Obwohl es 105 v. Chr. in der Schlacht von Arausio über 20 000 Mann verlor, wies es die Invasoren am Ende ab und tötete oder fing über 180 000 von ihnen.

Wenn wir aber zeitlich ans andere Ende des Imperiums blicken, konnten Alarich und seine westgotischen Barbaren ungehindert durch Italien marschieren und 410 n. Chr. mit höchstens 30 000 Mann Rom plündern. Ähnlich klein waren andere Barbaren-„Horden“ – und doch war Rom gegen sie so gut wie wehrlos. Sicher, den letztendlichen Zusammenbruch mögen die barbarischen Invasoren ausgelöst haben, doch sie waren nur das letzte, entscheidende Element in einem bereits tödlich geschwächten Reichssystem.

Dennoch, auch wenn die Barbaren nicht *das* Problem waren, so waren sie jedenfalls *ein* Problem. Die Unruhen, die römische Historiker von 250 bis 550 n. Chr. innerhalb des Reiches registrieren, sind nur ein Schatten des noch größeren Chaos jenseits der Grenzen. Heute wissen wir, dass die Migration der Goten über ein Jahrhundert vor der Ankunft dieses Volkes an den Grenzen Roms begann. Der Druck der Hunnen spaltete die Goten in **West-** und **Ostgoten;** beide Stämme erreichten Italien zu verschiedenen Zeiten. Diesen Druck verspürten zu anderer Zeit auch Germanenstämme wie die **Alamannen** und überschritten die römischen Grenzen in einer Serie verheerender Raubzüge, wobei ihnen Krieg und Aufruhr in den von ihnen angegriffenen Provinzen in die Hände spielten.

Die Folge war, dass Stämme, die wie die Alanen aus der Schwarzmeerregion in einer Ecke des Kontinents aufgebrochen waren, ganz woanders landeten. (Im Fall einiger **Alanen** war das die Bretagne im heutigen Frankreich.) Die Westgoten brachen von der Nordostgrenze Roms auf und verschmolzen mit der Bevölkerung Spaniens.

Die **Vandalen** setzten noch eins drauf, begannen irgendwo in Skandinavien und endeten in Afrika. Ein weiterer migrierender Stamm aus dem heutigen Dänemark, die **Jüten,** drängte gemeinsam mit den Angeln und Sachsen die romanisierten Briten zurück und ließ sich im späteren England nieder.

Ein Charakteristikum all dieser Eindringlinge, egal aus welchem Stamm, war, dass keiner von ihnen aggressiv feindselig gegen die römische Zivilisation eingestellt war. Und auch die Römer hatten keine starken Vorurteile gegen sie. Selbst die Westgoten, die den Römern wohl mehr Schaden zugefügt haben als jeder andere Stamm, waren im entscheidenden Showdown gegen die Hunnen lebenswichtige Verbündete. Wie sie kämpften auch andere Invasoren ebenso gern an der Seite der Römer gegen andere Barbaren – oder gesellten sich im Fall der Alanen zu Römern *und* Barbarenheeren und kämpften als Söldner gegeneinander.

Sehr oft ließen sich Barbarenstämme auf unbesiedeltem Land innerhalb der römischen Grenzen nieder und verdrängten die lokale Verwaltung. Sie und die römische Bevölkerung lebten ganz gut nebeneinander und der Hauptunterschied zu früher war, dass die Abgaben der ortsansässigen Römer jetzt an die Barbarenführer gingen. Diese Anführer waren oft deutlich weniger korrupt als die römischen Verwalter vor ihnen, und anders als die überlasteten Römer boten ihre Armeen den Einwohnern tatsächlich ein gewisses Maß an Schutz.

Folglich reichte das Sesshaftwerden von Barbaren im Römischen Reich von Invasionen, die (wie in Britannien) die lokale Kultur beinahe auslöschten, bis zu Fällen, in denen die Barbaren diese Kultur intakt ließen. Nirgends war die zweite Variante so sichtbar wie in Italien, wo die Macht so reibungslos von den Römern auf die Ostgoten überging, dass das Leben in Rom selbst normal weiterlief.

Der „Untergang des Römischen Reiches“ war ein so unspektakuläres Ereignis, dass damals wohl nur wenige bemerkten, dass es überhaupt eingetreten war. Europa musste warten, bis Historiker der frühen Neuzeit entdeckten, dass Rom tatsächlich untergegangen sei. Jedenfalls lebte das Reich im Osten mit dem Zentrum Konstantinopel noch bis 1453 weiter, als die Osmanen es von seinen Leiden erlösten. Diese Byzantiner (von späteren Historikern nach Byzantion benannt, dem ursprünglichen Namen Konstantinopels) verstanden sich tatsächlich als „Römer“ und nannten sich auch so.

Damit soll nicht geleugnet werden, dass sich in dieser Zeit tiefgreifende Umbrüche vollzogen. Überall, wo sich neue Stämme innerhalb der Grenzen des Reiches niederlassen wollten, mussten sie später mit neuen Eindringlingen fertigwerden. In den folgenden Jahrhunderten kamen aus dem Norden und Osten Langobarden, Slawen, Franken, Sueben und Gepiden hereingeströmt und gaben damit letztendlich dem modernen Europa seine heutige Form. Doch was uns heute als brodelnder Kessel voller entwurzelter Menschen vorkommt, nahm sich aus der Innensicht ganz anders aus. 30 Jahre sind für einen Historiker eine kurze Zeit, aber für die Menschen, die diese Jahre durchlebten, ist das eine Generation – und Menschen sind bemerkenswert anpassungsfähig, wenn man ihnen ein paar Jahrzehnte Zeit zum Anpassen gibt.

Auch war es nicht nur Westeuropa, das mit ganzen Stämmen kriegerischer Migranten fertigwerden musste. Es ist nur angemessen, wenn das letzte Volk in diesem Buch die **Hephthaliten** sind, jener mysteriöse Stamm, den man manchmal die „Weißen Hunnen" nennt. Sie waren nur einer von vielen Stämmen, die über Nordindien hereinbrachen und für Chaos im sassanidischen Perserreich sorgten – darunter auch in den uralten Städten Mesopotamiens, wo unsere Geschichte begonnen hat.

1. Jh. v. Chr. bis 1230 n. Chr.

Die Alanen

Westwärts durch ein zerfallendes Reich

Sie wohnen in Wagen, die mit runden Verdecken aus Rinde gedeckt sind, und darin streifen sie durch die endlosen Einöden [...]. *In den Wagen werden ihre Kinder geboren und aufgezogen; Wagen bilden ihre ständigen Wohnsitze.*

Ammianus Marcellinus 31,2,17

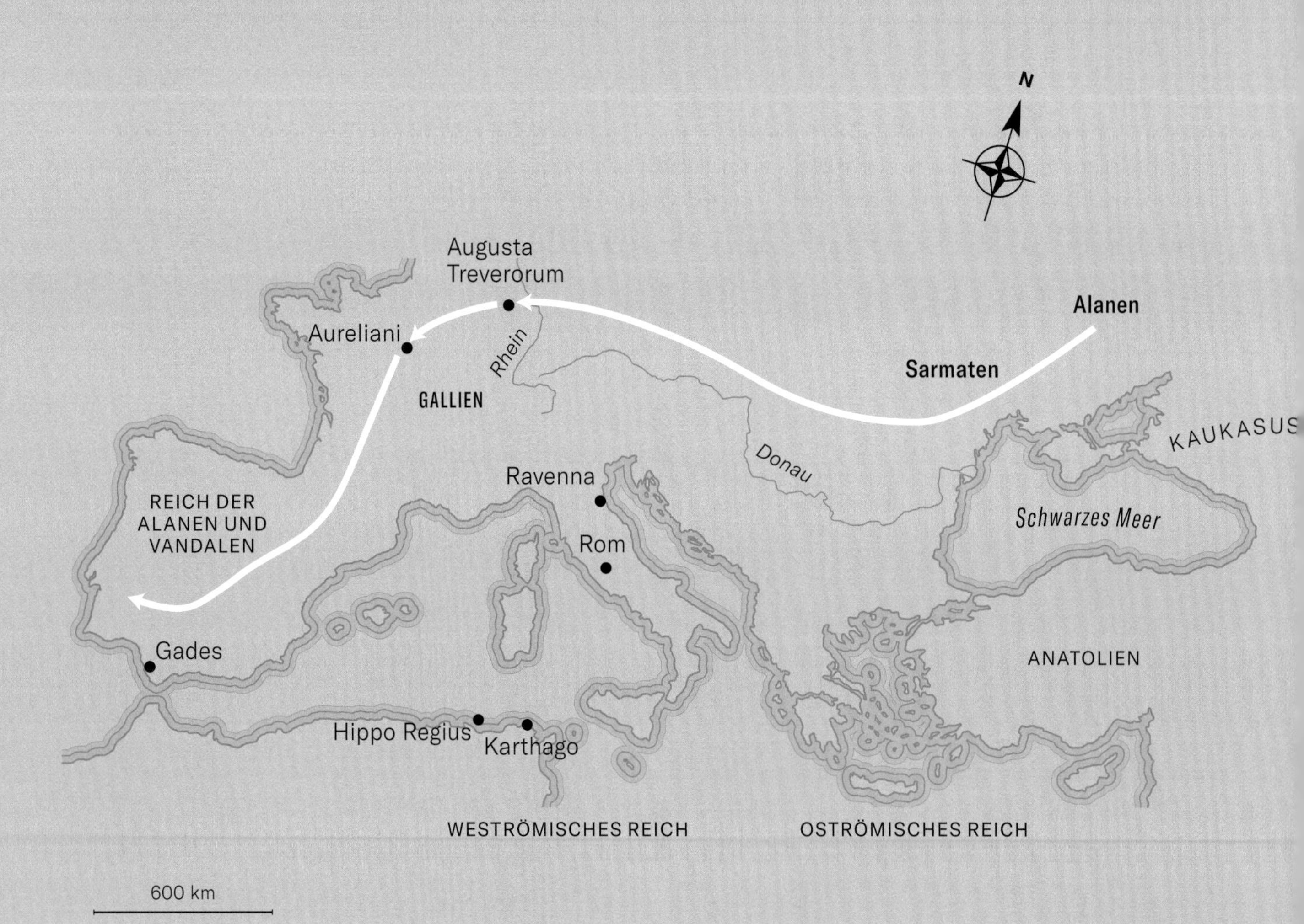

Das 5. Jahrhundert n. Chr. war eine Katastrophe für das Weströmische Reich, das zum Großteil intakt hineinging und am Ende des Jahrhunderts verschwunden war. Doch die Erschütterung, die Rom zu Fall brachte, war nur ein Teil der massiven Veränderungen, die Westeuropa umgestalteten. Auch andere Völker wurden in das Chaos hineingezogen und mussten zurechtkommen, so gut sie konnten. Eines davon waren die Alanen. Für sie begann dieses Jahrhundert in den Gebieten östlich und nördlich des Schwarzen Meeres, dann wurden sie über den ganzen Kontinent und darüber hinaus verstreut, bis sie neue Bleiben in der Bretagne, in Spanien, Afrika, Italien, Südrussland und vielleicht sogar in China fanden.

Ursprung

Das Wort „Alanen“, so behaupten manche, soll eine Entstellung des Wortes „Arier“ sein. Noch bevor sie über die westliche Welt versprengt wurden, waren sie die ständige Bewegung schon gewohnt. Im 1. Jahrhundert v. Chr. waren sie in Zentralasien und wanderten nach Westen. Die Gebiete nördlich des Schwarzen Meeres erreichten sie im 1. Jahrhundert n. Chr. als böse Überraschung für die dort lebenden Sarmaten: Bis zur Ankunft der Alanen hatten sie sich als die besten Reiterkrieger der antiken Welt betrachtet.

Wie die Sarmaten waren auch die Alanen schwer gepanzerte Reiter und eine ihrer Lieblingswaffen war ein langes Lasso mit gleitendem Knoten. Gegen Männer mit Lanzen und Schwertern klingt das nach einer sonderbaren Waffe, aber das Lasso war nur ein Mittel, um die eigentliche Waffe ins Ziel zu lenken – die Schwerkraft. Jeder Reiter kann bestätigen, dass es lebensgefährlich ist, von einem galoppierenden Pferd heruntergerissen zu werden. Wenn die Wucht des Sturzes noch durch das Gewicht von rund 23 Kilo Waffen und Rüstung verstärkt wird, wächst die Gefahr exponentiell. Und dabei ist noch nicht berücksichtigt, dass das Opfer seinen Sturz nicht richtig abfangen kann, weil das Lasso seine Arme fesselt, und hinterher wahrscheinlich über den Boden geschleift wird. Meistens verzichteten die Alanen außer-

Die Inschrift, die den lanzentragenden Reiter auf diesem Relief begleitet, verrät uns, dass er der Sohn eines Höflings im Königreich auf der Krim war. Sein Name Tryphon, was „er lebt im Überfluss“ heißt, wirkt allerdings eher unpassend.

dem auf Schilde, damit sie das volle Angriffspotenzial eines zweihändigen Breitschwerts einsetzen konnten.

Ein (zeitweiliges) Zuhause

Den Sarmaten blieb wenig übrig, außer sich widerwillig nach Süden und Westen zu verlagern, um den Neuankömmlingen Platz zu machen, und die Alanen ließen sich in den weiten Ebenen nördlich des Schwarzen Meeres nieder. Zwar waren sie eine Art Gemeinschaft, aber es ist zu bezweifeln, dass sie damals schon ein Volk waren. Ammianus Marcellinus, der römische Historiker des 4. Jahrhunderts n. Chr., bemerkt, dass die Alanen dazu neigten, Eroberte bei sich aufzunehmen, „geeint unter einem Namen wegen ihrer ähnlich barbarischen Gewohnheiten, der gemeinsamen Kultur und der Waffen“ (31,2).

Noch eine weitere Beschreibung hat uns Ammian überliefert:

> Fast alle sind sie groß und gut aussehend und haben meist blondes Haar […]. Sie lieben den Kampf und die Gefahr und halten es für das Beste, im Kampf zu sterben. Ein Mann, der an Altersschwäche stirbt, gilt bei ihnen als verkommener Feigling und sie schicken ihn unter bitteren Vorwürfen in die nächste Welt […]. Auf nichts sind sie so stolz wie auf die, die sie eigenhändig getötet haben, und um aus den Erschlagenen Trophäen zu machen, reißen sie die Köpfe ab und machen aus den Häuten die Riemen für das Geschirr ihrer Streitrösser.

Andere Teile von Ammians Schilderung hat die Archäologie bestätigt. Die frühen Alanen waren ein nomadisches Volk, das hauptsächlich auf Wagen lebte, und wenn sie doch einmal anhielten und Pflanzen anbauten, zogen sie nach einer Ernte weiter. Die jungen Männer verabscheuten den Ackerbau und verschmähten alles, was sie nicht vom Sattel aus erledigen konnten. Raubzüge waren ihre Lieblingsbeschäftigung und so führten sie sich auch bei den sesshaften Völkern im Westen ein. 72 n. Chr. fegte eine Alanenhorde durch Armenien und plünderte es dabei. Als der König Armeniens sich ihnen zur Schlacht stellte, wurde seine Armee in Stücke geschlagen – wie es auch ihm selbst ergangen wäre, hätte er nicht rasch das Lasso durchschnitten, das ihn schon aus dem Sattel zog.

Die Parther kamen ihren armenischen Verbündeten zu Hilfe, aber die Alanen richteten auch sie übel zu. Dann „verwüsteten sie das Land und nahmen eine Riesenmenge Beute und Sklaven aus beiden Königreichen mit, als sie abzogen“ (Josephus, *Jüdischer Krieg* 7,7).

Obwohl die Alanen durch die Sarmaten weitgehend vom Römischen Reich abgeschnitten waren, waren sie den Römern keineswegs unbekannt. So unterschiedliche Autoren des 1. und 2. Jahrhunderts wie der Philosoph Seneca, der satirische

Dichter Martial und der Geograf Ptolemäus gingen davon aus, dass ihre Leser die Alanen kannten. Das liegt wahrscheinlich daran, dass die Alanen sich gern als Söldner bei den Römern wie den Parthern verdingten, die miteinander eine lange Reihe von Kriegen führten.

Im Jahr 135 n. Chr. versuchten die Alanen, ein großes Stück vom Römischen Reich abzubeißen. Da sich das Imperium damals auf dem Höhepunkt seiner Kraft befand, war das wahrscheinlich unklug. Die Römer schlugen hart zurück und besiegten die Alanen in Anatolien. Der Bericht jenes Statthalters, dessen Legionen die Hauptlast der Kämpfe trugen, ist als Denkschrift mit dem Titel „Schlachtordnung gegen die Alanen" erhalten und bleibt einer der wichtigsten Texte über römische Militärformationen. Das Perserreich der Sassaniden, der Nachfolger der Parther seit dem frühen 3. Jahrhundert n. Chr., hatte offenbar ebenfalls ein Alanenproblem, denn es baute eine beachtliche Mauer entlang seiner Nordgrenze. Ebenso gern nutzten die Sassaniden allerdings – genau wie die Parther – die Alanen als Söldner.

Katastrophe

Mit diesem für sie idealen Lebensstil hätten die Alanen unbegrenzt weitermachen können, wären sie die einzigen Wanderer gewesen, die aus dem Osten kamen und auf die Mittelmeerregion Druck ausübten. Im späten 2. Jahrhundert n. Chr. hatten sich die Goten aus leicht zu schlagenden mobilen Scharen zu einer menschlichen Flutwelle von Bewaffneten gewandelt, die alles aus dem Weg zu fegen drohte. Alanen, Sarmaten und Römer – lauter Völker, die wenig füreinander übrig hatten – fanden sich angesichts dieser Drohung als Partner wider Willen. Im Kampf gegen die Goten mussten die Alanen alles geben, aber sie hielten sich verbissen bis 375 n. Chr., als sie vom Hammerschlag der Hunnen getroffen wurden.

Die Wucht dieses Schlages zerriss das alanische Volk. Ein Teil zog sich nordwärts in den Kaukasus zurück und bildete ein Königreich namens Alanien, das bis weit ins Mittelalter existierte. Andere traten bei den Hunnen in Dienst und überlebten als deren Untertanenvolk. (Vielleicht gefiel es ihnen, dass sie unter hunnischen Be-

Wahrscheinlich trug eine hochrangige Alanin des 1. Jhs. n. Chr. diese reich verzierte Halskette. Sie ist Teil eines riesigen Hortfunds aus Tilya Tepe in Afghanistan.

Eine alte alanische Nekropole in Ossetien. Hier im Kaukasus fand ein Teil dieses wandernden Volkes schließlich eine Heimat.

fehlshabern an erfolgreichen Feldzügen gegen die Goten teilnahmen.) Inzwischen schlossen sich weitere Alanen den Goten auf der Flucht nach Westen an. Am 31. Dezember 406 n. Chr. überschritten vielleicht 100 000 Barbaren, davon 30 000 Krieger – hauptsächlich waren es Vandalen, Alanen und Sueben – den Rhein und drangen ins römische Gallien ein. Es war einer der entscheidenden Momente für den Zusammenbruch des Römischen Reiches.

Alanen in der Fremde

Die opportunistischen Alanen schlugen sich jeweils auf die Seite, die ihnen am besten passte, und da die damaligen Armeen allesamt verzweifelt nach Verstärkung suchten, herrschte kein Mangel an Angeboten. Wir hören von Alanen, die für die Römer, gegen die Römer, mit und gegen die Goten kämpften. Später kämpften Alanen im Gallien des frühen 5. Jahrhunderts mit den Vandalen gegen die Franken und mit den Römern gegen die Burgunder. Noch später begruben Franken und Alanen ihren Streit und taten sich gegen die Westgoten zusammen, und einige Alanen ließen sich als Untertanen des merowingischen Frankenreichs in der Bretagne nieder.

Andere Alanen blieben in Bewegung und hatten 411 n. Chr. schon ein Königreich in Zentralspanien gegründet, ver-

loren es aber später an die Vandalen, mit denen sie 415 zum Teil verschmolzen. Rund elf Jahre später beteiligte sich der Stamm als Angehörige des gemeinsamen „Königreichs der Vandalen und Alanen" an jenem Angriff, der den Römern Nordafrika entriss. Diese Alanen, eine Minderheit im neuen Bündnis, verloren rasch ihre Identität und wurden Teil der vandalischen Bevölkerung.

Auch im fernen Kaukasus hatten die Alanen sich niedergelassen und betrieben nun den Ackerbau, den sie einst so verabscheut hatten. Darin wurden sie ziemlich gut und ihr Königreich blühte, bis es unter die Herrschaft der Chasaren fiel. Dann wurden sie durch den Handel auf der Seidenstraße reich, bis sie 1230 eine weitere Invasionswelle traf. Das waren die Mongolen Dschingis Khans, der letzte Schlag. Wie immer wetterten die Alanen den Sturm ab, so gut sie konnten – einige traten in mongolische Dienste und werden zuletzt als kaiserliche Leibwachen in Peking erwähnt. Andere gingen in der Bevölkerung Ungarns auf und wieder andere flüchteten sich tiefer in den Kaukasus.

Nachhall in der Zukunft

Verstreute Spuren der Alanen sind in ganz Europa geblieben, von den Alano Español genannten Jagdhunden in Spanien bis zur „Alanische Tore" genannten Darialschlucht im Kaukasus und dem Namen „Alain" in der Bretagne, der einigen Etymologen zufolge der Vorläufer von „Alan" in Großbritannien und anderswo ist. (Es gibt noch andere Möglichkeiten.)

Der letzte Rest der Alanen lebt heute noch an ihrem Rückzugsort im Kaukasus, wo sie den Großteil des als Osseten bekannten Volkes bilden. Nachdem sie während des 20. Jahrhunderts lange ein Teil der Sowjetunion waren, nutzten die Osseten die postsowjetische Ära, um sich von der Republik Georgien loszureißen und autonom zu werden. Die Spannungen in der Region bleiben hoch und die letzten Alanen leben einmal mehr in unsicheren Zeiten.

200–533 n. Chr.

Die Vandalen

Ein Fall von Rufmord?

Als Goten und Vandalen roh entweiht
Der Monumente Unvergleichlichkeit,
Da lagen alle Musen auch darnieder
Im Schutt – und Reime schwächten nun die Lieder.

John Dryden 1694

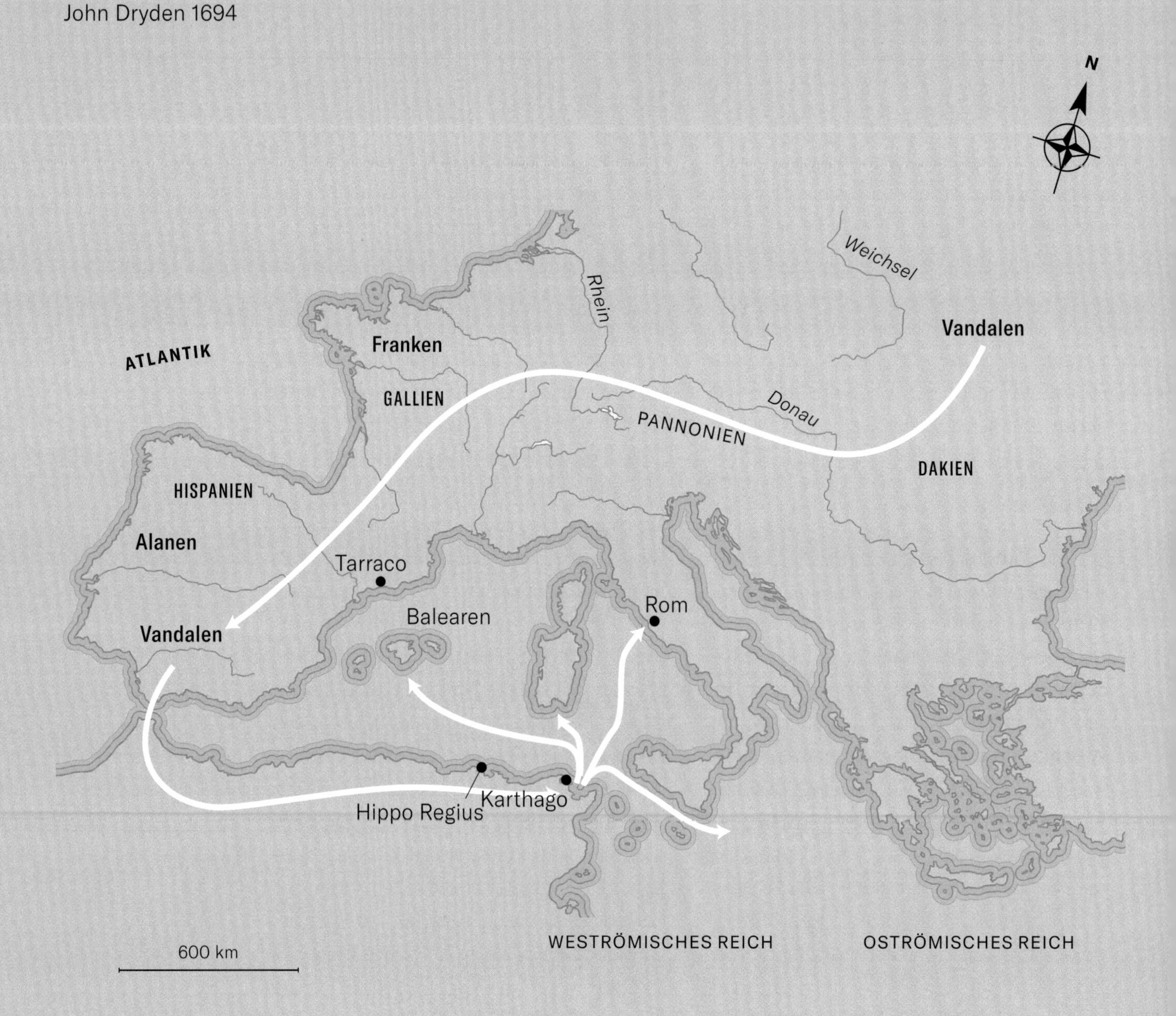

Wenn man fragt, wer der typische Stamm ist, der wie eine barbarische Abrissbirne überall im späten Römischen Reich wütete, werden die meisten wohl gleich auf die Vandalen kommen – der Name sagt ja wohl alles? Wie die Leute, die man heute so nennt, spezialisierten sie sich auf sinnlose Zerstörung als Selbstzweck – und der Gipfel ihrer Untaten war die Plünderung und Verwüstung der Ewigen Stadt Rom.

Aber haben wir den Vandalen vielleicht Unrecht getan? Heute sieht es so aus, als hätten sie keineswegs vorgehabt, die römische Kultur zu zerstören, sondern sie respektiert. Ihr Zug durch das Römische Reich war keine Tour der Vernichtungswut, sondern der Versuch, ein Zuhause zu finden, während stärkere Völker sie herumschubsten und verfolgten.

Unterwegs

Als die Vandalen zum ersten Mal in Geschichtsquellen erscheinen, hatten sie Südpolen gerade verlassen. Jordanes, ein gotischer Historiker des 6. Jahrhunderts n. Chr., berichtet, dass sie vorübergehend ein beachtliches Gebiet zwischen Weichsel und Donau besetzt hätten. Heute wird allgemein angenommen, dass die Vandalen von noch weiter nördlich kamen, vielleicht aus dem früher „Vaendil" genannten Bezirk in Schweden. Andere Theorien zum Ursprung des Namens wollen ihn von „wandeln" im Sinn von „wandern" ableiten. Wenn das zutreffen sollte, sind sie treffend benannt worden, denn kaum ein Volk ist so lange und so weit gewandert.

Den ersten Kontakt zwischen Vandalen und Römischem Reich hielt der römische Historiker Cassius Dio fest. Das war im 2. Jahrhundert n. Chr., als vandalische Stammesmitglieder in Dakien, Roms neuer Provinz, einfielen (die grob gesagt im heutigen Rumänien lag). Nach harten Verhandlungen schlossen Römer und Vandalen ein für beide Seiten vorteilhaftes Abkommen, in dem die Vandalen im Tausch gegen Land auf Überfälle auf die römischen Siedlungen verzichteten. Später, im 3. Jahrhundert, nutzten sie die Schwäche Roms, um westwärts nach Pannonien zu expandieren, wo sie sich mit den Römern und dem konkurrierenden Stamm der Goten Scharmützel lieferten. (Schließlich wurde die vandalische Ansiedlung in Pannonien offiziell abgesegnet, nachdem die Vandalen Kaiser Konstantin I. um Erlaubnis gebeten hatten, dort zu wohnen.)

Danach hatten Römer und Vandalen wenig miteinander zu tun, bis im frühen 5. Jahrhundert die Hunnen nach Westen fegten und die Vandalen alles taten, um ihnen aus dem Weg zu gehen. 406 flohen sie vor ihnen nach Gallien. Nordgallien war damals von den Franken besetzt, die ihr Bestes taten, damit sich die Neuankömmlinge nicht wohl fühlten – Zehntausende Vandalen starben im Kampf. Binnen eines Jahres unternahmen die Vandalen einen zweiten Versuch, dort einzudringen, diesmal im Bund mit den Alanen. Als sie den zugefrorenen Rhein überquert hatten, behandelten sie Gallier und Franken gleichermaßen als feindliche Völker, während sie sich durch die Provinz sengten und plünderten.

409 stießen die Vandalen und ihre Verbündeten auf härteren Widerstand in Gallien und zogen sich über die Pyrenäen nach Süden in eine neue Heimat in Iberien zurück. Alles in allem verhielten sie sich friedlich und Einheimische wie römische Behörden hießen sie als Verbündete willkommen. Die Alanen ließen sich in der Mitte und im Westen der Halbinsel nieder, die Vandalen hauptsächlich im Süden und Nordwesten. Der Friede zerbrach bei der Ankunft eines weiteren Barbarenstamms, der Westgoten.

Von Römern und Westgoten bedrängt schlugen die Vandalen zurück, gewannen einige Schlachten und verloren andere. Schließlich schalteten sie in den vollen Barbarenmodus zurück und fegten wie ein Sturm durch Südspanien, wobei sie die Städte Tarraco (Tarragona) und Hispalis (Sevilla) niederbrannten und plünderten. Mit der Einnahme des Hafens Tarraco besaßen sie nun eine Flotte und für ein Volk, das bisher kaum je das Meer gesehen hatte, eroberten sie es sich mit bemerkenswertem Können.

Ein schwedischer Stamm in Afrika

Nach der Plünderung der Balearen nutzten die Vandalen ihr frisch erworbenes Seefahrertalent, um ihr Volk über die Straße von Gibraltar zu bringen – am Ende alle 80 000. So wurde 429 n. Chr. aus den schwedischen Migranten zuletzt ein afrikanischer Stamm. Nordafrika war damals eine der letzten verbliebenen reichen Provinzen im Römischen Reich und lieferte das Getreide, mit dem die Obrigkeit das Volk von Rom ernährte. Unter ihrem erfolgreichsten Anführer Geiserich (428–477) belagerten die Vandalen 430 den römischen Statthalter in Hippo Regius (heute Annaba in Algerien). Während der Belagerung starb Augustinus, der in Hippo als Bischof ansässige Kirchenvater.

Die Römer kämpften hart, um die Provinz unter Kontrolle zu behalten, ließen sich aber 435 durch einen Friedensvertrag täuschen, in dem die Vandalen versprachen, Karthago nicht anzugreifen. Das war ein katastrophaler Fehler, der das Westreich wirtschaftlich ruinierte. 439 eroberten die Vandalen Karthago.

Als die Römer erkannten, dass Afrika verloren war, schlossen sie Frieden. So stark waren die Vandalen geworden, dass eine Kaisertochter einem Vandalenfürsten als Frau versprochen wurde. Dann wurde dieser Kaiser, Valentinian III., ermordet (was häufiger vorkam) und der neue Kaiser sagte die Hochzeit ab. Der empörte

Dieses Mosaik aus vandalischer Zeit, gefunden im tunesischen Bord-Djedid nahe Karthago, zeigt einen Reiter vor einer Villa im römischen Stil. Inzwischen waren die Vandalen so stark romanisiert, dass sich nicht sagen lässt, ob der Reiter ein Römer oder ein „Barbar" ist.

Geiserich sammelte seine Armee und segelte 455 nach Rom.

Inzwischen war Rom derart geschwächt, dass die ganze Streitmacht, die das Imperium der eindringenden Barbarenarmee entgegenschickte, aus nur einem Mann bestand – Papst Leo I. Die Vandalen folgten einer heute ausgestorbenen Form des Christentums, dem Arianismus, und Leo scheint sie zumindest überzeugt zu haben, Rom wenigstens in geordneter Weise zu plündern. Die verbitterten Römer öffneten die Tore und sahen zu, wie die Vandalen sich bei allem bedienten, was ihnen ins Auge sprang, und ungehindert mit beutebeladenen Schiffen davonsegelten.

Zeitgenössische Berichte – allesamt von Katholiken verfasst – schufen das zählebige Bild von Invasoren, die in der Kaiserstadt „wie die Vandalen" gehaust hätten.

Das Ironische daran ist, dass sich die Vandalen zu Hause in Karthago sehr römisch benahmen. Sie sprachen Latein, trugen Seide, bauten große Stadtpaläste und Kirchen und hatten Spaß an Wagenrennen. Und sie verwalteten ihre Gebiete ganz ähnlich wie die Römer und zogen auf vergleichbare Weise Steuern ein.

Dennoch blieben die Vandalen tödliche Gegner für das Römische Reich. Als 468 der West- und der Ostkaiser gemeinsam eine Armada aus 1100 Schiffen zur Rückeroberung Karthagos ausschickten – die größte je versammelte Flotte der Spätantike –, vernichtete sie Geiserich durch List, Tücke und den Einsatz von Brandern. Das brach der Wirtschaft des Westreichs endgültig das Rückgrat. Im folgenden Jahrhundert ging die Stadtbevölkerung Roms um 80 Prozent zurück.

Zuletzt bekamen die Vandalen die Quittung. Im 6. Jahrhundert war das Weströmische Reich zwar schon zusammengebrochen, aber das Ostreich unter Justinian I. (dem Großen, 527–565) war entschlossen, Roms einstigen Ruhm wiederaufleben zu lassen. Nachfolgestreitigkeiten hatten die Vandalen geschwächt, daher konnten sie einer groß angelegten byzantinischen Invasion keinen Widerstand leisten, die 533 Karthago zurückeroberte.

Der letzte Vandalenkönig Gelimer (530–534) erhielt Landgüter in Galatien, wo er starb. Sein Volk verschmolz langsam mit der einheimischen Bevölkerung Nordafrikas und ging darin auf.

Das berühmte Elfenbeinporträt stellt Stilicho dar, den General, der zu den letzten großen Verteidigern Roms zählte. Obwohl er römische Heere befehligte, war Stilicho ein halber Vandale.

Die Vandalen plündern Rom – ein beliebtes Thema für die Kunst der Aufklärung und der frühen Moderne. Hier zu sehen ist ein Stich des 19. Jhs. von Heinrich Leutemann.

Zwar tragen die Vandalen einen Teil der Verantwortung für den Fall Roms, aber kaum jemand weiß, dass niemand einer Rettung Roms näher war als ein „Barbar" mit einem vandalischen Vater. Flavius Stilicho, geboren 359 n. Chr. in Germanien, wurde römischer General und wehrte die Goten sowie andere Barbarenstämme ab. Eine Zeit lang war er der mächtigste Mann im Westreich. Doch 408 n. Chr. gab Kaiser Honorius seinem Neid und fremdenfeindlichem Druck nach und ließ den besten Beschützer seines Reiches hinrichten.

Nachhall in der Zukunft

Nicht nur haben die Vandalen sinnloser Zerstörungswut ihren Namen geliehen, sie haben auch eine Oper inspiriert. *Sieg der Schönheit* ist die Sicht Georg Philipp Telemanns auf die vandalische Plünderung Roms, dreht sich aber vor allem um die Liebesverwicklungen der Hauptfiguren. Seit der Uraufführung 1722 ist die Oper wiederholt neu entdeckt worden.

376–800 n. Chr.

Die Westgoten

Der Stamm, der Rom das Rückgrat brach

[Der Westgotenkönig] *Alarich sagte, er wolle die Belagerung Roms nicht aufgeben, ehe er alles Gold und Silber, alle Barbarensklaven und beweglichen Güter der Stadt erhalten habe. Als einer der Gesandten fragte, was den Römern denn noch bleibe, wenn so vieles genommen werde, antwortete er: „Ihr Leben."*

Zosimos, *Neue Geschichte* 5,40

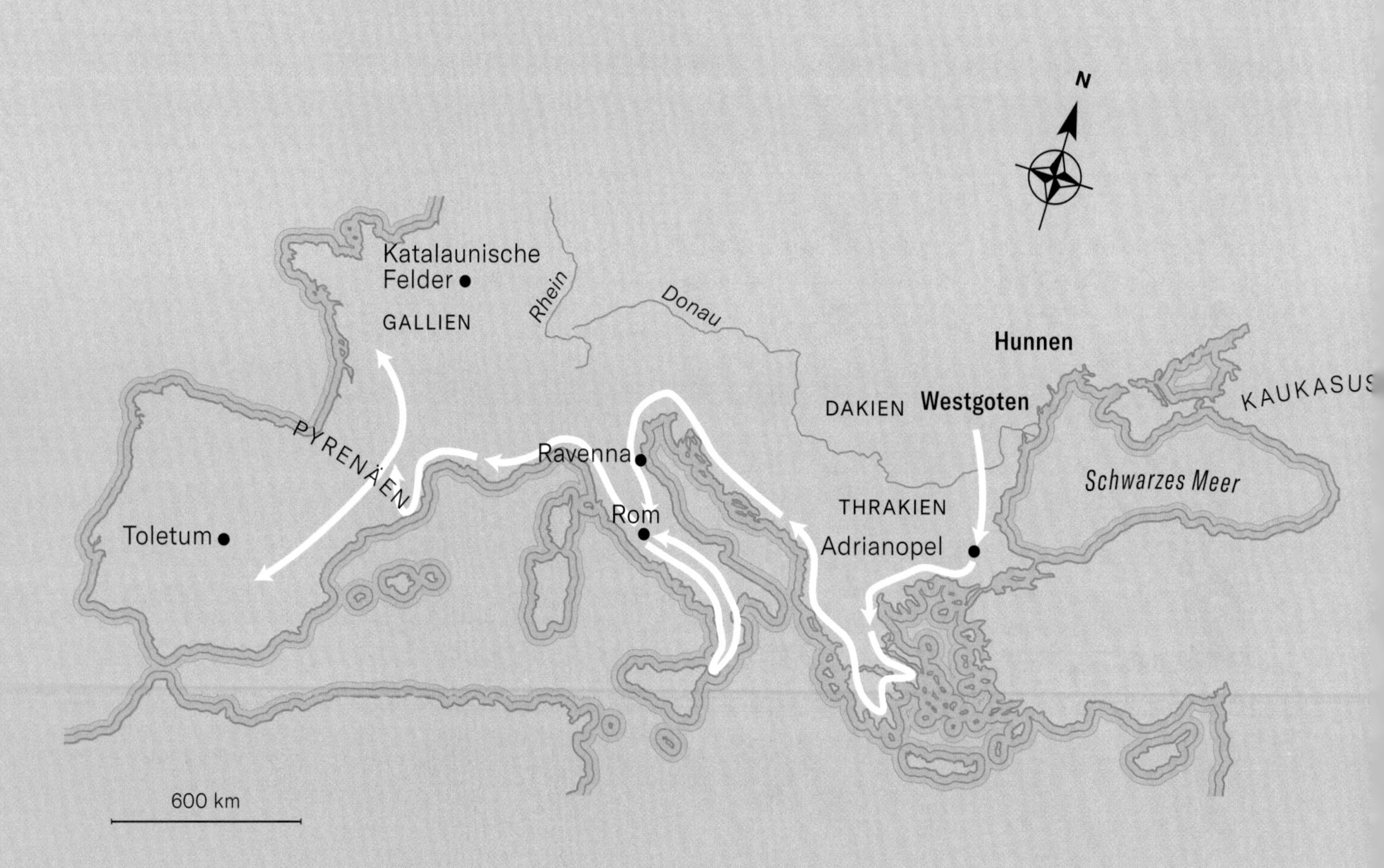

Während den Vandalen nicht ganz zu Recht der Untergang Roms vorgeworfen wird, ist dem Stamm, der bereits zuvor mehr als jeder andere dafür getan hatte, das Römische Reich zu Fall zu bringen, ein ähnlich vernichtendes Urteil weitgehend erspart geblieben. Nicht nur haben die Westgoten Roms letzte Armee auf dem Schlachtfeld geschlagen, eine Generation später erschütterten sie auch die Grundlagen der westlichen Welt, indem sie Rom einnahmen und (auf relativ rücksichtsvolle Weise) plünderten.

Massenmigration

Bis zum späten 3. Jahrhundert n. Chr. waren die Westgoten schlicht noch „Goten". Die deutschsprachige Forschung kehrt gerade zum Begriff „Visigot(h)en" zurück, der durch eine Fehlübersetzung zu „Westgoten" mutiert war. Wegen der allgemeinen Verbreitung wählen wir hier die im Deutschen gängige Form.

Als die Römer sich aus ihren früheren Besitzungen in Dakien zurückzogen, rückten die Goten nach. Woher sie kamen, ist das Thema intensiver Debatten. Laut ihren eigenen Sagen (die der gotische Historiker Jordanes freundlicherweise in seiner *Gotengeschichte* aufschrieb) stammten sie ursprünglich irgendwo aus Südskandinavien und wanderten dann nach Süden und Westen, wobei sie sich mehrmals niederließen, manchmal für mehrere Generationen.

Schließlich trafen die Goten auf die Hunnen, die sich ihren Weg nach Westen bahnten, und zogen sich vor dieser Gefahr zurück. Unsicher ist, ob der Druck, der von den Hunnen ausging, die Goten überhaupt erst nach Dakien zwang, auf jeden Fall aber vertrieb er sie von dort. 376 erschien eine Unmenge Goten an der Donaugrenze und bat um Asyl innerhalb des Imperiums.

Doch die Römer hatten wenig Grund, die Goten zu lieben. Über ein Jahrhun-

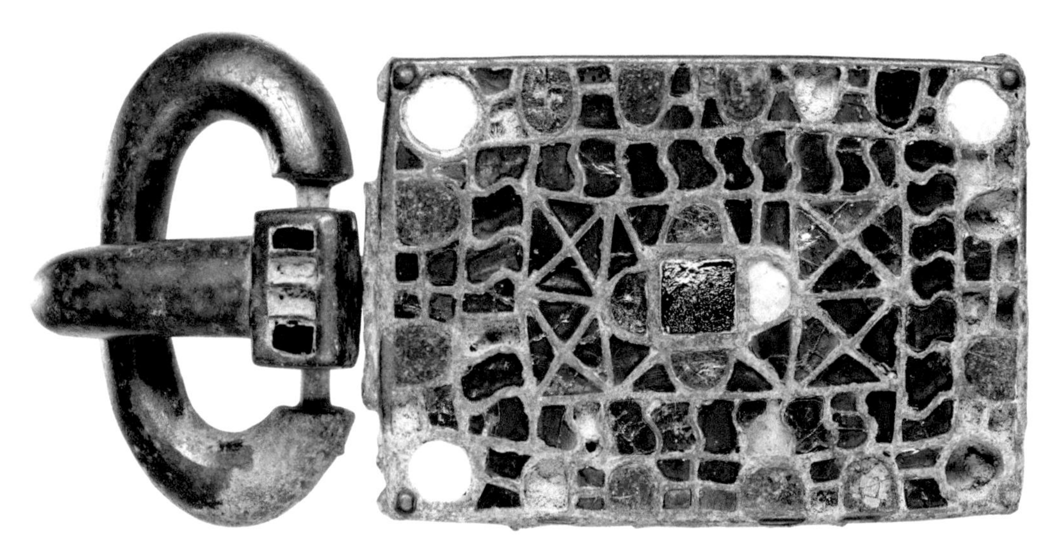

Westgotische Gürtelschnallen waren reich verziert und dienten als Rang- und Statussymbole. Auf diesem Stück aus dem New Yorker Metropolitan Museum ist der seltene Lapislazuli verarbeitet.

dert zuvor hatte der Stamm genau die Provinzen geplündert, in denen er jetzt Zuflucht suchte. Schlimmer noch, später waren die Goten außerdem der Anziehungskraft des Mittelmeers erlegen und ihre Flotten hatten mehrmals aussichtsreiche Orte an der Küste geplündert, darunter den berühmten Tempel der Artemis in Ephesos.

Trotz dieses historisch schlechten Rufs entschied sich der oströmische Kaiser Valens (364–378), die Goten ins Reich zu lassen, denn Rom brauchte Menschen. Aus diesen Goten unter einem König namens Fritigern wurden später die Westgoten, obwohl damals noch niemand sie so nannte.

Der Anfang vom Ende Roms

Zugegebenermaßen waren die Römer an ihrem Unheil selbst schuld. Die Goten wollten zwar gern zu der bäuerlichen Lebensweise zurückkehren, die sie in Dakien geführt hatten, konnten es aber nicht, weil sie so eilig fortgezogen waren, dass ihnen Saatgetreide fehlte, ja dass sie tatsächlich kaum etwas zu essen hatten. Korrupte römische Beamte nutzten den Hunger, um aus den Goten alles herauszupressen, was irgendwie ging (es heißt, ein Kind sei irgendwann für einen Laib Brot zu haben gewesen). Wie dumm es war, ein stolzes, gut bewaffnetes Volk mit reichlich Kampferfahrung so schlecht zu behandeln, zeigte sich, als die Goten sich daraufhin erhoben.

Der gotische „Undank“ empörte Valens, ebenso der Schaden, den gotische Plünderer in Thrakien anrichteten. Darum sammelte er ein Heer (was nicht leicht war, weil es Rom schrecklich an Soldaten fehlte) und brach auf, um den frechen Feind niederzuschlagen. Am 9. August 378 wurde dieses Feldheer – die letzte römische Streitmacht von nennenswerter Größe – von den Goten völlig vernichtet. Die Römer verloren 20 000 Mann, die sie nie wieder ersetzen konnten. Zeit, seinen Fehler zu bereuen, hatte Valens nicht, denn er war unter den Toten. Die Schlacht bei Adrianopel, wo sich diese Katastrophe ereignete, markiert, was viele Historiker für den Anfang vom Ende des Römischen Reiches halten.

Die Plünderung Roms

Es dauerte zwar einige Zeit, aber auch ohne eine weitere große Schlacht zu schlagen, konnten die Römer die Goten zu einem Abkommen zwingen. Unter dem letzten Herrscher eines geeinten Römischen Reiches, Theodosius I. (379–395), willigten die Goten ein, die ursprünglich vereinbarten Bedingungen ihres Eintritts ins Imperium einzuhalten. Sie wurden römische Untertanen, durften aber mit eigenen Waffen unter ihren eigenen Anführern kämpfen, statt in die römischen Legionen einzutreten. Später begann man diese „römischen“ Goten *Visigothi* zu nennen, um sie von ihren Verwandten, den *Ostrogothi*, zu unterscheiden. Anscheinend mochten die Westgoten den Namen und übernahmen ihn selbst.

Der Friede hielt genauso lang, wie Theodosius lebte. Bei seinem Tod 395 wurde das Reich zwischen seinen beiden jungen Söhnen geteilt – der etwas inkompetente Arcadius wurde Kaiser im Osten, der völlig inkompetente Honorius herrschte im Westen. Unterstützt von einer Clique unfähiger Berater entschied Honorius, den letzten Mann hinzurichten, der das Westreich noch zusammenhalten konnte: einen General mit vandalischen Vorfahren namens Stilicho. Um diesen katastrophalen Fehler noch schlimmer zu machen, erlaubten Honorius' Ratgeber ein Massaker an den Familien der gotischen Krieger, die das Rückgrat dessen ausmachten, was man im weiteren Sinn als römische Armee bezeichnen konnte.

Es überrascht nicht, dass die meisten Westgoten, die sich bisher als Römer verstanden hatten, daraufhin zum Westgotenkönig Alarich I. (395–410 n. Chr.) überliefen. Alarich und Rom verband eine komplizierte Geschichte: Mal hatte er für die Römer gekämpft, mal gegen sie. Als Italien jetzt plötzlich wehrlos war, entschied er sich zu einem Marsch auf Rom. Am 24. August 410, knapp 800 Jahre, nachdem Barbaren das letzte Mal Rom beraubt hatten (und 45 Jahre vor dem nächsten Mal), plünderten Alarich und seine Westgoten die Stadt. Man muss sagen, dass er sein Bestes tat, um Tote zu vermeiden und den Schaden auf ein Minimum zu begrenzen. Als Christen verschonten die Westgoten viele der heiligsten Stätten Roms, darunter die beiden Hauptkirchen Alt-St. Peter und St. Paul vor den Mauern. Dennoch, die Schätze von Jahrhunderten wurden aus der Stadt geschleppt, während die Nachricht ihrer Plünderung eine Schockwelle durch die zivilisierte Welt schickte.

Das Königreich der Westgoten

Bald danach starb Alarich und seine Nachfolger gaben den Plan auf, die Westgoten nach Afrika zu führen. Stattdessen siedelten sie sich in Südgallien an, wo Kaiser Honorius ihnen Land zuwies. In ihrem neuen Zuhause dankten die Westgoten den Römern tatkräftig, denn sie waren es, die den Tag entschieden, als ihr alter Feind, die Hunnen, sie bis nach Gallien verfolgte.

Westgotische Grabinschrift aus einer Kirche im spanischen Córdoba. Der Bestattete war Christ (XPI ist eine griechische Abkürzung für ChR[ist]I), sein Alter aber ist nicht ganz klar: *vixit annos plus minus XXV* heißt „er lebte mehr oder weniger 75 Jahre".

Die westgotische Kirche San Juan de Baños (St. Johannes der Täufer) von 661 gilt als älteste christliche Kirche Spaniens.

Dieser Sieg wurde 451 n. Chr. nahe Châlons in der Schlacht auf den Katalaunischen Feldern errungen, wo eine Koalition der Heere des Westens Attilas Hunnen zurückschlagen konnte. Der entscheidende Moment kam, als der Westgotenkönig Theoderich eine Kavallerieattacke führte, die die Feinde zerstreute, während sie gerade einen wichtigen Höhenrücken einzunehmen versuchten. Theoderich fiel bei dem Angriff.

Ein halbes Jahrhundert später, 507 n. Chr., prallten die Westgoten mit den Franken zusammen und wurden nach Süden über die Pyrenäen gedrängt. (Diese Einigung Galliens unter dem Frankenkönig Chlodwig gilt allgemein als die Geburt des heutigen Frankreich.) Dieser letzte Umzug der Westgoten als Volk führte sie erst in die Gegend um Barcelona, bevor sie schließlich Toletum (Toledo) zu ihrer Hauptstadt machten. Mitte des 6. Jahrhunderts gerieten die Westgoten erneut in einen Konflikt mit Rom, als Justinian I. das Römische Reich im Westen wiederherzustellen versuchte. (Es lässt sich nicht sagen, wie weit er mit diesem ehrgeizigen und überaus teuren Plan gekommen wäre, wenn nicht eine verheerende Pest ausgebrochen wäre und einen Großteil der Bevölkerung im Ostreich ausgelöscht hätte.)

Die Westgoten hielten den Großteil Spaniens, auch wenn ihre Untertanen dort anfangs schlecht auf sie zu sprechen waren. Wie die meisten Menschen im Westen waren auch die Spanier nicänische Christen (grob gesprochen Katholiken), während sich die Westgoten schon mehrere Jahrhunderte zuvor zum arianischen Christentum bekehrt hatten. Ein zentraler Glaubenssatz ihrer Kirche war, dass Christus nicht das gleiche Wesen wie Gott der Vater hatte und ihm untergeordnet war.

In der Folgezeit zeigte sich, dass die Westgoten entweder ihren arianischen Glauben oder ihr spanisches Königreich behalten konnten, aber nicht beides. Um 600 n. Chr. hatten zumindest die westgotischen Könige den Arianismus aufgegeben.

100 Jahre später waren diese Feinheiten der christlichen Theologie ziemlich irrelevant, als das Reich der Westgoten von den Heeren einer anderen Religion angegriffen wurde. Zwar kämpften sie tapfer, konnten aber nicht verhindern, dass der Großteil Spaniens ein muslimisches Kalifat unter der Herrschaft der Umayyadendynastie wurde, deren Truppen von Nordafrika aus eine Invasion starteten. Um 800 n. Chr. waren die noch in Spanien verbliebenen Westgoten Untertanen der Kalifen. Sie gingen in der sonstigen Bevölkerung auf. Andere Reste des Stammes überlebten in Frankreich oder hielten sich im äußersten Norden Spaniens, aber für die Westgoten als eigenständiges Volk war die Uhr abgelaufen.

Nachhall in der Zukunft

Viele gaben den Christen die Schuld an der westgotischen Plünderung Roms und behaupteten, so einen Frevel hätten die alten heidnischen Götter nie zugelassen. Das veranlasste den frühchristlichen Autor Augustinus von Hippo, sein bahnbrechendes Werk *Der Gottessstaat* zu schreiben. Darin forderte er, der Mensch müsse sein Leben auf das Leben im zukünftigen Reich Gottes ausrichten und sich dabei nicht von kurzlebigen irdischen Städten und Staaten ablenken lassen – für die stellvertretend Rom stand. Auch andere für die spätere Theologie zentrale Gedanken wie die Erbsünde und die Natur des Bösen werden darin behandelt.

Sehr modern dachten die Westgoten über das Besitzrecht von Ehefrauen. Das legten sie in einem Gesetzbuch nieder, das während ihrer Zeit in Spanien aufgeschrieben wurde. Viel aus diesem Codex floss in spätere europäische Rechtsordnungen ein. Das heute als Gütergemeinschaft bekannte Konzept ist in vielen Scheidungsverfahren noch immer eine Streitfrage.

Die Lex Visigothorum (Gesetz der Visigoten) zählte zu den fortschrittlichsten Rechtstexten ihrer Zeit. Diese kostbare Handschrift des 7. Jahrhunderts liegt in der Nationalbibliothek in Madrid.

370–565 n. Chr.

Die Ostgoten

Erben Roms

Wir leben mit Begeisterung nach dem Gesetz der Römer [...] *und sind an der Aufrechterhaltung der Moral ebenso sehr interessiert, wie wir es an einem Krieg nur sein können* [...]. *Mögen andere Könige den Ruhm gewonnener Schlachten, eroberter Städte, geschaffener Ruinen begehren – unsere Absicht ist es, mit Gottes Hilfe so zu regieren, dass unsere Untertanen trauern sollen, nicht früher in den Genuss des Segens unserer Herrschaft gekommen zu sein.*

Der Ostgotenkönig Theoderich, zitiert in den *Briefen* Cassiodors

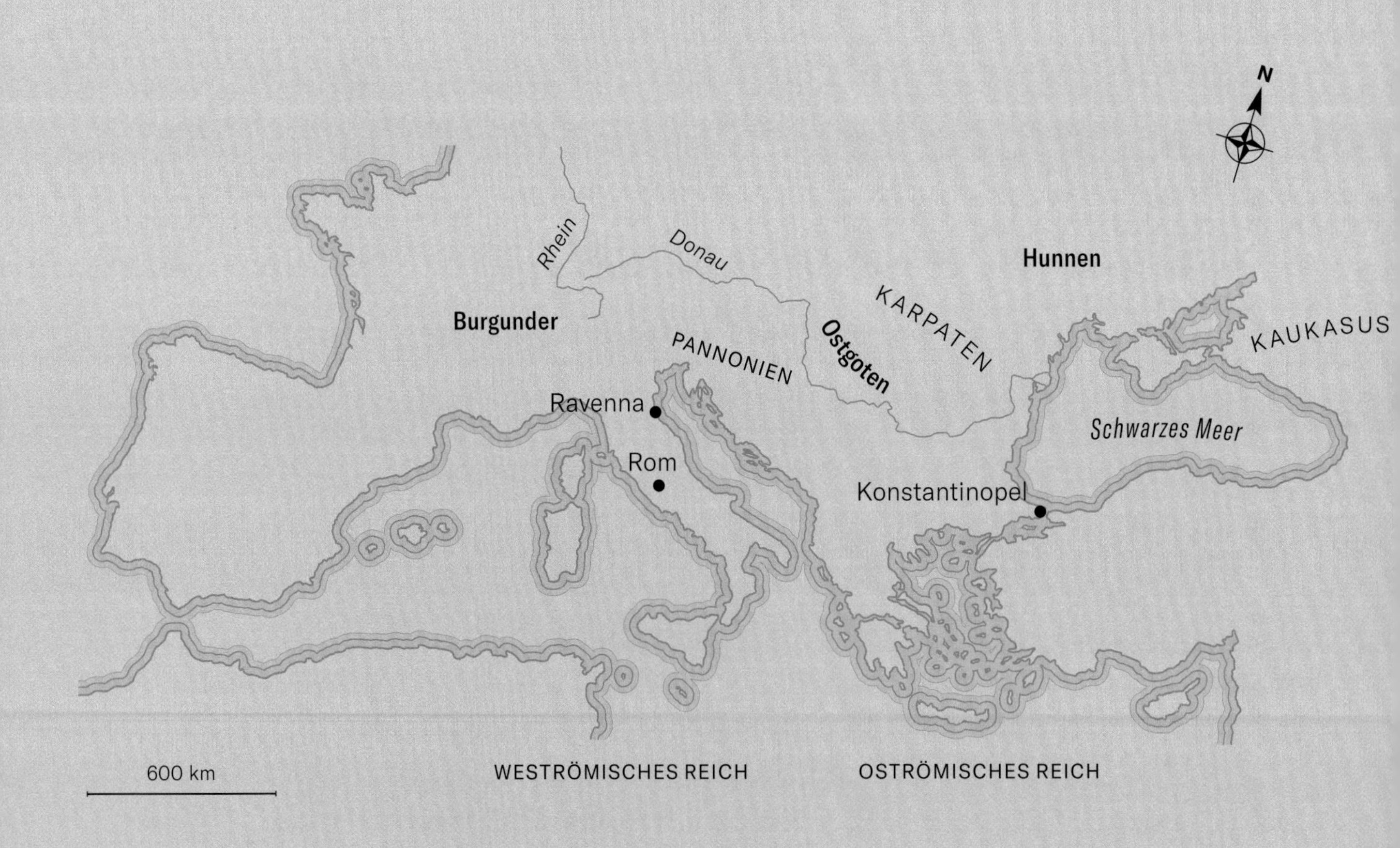

Es ist Jahresanfang in Rom. Die neuen Konsuln sind ernannt und haben der Stadt versichert, dass die Essensverteilung an die Plebs zu vergünstigten Bedingungen weitergehen wird. Das Volk freut sich auf Wagenrennen im Circus Maximus und den üblichen Zyklus religiöser und staatlicher Festtage. Der Gelehrte Flavius Cassiodorus und der römische Senator und Philosoph Boëthius arbeiten an Schriften, die später einmal zu Klassikern werden.

Hätten Sie im späten 5. Jahrhundert einen Römer nach dem „Fall Roms" vor fast einer Generation gefragt, wäre die Antwort ein verständnisloses Anstarren gewesen. Unter den Ostgoten ging es Rom sehr gut. Eine Ironie der Geschichte ist, dass die römische Zivilisation im Westen erst von den „barbarischen" Ostgoten bewahrt und anschließend von den Römern des Ostens zerstört wurde.

Loslösung von den Hunnen

Die Migration eines Teils des gotischen Volkes nach Westen ins Römische Reich teilte die Goten in zwei Völker: die *Visigothae* („Westgoten") im Westen und die *Ostrogothae* („Ostgoten") im Osten. Im Jahr 370 n. Chr. hatten sich die östlichen Goten bereits viele Merkmale der Zivilisation angeeignet. Mindestens einige konnten lesen und schreiben, sie waren Christen und betrieben in großem Umfang Handel mit den Römern. Dann, ein paar Jahre später, kamen die Hunnen.

Angesichts des Umstands, dass die westlichen Goten, die vor den Hunnen geflohen waren, durch die Römer systematisch ausgehungert und ausgebeutet wurden, meinten die östlichen Goten anscheinend, dass eine Kapitulation vor den Hunnen die bessere Option war. Während der nächsten Jahrzehnte blieben die Ostgoten unter hunnischer Oberhoheit, konnten aber weithin weiterleben, wie sie wollten. Dann starb 453 Attila, der Anführer der Hunnen, der im Westen als „Geißel Gottes" bekannt war (Attila gefiel der Titel ganz gut). Sofort begannen sich Attilas Söhne um sein Erbe zu zanken, was den Ostgoten und anderen Untertanenvölkern die Chance gab, ihre Unabhängigkeit wiederzuerlangen. Bestätigt wurde sie,

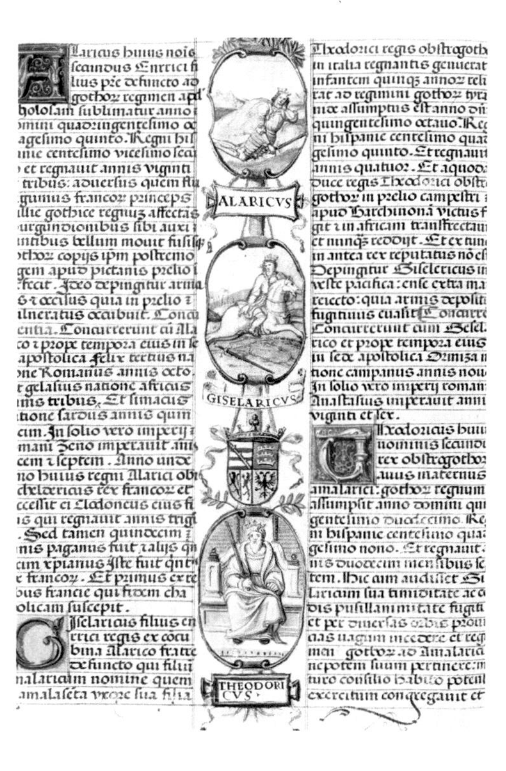

Wie diese mittelalterliche Handschrift zeigt, blieben die Ostgoten nicht nur als plumpe Barbaren in Erinnerung: Dargestellt ist neben zwei westgotischen Königen auch der Ostgote Theoderich.

als die Ostgoten ein Bündnis mehrerer Stämme führten, das 454 in der Schlacht am Nedao in Pannonien die Macht der Hunnen brach.

Ostgoten und Römer

Jetzt wurden die Ostgoten eine ernst zu nehmende Macht in den Ländern, die zwischen der schwindenden Hegemonie Roms im Westen und dem noch intakten Ostreich lagen. Zu dieser Zeit wurde ein junger Ostgotenfürst namens Theoderich (474–526) als Geisel nach Konstantinopel gesandt. Während Römer und Ostgoten ständig zwischen Freundschaft und Feindschaft und allen Zwischenstadien wechselten, durchlief der junge Theoderich einen Meisterlehrgang in den Künsten der Politik, der Diplomatie und der Palastintrige. Seine angeborene politische Begabung trug ihm die Ernennung zum Konsul im Ostreich ein, ehe er heimkehrte und König der Ostgoten wurde. 489 führte er vielleicht 100 000 Mitglieder seines Volkes, darunter gut 25 000 kampffähige Männer, aus dem Balkan nach Norditalien.

Damals standen die Überreste des Westreichs unter der Kontrolle eines Kriegsherrn namens Odovacar (Odoaker), der nun den Titel eines Königs von Italien trug. Technisch gesehen zwar ein Untertan des Ostkaisers Zenon, wurde Odoaker zunehmend eigenwillig und feindselig und stiftete Unruhe. Theoderich wendete an, was er gelernt hatte, und löste das Problem nach mehreren Schlachten 493 endgültig, indem er Odoaker zu einem Festmahl der Versöhnung nach Ravenna einlud und den Emporkömmling dort eigenhändig tötete.

Durch diese einfache, aber drastische Lösung war Theoderich nun der „barbarische" König der Ostgoten und gleichzeitig der höchste römische Regierungsbeamte mit seiner Hauptstadt Ravenna. Danach herrschte in Rom und Italien eine Generation lang Friede. Unter Theoderichs Herrschaft ging das Leben in Italien unter den Ostgoten in vielen Bereichen weiter wie vorher unter den römischen Kaisern. Zur Feier seines 30-jährigen Regierungsjubiläums stattete Theoderich Rom einen großen Staatsbesuch ab, verteilte wie einst die Kaiser Brot an die Armen und besserte die Stadtmauern aus. Er erhielt jedoch auch eine eigene ostgotische Rechts- und Religionsidentität aufrecht, was letztend-

Ein kleiner ostgotischer Adler, der als Schmuck getragen wurde. Dass der Adler römischen Darstellungen dieses Vogels stark ähnelt, ist wahrscheinlich kein Zufall.

Giovanni Maria Falconettos um 1520 entstandenes Bild vom Mausoleum des Theoderich bildet das Gebäude exakt so ab, wie es heute noch in Ravenna steht.

lich hieß, dass seine Nachfolger nicht vollständig auf die Unterstützung der einheimischen Bevölkerung zählen konnten.

Ostgoten und Barbaren

Der Hauptunterschied zwischen dem ostgotisch regierten Italien und Italien unter den letzten römischen Kaisern war, dass das ostgotische Italien friedlicher war. Seit die „Barbaren“ das Sagen hatten, hielten sie andere Barbaren brachial vom Einfallen oder Plündern ab. Als die Vandalen es versuchten, wurden sie kräftig aufs Haupt geschlagen. Das anschließende Bündnis wurde durch die Heirat des Vandalenkönigs mit Theoderichs Schwester abgesichert. Auf diese Art benutzte Theoderich seine weiblichen Verwandten als politische Schachfiguren auch für Heiratsallianzen mit Westgoten und Burgundern. Was den gefährlichsten Barbarenstamm anging, die Franken, heiratete Theoderich selbst eine fränkische Prinzessin.

Da die Westgoten bereit waren, die Ostgoten als Seniorpartner in ihrer Beziehung zu akzeptieren, durfte sich Theoderich als Herr eines beachtlichen Stücks von Roms einstigem Imperium betrachten. Dazu gehörte viel vom westgotischen Spanien, ganz Italien mit Sizilien und Land in Pannonien, das sich bis an die Grenze des Ostreichs erstreckte. Der damalige Ostkaiser Zenon hatte eigene Sorgen. Ein stabiles Bollwerk im Westen passte ihm gut, nicht zuletzt, weil Zenon und Theoderich persönlich gut miteinander auskamen. Leider war weder der eine noch der andere unsterblich, und als sie starben, brach das vorteilhafte Arrangement zusammen.

Der Gotenkrieg

Theoderichs Nachfolgern fehlten seine Fähigkeiten und das Ostgotenreich hatte während der sechs Jahre nach seinem Tod mehrere Herrscher nacheinander. Das war die Chance für Justinian I., den aggressiven Nachfolger Zenons im Osten.

Auf dem Ludovisi-Sarkophag aus dem mittleren 3. Jh. n. Chr. liefern sich Römer und Goten einen Kampf – zu einer Zeit, als der Stamm sich noch nicht ganz in West- und Ostgoten geteilt hatte.

535 erklärten die Römer des Ostens den Ostgoten den Krieg und machten sich daran, Italien für das Imperium wieder zu erobern. Der römische General Belisarius führte einen schnellen, effizienten Feldzug, der den Ostgoten so sehr imponierte, dass sie anboten, ihn statt ihres eigenen inkompetenten Herrscherhauses zum König zu machen. Belisar stimmte zum Schein zu, annektierte dann aber stattdessen das Ostgotenreich für das Oströmische Reich.

Dieser opportunistische Schritt brachte zwei Probleme mit sich. Zum einen war das Volk von Italien – „Römer" wie Goten – insgesamt als ostgotische Untertanen ganz zufrieden gewesen. Ungern kehrten sie in die Arme des Imperiums zurück, mit dem sie eine korrupte Verwaltung und hohe Steuern verbanden. Zweitens hatte Justinian kein Interesse daran, dass sich Belisar faktisch als Mitkaiser im Westen etablierte. Sein Ziel war es, das Reich unter ihm allein wieder zu einigen, und nicht, es mit einem potenziellen Usurpator zu teilen. Belisar wurde abberufen und in den Kampf gegen die Perser geschickt, und als Herrscher der überaus unruhigen Ostgoten und anderen Einwohner Italiens entsandte man einen nicht so fähigen, aber loyalen Funktionär.

545 hatte sich die Lage in Italien so sehr verschlechtert, dass Justinian gezwungen war, Belisar zurückzuholen. Doch immer noch sah er in dem General einen möglichen Rivalen. Für die Ostgoten und Italien insgesamt war das die schlimmstmögliche Lösung, weil Justinian Belisar gerade genug Geld und Nachschub für die Fortsetzung des Krieges zugestand, aber nicht genug für einen Sieg. Rom wurde erobert, aufgegeben und erneut erobert, und mit jeder Belagerung, jedem Machtwechsel verfiel die einst große Stadt mehr und verlor immer mehr Einwohner. 548 hatte der letzte große ostgotische Feldherr Totila Belisar in eine Pattsituation

gebracht. Belisar wurde nach Konstantinopel zurückgerufen und kehrte nie wieder in den Westen zurück.

Der lange Krieg hatte an den Kräften der Ostgoten gezehrt, und während ihr Ansehen sank, nutzten andere Stämme die Gelegenheit, um ostgotisches Land zu plündern und zu besetzen. Totila starb im Kampf und mit ihm mehr oder weniger auch das ostgotische Volk. Die Langobarden zogen nach Norditalien (wo sie seitdem geblieben sind) und die Römer hielten sich mit Mühe im Süden. 565 hatte sich der Traum eines integrierten römisch-ostgotischen Reiches komplett verflüchtigt und auch die Ostgoten als Volk waren verschwunden.

Nachhall in der Zukunft

Ihren Namen haben die Goten an den gotischen Architekturstil weitergereicht, der im 12. Jahrhundert entstand. Vom Mailänder Dom über Notre-Dame in Paris bis zu den verträumten Türmen von Oxford wimmelt es in Europa von mittelalterlichen Bauten dieses Stils. Der Begriff selbst wurde im 16. Jahrhundert eingeführt, um die damalige Ansicht auszudrücken, es sei ein barbarischer Stil. Da ist es schon eine Ironie des Schicksals, dass er im 19. Jahrhundert so sehr bewundert wurde, dass daraus die Neugotik wurde.

Gotische Gebäude sind der ideale Schauplatz für das Literaturgenre der „Gothic novel" und der Schauerromantik überhaupt, die Blut, Horror und grausige Todesarten kombiniert, oft mit unglücklichen Heldinnen. Zu den Klassikern dieses Genres zählen Mary Shelleys *Frankenstein*, Bram Stokers *Dracula* und die Werke von Edgar Allan Poe.

Vieles an diesem gotischen Kirchenraum wäre einem Alarich oder Theoderich bekannt vorgekommen – doch es handelt sich um einen Entwurf von 1899 für die Christ Church an der Bedford Avenue in Brooklyn.

1. Jh. bis 510 n. Chr.

Die Alamannen

Eine lange Fehde mit Rom

Die Sueben, das heißt, Alamannen eroberten Gallicia. Nicht lange danach entstand ein Streit [mit den Vandalen…]. *Als sie sich eine Schlacht liefern wollten, sagte der König der Alamannen: „*[…] *Lasst uns ein wechselseitiges Gemetzel in der Schlacht vermeiden und stattdessen zwei unserer Krieger in Waffen aufs Feld treten und kämpfen. Dann soll der, dessen Vorkämpfer gewinnt, das Gebiet ohne weiteren Streit haben.“* […] *Und der Vorkämpfer der Vandalen wurde erschlagen.*

Gregor von Tours, *Fränkische Geschichte* 2,2

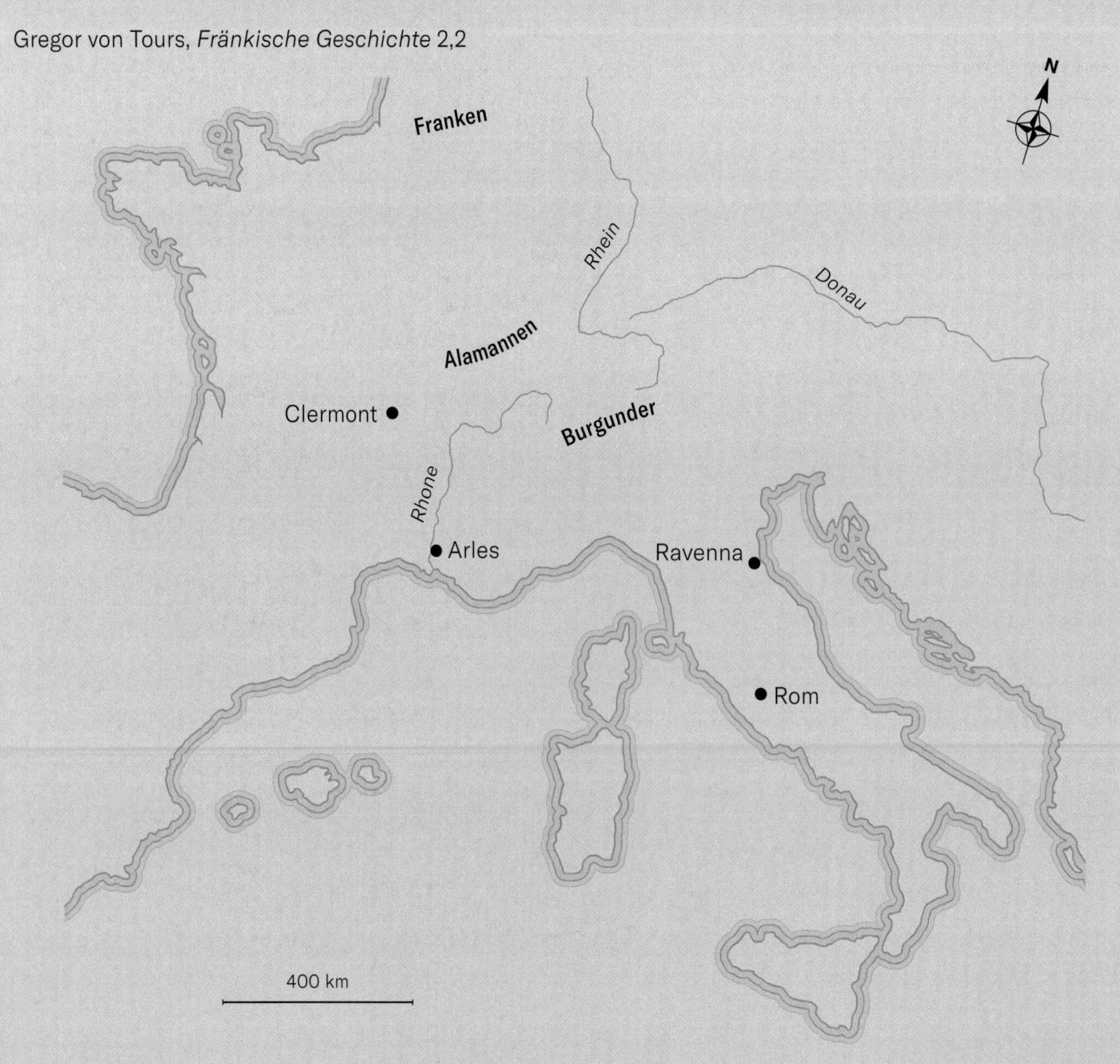

Vor 213 n. Chr. hören wir nichts von den Alamannen, obwohl es sie damals schon lange gab. Die Geschichte übersieht Menschen häufig, die ruhig ihre Felder bestellen und Schlachten und Gemetzel vermeiden. Das war bei den Alamannen der Fall, bis der ruhmgierige römische Kaiser Caracalla (211–217 n. Chr.) seinen Ruf bei der Armee durch einen Angriff auf diesen Stamm aufzubessern beschloss. Bis dahin hatten sich die Alamannen als Freunde und Verbündete der Römer betrachtet. Von da an jedoch waren sie Roms unversöhnliche Feinde.

Friedliche Anfänge

Allgemein denkt man, dass den Kern der Alamannen die germanischen Sueben bildeten, ein Volk, das der Historiker Tacitus im 1. Jahrhundert n. Chr. erwähnt. Dieser spezielle Ableger der zahlenstarken Sueben wohnte an den Ufern des Mains. Häufig wird Alamannen als „Alle Männer" übersetzt, was dazu passen würde, dass mit der Zeit auch viele Menschen, die keine Sueben waren, zu diesem Stamm stießen.

Vielleicht haben die Römer selbst dem Bevölkerungswachstum der Alamannen nachgeholfen, denn man weiß, dass sie eine Reihe vertriebener Germanenvölker in der Region neu angesiedelt haben. Spätere Römer nannten die Alamannen zwar „Wilde" (*barbari*), aber diese Wildheit hat mehr mit der Wut auf die Römer zu tun als mit ihrer Lebensweise. Tatsächlich waren die Alamannen stark romanisiert. Sie besaßen einen hohen Urbanisierungsgrad (soweit irgendein Volk im 3. Jahrhundert überhaupt in Städten lebte), konnten lesen und schreiben und handelten ausgiebig mit den Römern auf dem anderen Flussufer. Manchen Berichten zufolge trugen die Frauen Kleider im römischen Stil.

Wie man Freunde zu Feinden macht

Tatsächlich waren die Alamannen das Muster eines friedlichen Germanenstamms – bis Caracalla. Er „behandelte sie, ausgerechnet jenes Volk, dem er zu helfen behauptete, als wären sie seine bittersten

Auf dieser Abbildung in einer Handschrift des sogenannten *Breviarium Alaricianum* unterhält sich Lodhanri, König der Alamannen, mit hohen Beratern.

Feinde", kritisiert der Historiker Cassius Dio. „Er rief die Männer im kriegsfähigen Alter unter dem Vorwand her, seine Armee brauche sie als Söldner. Dann ließ er sie umstellen, und als er durch Hochheben seines Schildes das Zeichen gab, ließ er sie niedermachen. Danach schickte er den Übrigen Kavallerie hinterher" (Dio, *Römische Geschichte* 78,13).

Aus seiner Verachtung Caracallas macht Dio kein Geheimnis. „Das Germanenvolk [...] verwehrte ihm jede Gelegenheit, sich zu Unrecht als weise oder tapfer hinzustellen. Sie zeigten, dass er ein verräterischer Narr und völliger Feigling war." Die Alamannen stimmten dem von Herzen zu; nachdem ihr Vertrauen in Rom zerstört war, zeigte sich, dass es auch nach Caracallas Ermordung nicht wiederherzustellen war. Das war schlecht, denn im 3. Jahrhundert hatten die Römer viel mehr Feinde, als sie brauchen konnten, und das Letzte, was sie brauchten, waren zusätzliche.

Alamannen gegen Rom

Die Alamannen brauchten eine Generation, bis sie sich vom Massaker an ihren Männern erholt hatten, aber 250 n. Chr. waren sie bereit zur Rache. Der damalige König der Alamannen hieß Chrocus; womöglich hatte seine Mutter Verwandte durch die Römer verloren, denn der Historiker Gregor von Tours beschreibt, wie sie in ihrem Sohn den Hass auf die Römer schürte. 256 ergossen sich die Alamannen als heftige Sturzflut über den Rhein nach Gallien, plünderten und verbrannten Städte und metzelten ohne Unterschied alles nieder, was ihnen in den Weg kam. Die Stadt Clermont-Ferrand wurde schlimm zugerichtet und lag zum Großteil in Ruinen. Ein Bericht besagt, dass Chrocus später bei Arles besiegt, gefangen genommen und hingerichtet wurde. Nach anderen Quellen (zu dieser Zeit ging es sehr konfus zu und unsere Überlieferung ist nicht zuverlässig) wurden die Alamannen lediglich zurückgeschlagen und richteten ihre rachsüchtige Aufmerksamkeit nun auf Italien selbst.

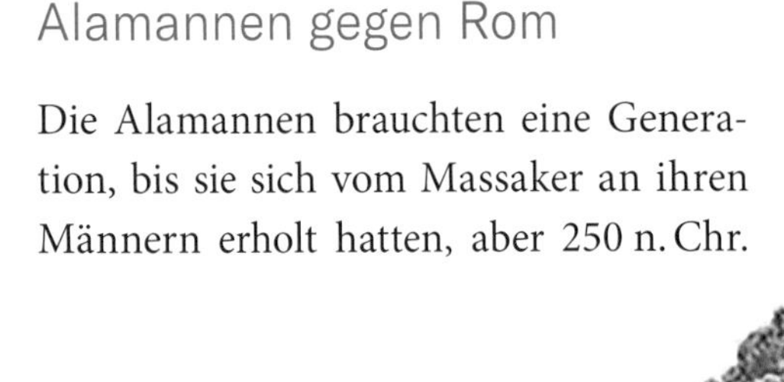

Roms Aurelianische Mauern wurden im 3. Jh. n. Chr. erbaut, als die Stadt nach vielen Jahren ohne Barbareninvasionen erneut verteidigt werden musste. So eilig der Bau erfolgte, Kaiser Aurelian machte seine Sache ausgezeichnet und ein Großteil der Befestigungen ist noch heute erhalten.

Sicher ist, dass sie vor 259 in Italien waren, denn der bedrängte Kaiser Gallienus musste seine Bemühungen, die gotische Flut aufzuhalten, unterbrechen, um den Vormarsch der Alamannen nahe Mailand zu stoppen. Erst Gallienus' Nachfolger Claudius Gothicus war es, der die Invasoren endgültig vertrieb, indem er ihnen eine entscheidende Niederlage an den Ufern des Gardasees zufügte. Sehr wahrscheinlich ist, dass an diesem römischen Sieg auch der spätere Kaiser Aurelian (270–275 n. Chr.) beteiligt war. Die besiegten Alamannen zogen sich in die Wälder Germaniens zurück und planten ihren nächsten Schachzug, während Claudius 270 auf einem Feldzug gegen die Goten starb.

Mit Claudius' Tod und Aurelians Mühe, sich die Nachfolge zu sichern, waren die Alamannen wieder da. Noch immer waren sie dabei, sich von ihrer

Die Treibarbeit am Griff dieses prächtigen Schwertes aus dem 7. Jh. n. Chr. zeigt einen Krieger. Es stammt aus einem alamannischen Grab in Sigmaringen.

Schlappe am Gardasee zu erholen, und so waren sie in dieser Invasion Juniorpartner eines anderen Stammes, der Juthungen. Der Einfall überraschte Aurelian und eine Zeit lang sah es so aus, als könnten die verbündeten Stämme sogar über die schwach verteidigte Stadt Rom herfallen. Aurelian vermied eine Katastrophe und besiegte 271 in der Schlacht bei Fanum die Alamannen und die Juthungen. Dennoch saß der Schreck tief genug, dass der Kaiser eilig mit dem Bau einer Stadtmauer um Rom begann. (Diese „Aurelianischen Mauern" umgeben heute noch einen Teil der Altstadt.)

Anhaltende Bedrohung

So hatte sich ein Muster durchgesetzt, das die restliche Geschichte des Imperiums im Westen prägen sollte. Mindestens einmal pro Generation griffen die Alamannen zu den Waffen, sahen sich an, wo das bröckelnde Römische Reich am schwächsten war, und strömten an dieser Stelle über die Grenze. Das geschah 298 zweimal und dann wieder 356. Bei der späteren Gelegenheit erzielten die Alamannen anfangs einen Sieg und verwüsteten einen Großteil des Rheinlands, ehe Kaiser Julian sie im Jahr darauf vertrieb.

Niemand erwartete, dass das die Alamannen lange unter Kontrolle halten würde, und so kam es auch. 367 musste Kaiser Valentinian wieder von vorn anfangen. Diesmal trug er den Krieg zu den Alamannen und besiegte sie in der Schlacht bei Solicinium (einem unbekannten Ort in Deutschland). Dieser schwere Rückschlag ließ die Alamannen bis 406 stillhalten, als sich eine unwiderstehliche Chance bot, gegen Rom loszuschlagen. Ein harter Winter ließ den Rhein zufrieren, und sobald dieses natürliche Hindernis beseitigt war, strömte eine Horde aus Barbarenstämmen hinüber. Der christliche Autor Hieronymus nennt über ein Dutzend Stämme, darunter Vandalen, Sarmaten, Alanen, Sachsen und natürlich die Alamannen.

Dieser Rheinübergang ist eine wichtige Zäsur beim Untergang des Römischen Reiches im Westen. Rom ging mit überwiegend intakten Grenzlinien, so wie sie seit Jahrhunderten gewesen waren, in diesen Winter. Bis zum Frühjahr hatte es riesige Gebiete verloren, die Reichsarmeen im Westen waren erschöpft und weite Landstriche verwüstet. Davon erholte sich das Imperium nie wieder.

In den folgenden Jahrzehnten blieben die Alamannen eine Gefahr, fehlen aber im Großteil der Quellen, weil sich die volle römische Aufmerksamkeit auf die noch größere Bedrohung durch den Hunnen Attila richtete. Dann brach Attilas Horde 450 nach Gallien ein. Wenn schon jemand westlich des Rheins plünderte, dann mussten die Alamannen ja wohl mit dabei sein, und so wurden sie begeisterte Verbündete der Hunnen.

Im Jahr 451 wurde Attilas Karriere als Eroberer durch die Schlacht auf den Katalaunischen Feldern beendet. Die hun-

Ihren Meister fanden die Alamannen schließlich im Frankenkönig Chlodwig, hier dargestellt in einem so fantasievollen wie ungenauen Gemälde des 19. Jhs. von Paul-Joseph Blanc.

nische Armee musste sich zurückziehen und die unbezähmbaren Alamannen waren beinahe gebrochen. 457 versuchten sie mit den Überresten ihrer Armee ein beherztes Comeback, wurden aber aus Italien zurückgetrieben.

Die späten Alamannen

Nach 470 stellten die Alamannen ihre Angriffe auf Rom ein. Ihre jahrhundertelange Fehde endete, als es im Westen kein Römisches Reich mehr zum Angreifen gab. Statt mit Römern mussten die Alamannen jetzt mit den grimmigen fränkischen Stammeskriegern fertigwerden, die Gallien übernommen hatten. Den Franken unter ihrem König Chlodwig (490–511) gelang, was die Römer nie geschafft hatten – sie schlugen die Alamannen im Kampf und hielten sie ruhig. Teilweise fügten sich die Alamannen in die fränkische Herrschaft, weil diese zum Großteil rein symbolisch war. Sie bewohnten ein Gebiet, das Teile des heutigen Ostfrankreich, Liechtenstein, einen Großteil der Schweiz und ein Stück Norditalien umfasste, und die Franken ließen sie alles in allem gewähren.

Im Lauf des 8. Jahrhunderts wurden die Alamannen nach und nach Christen und ihre Anführer kamen während der unruhigen Phasen im Karolingerreich und später im Heiligen Römischen Reich zu Schaden. Dennoch sind die Alamannen als Volk nie richtig verschwunden. Auch der Name kam nicht außer Gebrauch. Noch heute ist *Allemagne* der französische Name für Deutschland, und die alemannischen Dialekte sind in einem beachtlichen Teil des deutschen Sprachraums verbreitet.

Nachhall in der Zukunft

Neben dem Vereinsnamen „Alemannia“ überleben die Alemannen bis heute als Familienname – und zwar in Italien. Die Mitglieder der dortigen Familie Alemanni spielten eine Rolle in der italienischen Politik von Florenz bis Neapel und führten sich stolz auf die Alamannen zurück. Es gibt sie noch heute, beispielsweise die US-Schauspielerin Alexa Alemanni (die fließend Italienisch spricht).

5.–7. Jh. n. Chr.

Die Jüten

Britanniens vergessene Invasoren

Von den Jüten stammt das Volk von Kent und der Insel Wight ab und auch jene in der Provinz der Westsachsen, die bis heute Jüten heißen.

Beda, *Kirchengeschichte des englischen Volkes* 1,15,2

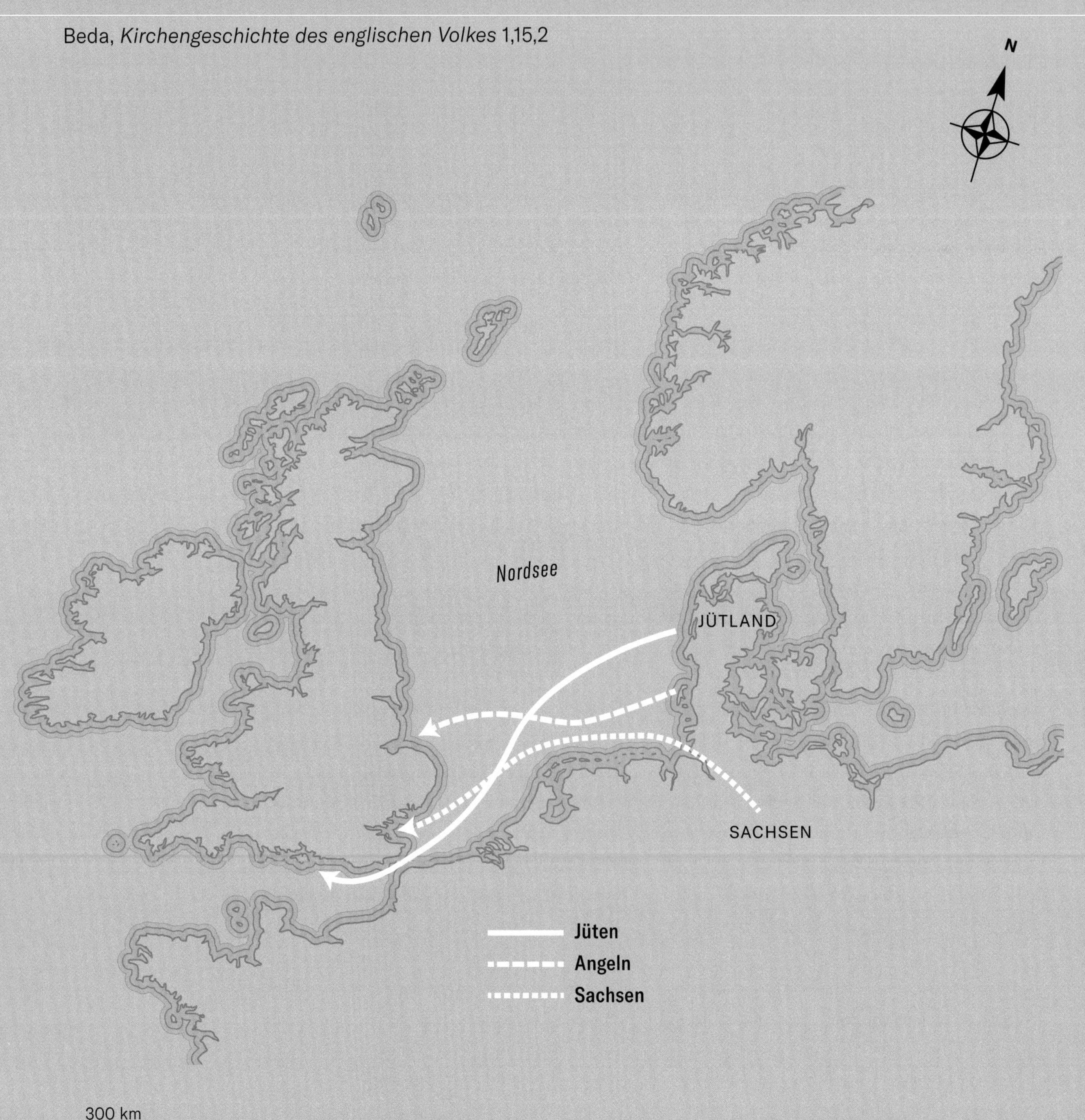

Viele Menschen im heutigen England können zwar noch die Angeln und die Sachsen nennen, zwei der germanischen Völker, die sich nach Abzug der römischen Legionen auf der Insel niederließen, aber es gab noch ein drittes, das ihnen wohl nicht so leicht einfällt: die Jüten. Während die Nachfahren der germanischen Siedler als Angelsachsen bezeichnet werden und das Land England („Land der Angeln") heißt, sind die Jüten fast spurlos verschwunden. Wer also waren sie und warum ist die Erinnerung an sie verloren gegangen?

Invasoren von jenseits des Meeres

Die Angeln, die Sachsen und die Jüten stammten alle aus derselben Gegend – im Wesentlichen aus dem heutigen Dänemark und dem unmittelbar angrenzenden Teil Deutschlands. Tatsächlich verdankt die heutige Halbinsel Jütland ihren Namen den Jüten, die die Römer als *Iutae* kannten. Während die spätere britische Geschichte die Völker dieser Region fein säuberlich in drei verschiedene Stämme aufgeteilt hat, legen die Funde der modernen Archäologie nahe, dass das Gesamtbild nicht ganz so eindeutig war. Es gab viele Ehen unter Adligen der drei Völker an der Spitze der Sozialpyramide und unter Bauern benachbarter Gegenden an ihrer Basis. Uns würde es sehr helfen, wenn wir wüssten, ob die drei Stämme verschiedene germanische Dialekte sprachen, aber da alle gleichermaßen schriftlos waren, sind kaum Spuren ihrer Sprachen in der Originalform erhalten.

Wie so viele andere Völker brachte auch die Bevölkerung der dänischen Halbinsel im 5. Jahrhundert etwas in Bewegung. Ausnahmsweise sind wohl nicht die Hunnen schuld, die gerade eifrig dabei waren, die Goten einen halben Kontinent entfernt einmal quer durch die eurasische Landmasse nach Westen zu treiben. Vielleicht war Britannien einfach nach Jahrhunderten römischer Besiedlung ökonomisch und landwirtschaftlich so reich, dass die Jüten und die anderen Stämme das unwiderstehlich fanden.

Leider lassen auch die britischen Quellen für diese Zeit zu wünschen übrig. (Das Dunkle Zeitalter war im nachrömischen Britannien besonders dunkel.) Fast alle erhaltenen Texte stammen von Mönchen und behandeln den kirchlichen Kontext; an Politik, Krieg oder Ethnografie waren sie nicht besonders interessiert, also sind die meisten nichtreligiösen Notizen, die uns weiterhelfen, eher Zufallsprodukte. Noch dazu beteten die Neuankömmlinge Woden und andere germanische Götter an, also betrachteten sie Klöster meist als gut gefüllte Schatzhäuser zum Plündern. Mönche, die direkte Erfahrungen mit den frühen Invasoren hatten, überlebten oft nicht lange genug, um sie weiterzugeben.

Die besten Berichte stammen von Mönchen in Wales, die sich nicht als Waliser, sondern als die eigentlichen Briten verstanden. Nach ihren Angaben waren

Illumination des Alexis-Meisters aus einer Handschrift des 12. Jhs. mit „Miszellaneen zum Leben des heiligen Edmund“. Dargestellt sind Angeln, Sachsen und Jüten, von denen der Ärmelkanal wimmelt.

die frühesten Eindringlinge auf der Insel die Angeln. Die Jüten folgten bald, ermutigt durch Berichte derer, die in ihre Heimat zurückkehrten, und begannen, sich in großer Zahl an der britischen Ostküste niederzulassen. Die Berichte, die wenig mehr als Legenden sind, erzählen von zwei Jüten, Hengist und Horsa, Stammesführern, die 449/50 gelandet seien. Ursprünglich waren sie und ihre Krieger Söldner, aber nachdem Horsa im Kampf gefallen war, soll Hengist im heutigen Kent ein Königreich gegründet haben. Er verteidigte es gegen die zahlreicheren Angeln und die aufgebrachten Briten.

Sachsen und Jüten

Gildas, ein britischer Geistlicher, der im späten 5. oder im 6. Jahrhundert schrieb und vielleicht der zuverlässigste unter den nachrömischen Historikern ist, vermutet, dass der damalige Herrscher der Briten, Vortigern, die Sachsen zu Hilfe gerufen habe, um die Angeln abzuwehren. (Sogar schon so früh scheinen die Jüten übersehen worden zu sein. Die Briten packten die frühen germanischen Eindringlinge alle als „Angeln“ in dieselbe Schublade, ob sie nun Angeln oder Jüten waren. Und nicht nur die Briten: In einem Brief des späten 6. Jahrhunderts schrieb Papst Gregor an König Æthelberht – der so gut wie sicher Jüte war – und adressierte ihn als „König der Angeln“.)

Die Sachsen einzuladen, wieso auch immer, war ein spektakulär unüberlegter Schritt. Schon in spätrömischer Zeit gab es in Britannien einen Beamten mit dem Titel „Comes der Sachsenküste“, dessen Aufgabe es war, Küstenfestungen und Signalfeuer zu unterhalten, die vor sächsischen Raubzügen warnen sollten. Die Sachsen zu bitten, sie sollten sich um Angeln und

Jüten kümmern, war praktisch die Einladung eines Fuchses in den Hühnerstall.

Rasch stellten die Sachsen fest, dass die Jüten bessere Kämpfer waren als die Briten, also umgingen sie sie und nahmen den Briten weiter im Süden und Westen Land weg. Aus diesen Gebieten wurden später Sussex („Südsachsen") und Wessex („Westsachsen").

Die Jüten konnten sich nicht nur behaupten, um 700 galten sie sogar als der vielleicht wichtigste Germanenstamm in Britannien (obwohl das die Briten nicht davon abhielt, sie weiterhin „Angeln" zu nennen). Einer der wenigen, die es richtig machten, war Beda Venerabilis, ein northumbrischer Mönch des 8. Jahrhunderts, dessen 731 abgeschlossene *Kirchengeschichte des englischen Volkes* eine wichtige Quelle für die ersten 300 Jahre des nachrömischen Britannien darstellt.

„Krieger aus den drei furchtbarsten germanischen Völkern, den Sachsen, Angeln und Jüten, bekamen von den Briten Land. Dort durften sie sich unter der Bedingung niederlassen, dass sie den Frieden und die Sicherheit auf der Insel wahrten", berichtet Beda (1,15).

Knapp vor Bedas Lebzeiten bekehrte sich Æthelberht, der jütische König des heutigen Kent, zum Christentum. Nicht bekannt ist, ob die Jüten der „Insel Wihtwara" (Wight) oder das verwandte Volk

Beda Venerabilis bei der Arbeit – Illumination aus einer Handschrift, die heute in der British Library in London liegt.

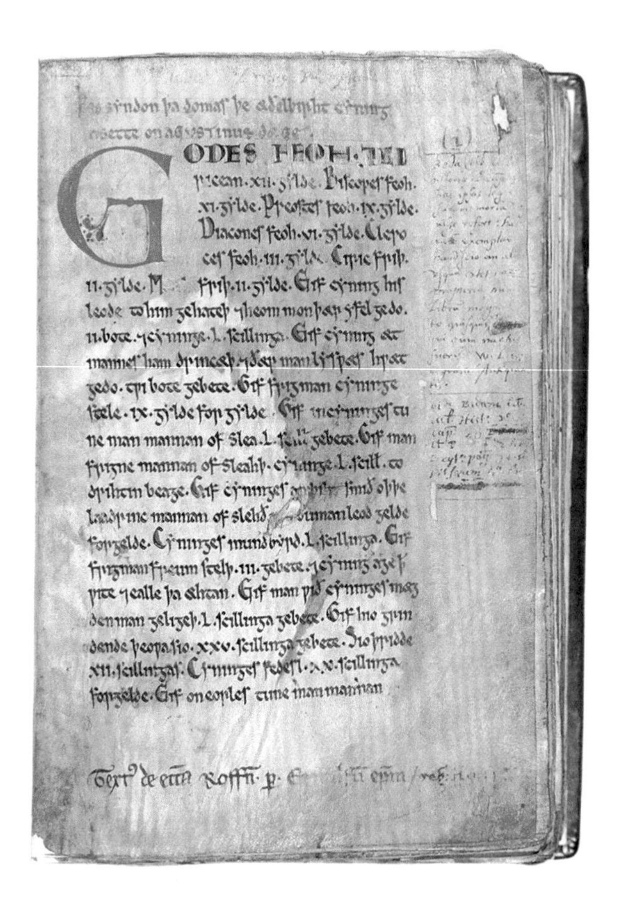

Zu König Æthelberht von Kents Verdiensten um die Nachwelt zählt dieser Gesetzescodex, der heute in der Bibliothek der Kathedrale von Rochester liegt.

der „Hæstingas" (in Hastings) sich gleich anschlossen, aber durch die Bekehrung der kentischen Jüten wurde deren Hauptstadt Cantwaraburg ein religiöses Zentrum und blieb das auch in späteren Jahrhunderten unter dem Namen Canterbury. Laut Beda war dieser Æthelberht der Ururenkel des jütischen Gründerkönigs Hengist. Nach Æthelberhts Tod, der Beda zufolge nach einer – verdächtig – langen Herrschaftszeit von einem halben Jahrhundert eintrat, kehrten die Jüten kurz zum Heidentum zurück.

Assimilation und Niedergang

Die Jüten waren das Frankreich am nächsten wohnende englische Volk und hatten sich in einem stark romanisierten Teil Britanniens niedergelassen. Aus beiden Gründen gelten sie als etwas kultivierter als ihre germanischen Verwandten. Tatsächlich hatte die römische Obrigkeit möglicherweise viele nichtbritische Bewohner der Region in den letzten Jahren der römischen Herrschaft ins Land geholt und dort angesiedelt. Also war, als die Jüten ankamen, bereits eine „barbarische" Bevölkerung in der Gegend, die als halbromanisierter Puffer wirkte und für ein gewisses Maß an Integration sorgte.

Klar zeigen konnte die Archäologie außerdem, dass es zwischen Jüten und Franken einen intensiven Austausch gab. In von Jüten besetzten Gebieten haben sich mehr Gegenstände aus fränkischer Herstellung gefunden als im weitläufigeren Land der Sachsen und der Angeln zusammengenommen. Der Text mit den Gesetzen Æthelberhts (ca. 600) ist das älteste erhaltene altenglische Dokument, und das deutet darauf hin, dass die späteren Jüten außerdem vielleicht schriftkundiger waren als ihre englischen Zeitgenossen.

Etwa im 7. Jahrhundert litt Kent unter dynastischen Problemen. Was genau vorging, verliert sich heute im Nebel der Geschichte, sicher ist jedoch, dass Könige und Thronräuber aus dem Herrscherhaus so viel Zeit damit verbrachten, einander zu bekriegen, dass sie sich nicht mehr um ihre Aufgaben kümmerten. Die Themse war ein Handelsweg, der tief ins britische Landesinnere führte, und Zölle und Abgaben waren eine wichtige Einnahmequelle. Sie entglitt kentischen Händen, als sich die sächsischen Königreiche Mercia und Wessex aggressiv für die Angelegenheiten Kents zu interessieren begannen.

Heute ist ungewiss, in welchem Umfang Kent ausschließlich von den Jüten bewohnt wurde. Wie gesagt waren Jüten, Angeln und Sachsen noch nie klar getrennte Völker gewesen und Ehen zwischen den Stämmen und der römisch-britischen Bevölkerungsgruppe lösten spezifisch jütische Gruppen rasch auf. Der Todesstoß für die Jüten als Volk kam von den Wikingern, die Kent im 10. Jahrhundert überrannten, angelockt von den Reichtümern der Region. Zur Zeit der normannischen Invasion von 1066 waren die Angeln mit den Sachsen zu einem einzigen Bindestrichvolk verschmolzen und die Jüten komplett verschwunden.

Nachhall in der Zukunft

Canterburys Ruf als religiöses Zentrum steigerte sich beträchtlich durch das spätere Martyrium des „lästigen Priesters" Thomas Becket 1170. Die Stadt wurde zum Wallfahrtsort, wie die *Canterbury Tales* Chaucers zeigen, eines der frühesten Hauptwerke der englischen Literatur (ca. 1400). Von Canterbury konnte man einigermaßen schnell nach London kommen, wenn man sein Pferd in einer Geschwindigkeit irgendwo zwischen Trab und mäßigem Galopp hielt – was deswegen später als „Kanter" bezeichnet wurde.

Weil die Jüten zur römisch-britischen Bevölkerung etwas freundlicher waren und ihr Land dem stärker romanisierten Gallien am nächsten lag, entschieden sich viele Familien der römisch-britischen Aristokratie, ihre Hausangehörigen und Gefolgsleute, Britannien auf dem Weg über das jütische Land zu verlassen und auf der Halbinsel Armorica des europäischen Festlands zu wohnen. So viele Briten ließen sich dort nieder, dass die Halbinsel als „Kleinbritannien" (Bretagne) bekannt wurde. Zur Unterscheidung nannte man die eigentliche Insel manchmal „Großbritannien", ein Ausdruck, der sich seitdem gehalten hat.

Ein Reiter – in dem manche Geoffrey Chaucer selbst sehen – begibt sich nach Canterbury. Detail aus einem Faksimile des Ellesmere Manuscript der *Canterbury Tales* (frühes 15. Jh.).

Mitte 5. Jh. bis 6. Jh. n. Chr.

Die Hephthaliten

Die geheimnisvollen „Weißen Hunnen“

Die Ephthalitai sind vom Stamm der Hunnen, der Sache wie dem Namen nach; sie mischen sich aber mit keinem der uns bekannten Hunnen, denn sie bewohnen ein Land, das weder an sie grenzt noch ihnen auch nur sehr nahe ist [...]. Sie sind die einzigen Hunnen, die weiße Körper und keine hässlichen Gesichtszüge haben.

Prokop, *Geschichte der Kriege* 1,3,1

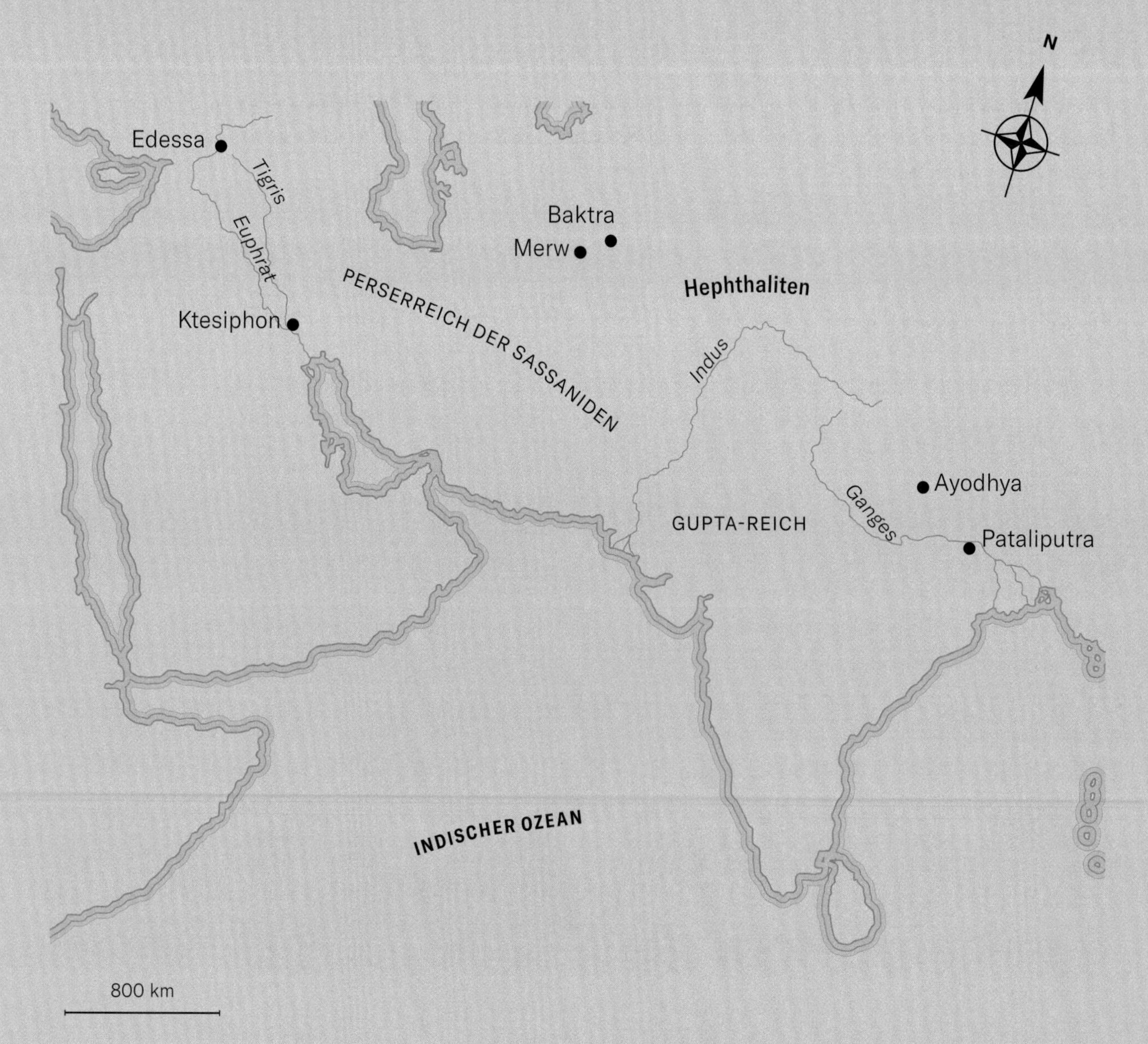

Prokopios, der im 6. Jahrhundert n. Chr. über die Hephthaliten schrieb, sagt auch, dass sie unter einem einzigen König ein sesshaftes Leben führten (außer in der Zeit ihrer Vereinigung unter Attila neigten die Hunnen dazu, lose Stammesverbände zu bilden) und ein Gesetzeswerk hatten.

Da ist die Frage berechtigt, ob das Volk, das er beschreibt, überhaupt zu den Hunnen zählte. Aber in dieser Frage ist Prokop sehr klar, obwohl alle Einzelheiten, die er aufzählt, seiner Kernaussage zu widersprechen scheinen. Prokop sagt, sie waren Hunnen, und seitdem sind die Hephthaliten immer als „Weiße Hunnen" bekannt gewesen.

Umstrittene Herkunft

Manche Forscher behaupten, ursprünglich seien die Weißen Hunnen ein chinesischer Stamm gewesen. Aus ihrer Heimat vertrieben habe sich dieses Volk den Hunnen auf ihrer Wanderung nach Westen angeschlossen. Andere widersprechen: Die Weißen Hunnen seien überhaupt keine Hunnen, egal was Prokop sagt. Ihr Name hat persische Wurzeln und indische Quellen berichten, die Hephthaliten seien Feueranbeter gewesen. Das führt zu der Hypothese, es handle sich bei ihnen um einen Kushana-Stamm aus Baktrien, der das persische Sassanidenreich zufällig zur gleichen Zeit angriff wie die Hunnen den Westen. Zeitgenössische Autoren hätten alle Invasoren mit dem Namen „Hunnen" belegt und so sei dieses baktrische Volk heillos mit den Hunnen durcheinandergebracht worden. Als die Hephthaliten Münzen zu prägen begannen, nutzten sie eine baktrische Schrift, was diese Hypothese weiter stützt.

Dennoch, so sagt eine dritte Fraktion: Trotz dieser Argumente seien die Hephthaliten wirklich Hunnen gewesen. Hunnische Stämme hatten eine Kennfarbe, an der sich die Stammeszugehörigkeit ablesen ließ – es gab Rote, Grüne und Blaue Hunnen. Dass die Hautfarbe der Hephthaliten blasser war als die ihrer Mithunnen, mag ihnen Anspruch auf die Farbe Weiß verliehen haben, aber die schlichte Tatsache, dass sie das innerhalb des hunnischen Stammessystems getan hätten, beweise, dass sie Hunnen waren und sich zumindest in diesem Punkt wie Hunnen benahmen.

Hephthalitische Münzen zeigen eine eigenwillige Mischung aus indischen, griechischen und persischen Einflüssen.

Noch eine letzte Meinung könnte man anführen – nämlich dass trotz all der vielen gelehrten Debatten und Theorien niemand richtig weiß, wer die Hephthaliten waren oder wo sie eigentlich herkamen.

Erstes Auftauchen

Wie auch immer es mit ihrem Ursprung aussieht – die Weißen Hunnen erschienen Mitte des 5. Jahrhunderts n. Chr. an der Nordostgrenze des Perserreichs und wurden sofort zur Landplage für die persischen Sassaniden wie auch für das Gupta-Reich in Nordindien. Den Römern in ihrem zusammenbrechenden Imperium waren die Perser immer wie ein unerbittlicher, hemmungsloser Feind vorgekommen, also sahen sie mit einer gewissen Genugtuung, wie ihre östlichen Rivalen selbst mit barbarischen Eindringlingen fertigwerden mussten.

Kein Zweifel besteht, dass die Hephthaliten Nomaden waren, denn sonst wären sie gar nicht da angekommen, wo sie erschienen. Als sie sich aber erst in einen riesigen Landkeil zwischen Indien

Blasse Gesichter dominieren in diesem Bild einer Hochzeitsprozession aus Samarkand – heute im Museum des usbekischen Afraziab.

und den Persern geschoben hatten, zeigten sie wenig Neigung, ihr Wanderleben fortzusetzen. Dabei half, dass das Gebiet, das sie sich ausgesucht hatten, fruchtbar war und großes Potenzial für den Handel mit Indien und Persien besaß. Außerdem verlief die Seidenstraße mitten durch das neue Königreich der Hephthaliten, was es den hephthalitischen Adligen gestattete, reich zu werden, ohne viel mehr zu tun, als die Karawanen von China in den Westen zu besteuern.

Wie zu erwarten, waren die Perser über die Neuankömmlinge gar nicht glücklich, und zwischen 435 und 450 versuchten sie sie erfolglos aus den Ländern zu vertreiben, die sie besetzt hatten. Aber obwohl sie in vieler Hinsicht anders als andere Hunnen waren, waren auch die Weißen Hunnen wilde Kämpfer. Die Sasaniden kämpften selbst nicht schlecht, wie die Römer auf die harte Tour festgestellt hatten, aber am Ende wurde ihnen klar, dass sie die Hephthaliten nicht so leicht aus dem Weg räumen würden.

Es gab sogar Zeiten, in denen die Anwesenheit eines zahlenmäßig starken, kriegerischen Volkes an ihrer Grenze den Sassaniden nutzte. Als ein weiterer Stamm, die Hunas (die vielleicht Hunnen waren, vielleicht auch nicht), aus dem Osten einbrach, vergaßen Inder, Perser und Hephthaliten ihre Differenzen und wehrten die Neuen ab. Danach nutzte ein persischer Königsverwandter namens Peroz seine frischen Kontakte zu den Hephthaliten, um sich ihre Hilfe in innersassanidischen Machtkämpfen zu sichern. Diese Intervention entschied die Sache, und Peroz bestieg 458 den Thron.

Hephthaliten und Perser

Daran gemessen, was Peroz den Hephthaliten verdankte, wirkt es ziemlich undankbar, dass das Erste, was er als König tat, war, eine Armee für einen Feldzug gegen sie zu sammeln. Vielleicht entschied sich Peroz 459 zum Zuschlagen, weil er wusste, dass die hephthalitischen Truppen auf der anderen Seite ihres Landes mit einer Reihe von Kriegen gegen das Gupta-Reich beschäftigt waren. Zu dieser Zeitbefand dieses sich – ähnlich wie das Römische Reich im Westen – in jähem Verfall und die Hephthaliten waren dabei sicher nicht hilfreich.

Was genau als Nächstes passierte, ist nicht klar, aber jedenfalls waren die Hephthaliten die Sieger, obwohl sie an zwei Fronten kämpften. Ein späterer islamischer Text (das *Shahname*, das *Buch der Könige*) besagt, dass Peroz sich anstrengte, das einzuholen, was er für das hephthalitische Heer hielt. Tatsächlich handelte es sich nur um eine auseinandergezogene Kavallerieabteilung, die den Sassanidenkönig und seine Armee immer tiefer in die Wüste lockte. Hitze und Durst nahmen den Hephthaliten das Kämpfen ab und Peroz musste kapitulieren. Auf der anderen Seite des hephtalitischen Gebiets kassierten die Inder inzwischen so gründliche Niederlagen, dass die Hephthaliten einen

Großteil des Gupta-Reiches übernehmen konnten. Uttar Pradesh, der Punjab und Kaschmir waren mindestens zum Teil besetzt.

Wenn Peroz etwas war, dann hartnäckig. Einer Quelle zufolge kam sein Hass auf die Hephthaliten daher, dass sie ausgiebig Homosexualität praktizierten. Jedenfalls schlossen sie zumindest sehr tiefe Freundschaften. Prokop (*Geschichte der Kriege* 1,3,8) erzählt: „Gruppen von bis zu zwanzig fühlen sich einander äußerst verbunden und werden dauerhafte Tischgenossen. Sie haben sogar Anteile am Besitz der anderen, als ob sie alles gemeinsam hätten. Dann ist es beim Tod des Mannes, der diese Gemeinschaft gegründet hat, Brauch, dass ihn all diese Männer lebendig ins Grab begleiten."

Egal woher Peroz' tiefe Animosität stammte, sie hatte einen hohen Preis. Nach dem Verlust seiner ersten Armee in der Wüste kam Peroz mit einer zweiten wieder. Sie wurde geschlagen und Peroz gefangen genommen. Nachdem er sich freigekauft hatte und nach Persien zurückgekehrt war, stellte er eine weitere Armee auf, anscheinend wild entschlossen, die Hephthaliten entweder zu besiegen oder bei dem Versuch draufzugehen. Wenn das so war, bekam er am Ende seinen Willen, denn 484 kam Peroz samt seiner Armee im Kampf um.

Diese mehrfachen Niederlagen dezimierten die Truppenzahl der Perser, deshalb kam die sassanidische Aggression gegen die Römer praktisch zum Erliegen, was dem Römischen Reich im Osten eine wichtige Atempause verschaffte, um sich nach dem Verlust des Westreichs neu zu organisieren. Tatsächlich war den Römern die Fehde zwischen Sassaniden und Hephthaliten so willkommen, dass sie einen Teil des Lösegelds für Peroz bezahlten, damit er sich wieder in den Kampf stürzen konnte.

Das nächste Jahrhundert lang sollten die Hephthaliten Zentralasien regieren. Indische Könige und Perser zahlten ihnen Tribute. Hephthalitische Waffen unterstützten den Mann, der Peroz nachfolgte, und das nächste Mal, dass Hephthaliten und Perser in den Krieg zogen, war ein gemeinsamer Angriff auf Edessa im Oströmischen Reich, der 503 im sogenannten Krieg des Anastasios erfolgte.

Niedergang und Fall

Der gleiche Migrationsdruck, der vielleicht die Hephthaliten an die Grenze des Perserreichs geführt hatte, brachte später auch die Türken dorthin. Mit der Zeit erholten sich die Sassaniden von der katastrophalen Herrschaft des Peroz und wurden unruhig und angriffslustig. In Indien hatten hephthalitische Misswirtschaft und religiöse Intoleranz die Unterstützung der einheimischen Bevölkerung ausgehöhlt. Als nun türkische Stämme von Norden her ins Land drängten, waren die Hephthaliten von allen Seiten angegriffen und brachen unter diesem Druck zusammen.

Das Ende der Hephthaliten: Der persische Held Suchra besiegt sie in einer Schlacht irgendwo in Chorasan (zwischen dem heutigen Iran und Afghanistan).

Am Ende des 6. Jahrhunderts war das indische Reich der Hephthaliten zerbrochen und ein türkisch-persisches Bündnis hatte Zentralasien erobert. Die Hephthaliten klammerten sich an einige Fürstentümer in Afghanistan, aber inzwischen interessierten sich unsere persischen und indischen Quellen nicht mehr besonders für sie. Auf ebenso rätselhafte Weise, wie sie erschienen waren, verschwanden sie auch wieder.

Nachhall in der Zukunft

Die Hephthaliten verschwanden zwar, aber nicht ganz spurlos. Sie beeinflussten die Kultur des baktrischen Volkes, während diejenigen Hepthaliten, die in Indien blieben, rasch mit der Bevölkerung verschmolzen. Noch heute tragen manche indischen Städte und Dörfer die Namen, die die Hephthaliten ihnen während ihrer kurzen Herrschaft gegeben haben.

Epilog

Städte samt Mächten und Thronen
Vorm Auge der Zeit bestehn
So lang fast wie Blütenkronen,
Die täglich vergehn.
Doch wie Knospen neu sprießen
Zu neuer Menschen Glück,
Kehren aus müdem, missachtetem Boden
Herauf die Städte zurück.

Rudyard Kipling, *Cities and Thrones and Powers* (1922)

Es ist schwer, von den in diesem Buch beschriebenen Völkern zu lesen, ohne an den eigenen „Stamm" zu denken, welcher das auch sein mag, und sich zu fragen, was die Zukunft wohl für ihn bereithält. Von den Dutzenden Stämmen und Völkern, die hier vorgestellt wurden, haben nur wenige überlebt und viele davon sind stark geschrumpft. Erwartet dasselbe Schicksal Ihr Volk, Ihre Kultur? So gut wie sicher.

Denken Sie nur an die nichtindigenen Völker, die nach Nordamerika eingewandert sind. Erst seit 300 Jahren sind sie auf dem Kontinent anwesend. Wenige können sich beim Blick auf die Lichter ihrer Städte und ihre überfüllten Verkehrsadern vorstellen, dass sie etwas anderes als unvergänglich sein sollen – und doch …

Das akkadische Volk hat sich vor rund 43 Jahrhunderten in Sumer niedergelassen. Rasch wurde es zur dominanten Macht der Region und die Nachbarn übernahmen seine Gesetze und Sprache. Mit Recht war ihr König Sargon wegen seiner Erfolge als „der Große" bekannt. Nur wenige Akkader konnten sich, wenn sie ihre eigenen mächtigen Städte und überfüllten Straßen sahen, wohl vorstellen, dass sie etwas anderes als unvergänglich sein sollten. Und doch kennt heute nur noch eine Handvoll Historiker die Akkader; und die Hauptstadt Akkad, die diesem Volk seinen Namen gab, ist so gründlich verschollen, dass heute niemand mehr weiß, wo sie einst gestanden hat.

Denken Sie auch an einen „Archäologen" namens Nabonîd. Berühmt ist er für eine Expedition in die Oasenstadt Tayma in Saudi-Arabien. Dort entdeckte er die Ruine eines Tempels für den Sonnengott Šamaš und dicht daneben eine Tempelruine, die ein akkadischer König namens Naram-Sin erbaut hatte. Beide Tempel wurden sorgfältig ausgegraben und die Funde datiert. Doch das Interessanteste an Nabonîd, dem Archäologen, ist, dass er ein Babylonier war, der vor gut 2500 Jahren lebte. Damit stehen seine Grabungen in der Mitte zwischen der Erbauungszeit dieser Tempel um 2200 v. Chr. und heute. Die Geschichte der Menschheit ist schon sehr alt, und was wir „Geschichte der Neuzeit" nennen, ist nur ein lächerlicher Bruchteil dieser Zeitspanne. Aber wenn Sie heute verschiedene Leute bitten, „die wichtigsten" Personen und Ereignisse der Geschichte zu nennen, werden fast alle Beispiele aus der Neuzeit stammen.

Damit ist diese Geschichte verschollener und vergessener Völker eine Mahnung, dass unsere Zeit und Kultur vergänglich sind. Selbst wenn wir nicht verschwinden sollten wie so viele Völker vor uns, würden unsere Nachfahren uns nach einigen Generationen der Veränderung als ferne Fremde betrachten. Die Völker und Ereignisse, die unseren geistigen Horizont füllen, werden am Ende nur Fußnoten in unbedeutenden Texten sein. Das Gefühl von Dauerhaftigkeit und Wichtigkeit, in dem wir uns heute gefallen, war einst auch das der Akkader.

Anhang